DOLORES CLAIBORNE

Título original en inglés: *Dolores Claiborne*

Traducción: Irving Roffe
de la primera edición de
The Viking Penguin,
Nueva York, 1993

© 1993, Stephen King

D.R. © 1993 por EDITORIAL GRIJALBO, S.A. de C.V.
Calz. San Bartolo Naucalpan núm. 282
Argentina Poniente 11230
Miguel Hidalgo, México, D.F.

ISBN 970-05-0457-3

IMPRESO EN MÉXICO

A mi madre, Ruth Pillsbury King

"¿Qué busca la mujer?"
SIGMUND FREUD

"R-E-S-P-E-T-O, averigua qué significa para mí"
ARETHA FRANKLIN

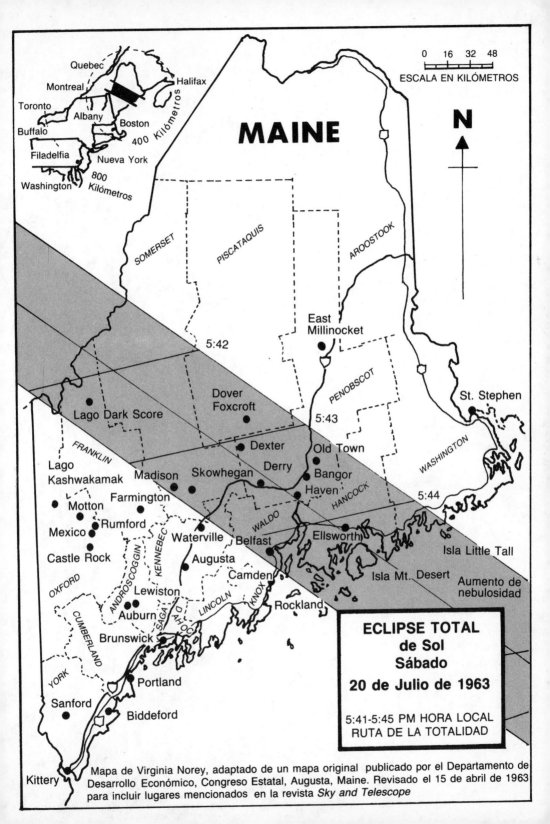

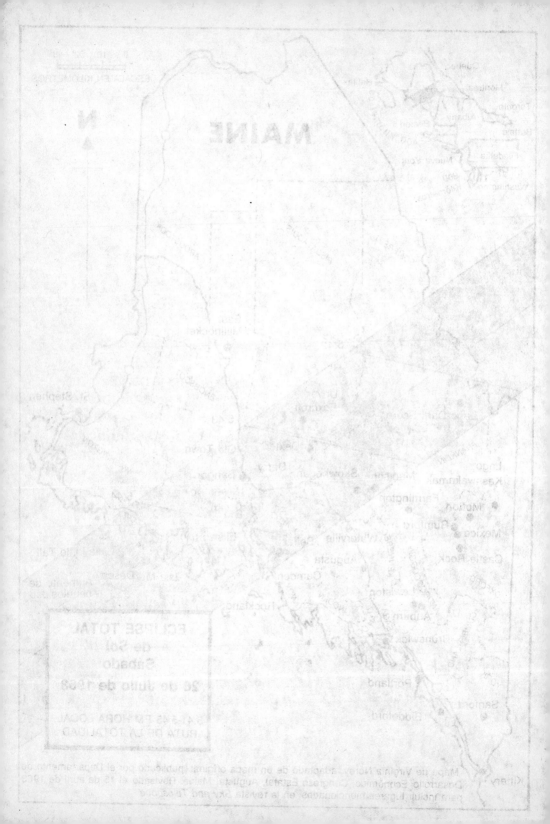

¿*Qué* dijiste, Andy Bissette?

¿Que si "entendí los derechos esos cuando me los explicaste"?

Caray, ¿por qué los hombres son tan *brutos*?

No: *a ti* no te importa. Cierra el pico y escúchame un rato. Para mí que me vas a tener que oír casi toda la noche, así que mejor acostúmbrate. ¡Yo entiendo lo que me lees! ¿Es que te parece que perdí los sesos desde la última vez que te mandaron al mercado? Eso fue apenas la tarde del lunes, por si se te olvidó. Yo te dije que tu esposa te iba a armar una buena por comprar pan del día anterior —el refrán dice: "Lista con los peniques, estúpida con las libras"—y te apuesto que yo tuve razón. ¿O no?

Entiendo muy bien mis derechos, Andy; mi mamá no crió tarados. Y que Dios me asista: también entiendo mis responsabilidades.

¿Así que todo lo que diga puede ser usado en contra mía en un juzgado? ¡Siempre se aprende algo nuevo! Y tú, Frank Proulx, quítate esa sonrisa de la cara. Hoy serás un policía de pueblo muy importante, pero no hace mucho todavía te veía correr con un pañal meado, con la misma sonrisa estúpida en tu carota. Te voy

13

a dar un consejo: cuando estés con una gallina vieja como yo, más te vale guardarte la sonrisa. Te puedo leer mejor que un anuncio de ropa interior en un catálogo de Sears.

Está bien, está bien, ya nos divertimos. Mejor vamos al grano. Desde ahora les voy a contar a los tres un montón de cosas, y de ahí van a tener mucho que *podría* usarse en contra mía en el juzgado, si es que alguien quisiera hacerlo ahora que ya pasó tanto tiempo. Porque lo chistoso es que todos en la isla conocen casi todo el asunto, y a mí ya casi me importa medio carajo, como decía el viejo Neely Robichaud cuando se tomaba sus copas, lo que era casi todo el tiempo, como te lo puede decir cualquiera que lo conoció.

Pero lo que *sí* me importa es que vine aquí porque yo quise. Yo no maté a esa puta de Vera Donovan. No me importa lo que ustedes piensen: lo que quiero hacer es que crean eso. Yo no la empujé por la escalera. No me importa si me quieren encerrar por lo otro, pero sépanse que yo no tengo en las manos la sangre de esa puta. Y yo creo que para cuando termine de hablar, tú me *vas* a creer, Andy. Tú siempre fuiste un buen muchacho, desde chico eras justo, y ahora eres un hombre decente. Pero que no se te suba a la cabeza: te criaron como cualquier hombre, con una mujer que te lavaba la ropa y que te sonaba la nariz y que te daba vuelta cuando ibas a donde no tenías que ir.

Otra cosa antes de empezar. Te conozco, Andy, y también a ti, Frank. ¿Pero quién es esta mujer con la grabadora?

¡Por Dios, Andy, *ya sé* que es la mecanógrafa! ¿No acabo de decir que mi mamá no crió tarados? Aunque cumpla sesenta y seis este noviembre, todavía tengo la cabeza bien puesta. Ya sé que una mujer con grabadora y libreta de taquigrafía es una mecanógrafa. No me pierdo *ninguno* de esos programas de juicios, ni siquiera *Se hará justicia*, donde parece que nadie puede tener la ropa puesta quince minutos seguidos.

¿Cómo te llamas, mi amor?

Ajá... ¿Y de dónde vienes?

¡Déjame en paz, Andy! ¿Tienes otra cosa que hacer para hoy en la noche? ¿Tenías planes de ir al letrero para ver si pescas algunos tipos sacando almejas sin permiso? Ésas son de las emociones que te hacen daño al corazón, ¿verdad? ¡Ja!

Eso está mejor. Así que tú eres Nancy Bannister de Kennebunk, y yo soy Dolores Claiborne de aquí mismo, de isla Little Tall. Ya les dije que voy a hablar más de lo que necesitan oír, y ya verán que lo digo en serio. Así que si necesitan que hable más fuerte o más despacio, nada más díganlo. No se anden con remilgos. Quiero que registren cada maldita palabra, empezando con esto: hace veintinueve años, cuando el comandante de la policía Bissette estaba en primer año y todavía comía papillas y puré, yo maté a mi marido, Joe St. George.

Siento una corriente de aire, Andy. Yo creo que no la voy a sentir con que sólo cierres la boca. De todos modos, yo no sé por qué te sorprendes. Ya sabes que yo maté a Joe. Lo sabe todo Little Tall, y quizá también la mitad de Jonesport, al otro lado del canal. Lo que pasa es que nadie puede demostrarlo. Y yo no estaría aquí ahora, admitiéndolo en frente de Frank Proulx y Nancy Bannister de Kennebunk, de no ser por la estúpida puta de Vera haciendo otro de sus trucos.

Bueno, por lo menos ya no va a hacer más. ¿O sí? Por lo menos ése es un consuelo.

Nancy, mi amor, acércame un poco esa grabadora. Si ya vamos a hacer esto, prefiero hacerlo como se debe. ¿Verdad que los japoneses hacen las cosas más ingeniosas? Claro que sí... pero yo creo que las dos sabemos que lo que haya dentro de la cinta de este aparatito podría ponerme en la Cárcel de Mujeres por el resto de mi vida. Pero no me queda otra. Juro ante los cielos que siempre supe que Vera Donovan sería mi muerte; lo supe desde el primer momento que la vi. Y mira nomás lo que hizo. Mira lo que me hizo esa maldita perra. Esta vez sí que me embarró. Pero así son los ricos con los demás: si no te matan a patadas, te matan a besos, muy amablemente.

¿Qué?

¡Bah! ¡*A eso voy*, Andy, si me dejas en paz! Estoy tratando de decidir si decirlo de atrás para adelante o de adelante para atrás. Supongo que no puedo tomarme una copita, ¿o sí?

¡*Al carajo* con tu café! Agarra la cafetera y métetela por el culo. Dame un vaso de agua si eres tan tacaño como para no compartir un trago de la botella que guardas en el escritorio. Yo no...

¿Cómo que de dónde sé eso? El que te conociera un poco menos que yo pensaría que naciste ayer. ¿Tú crees que la gente de esta isla solamente habla de que maté a mi marido? Eso ya no es noticia. Pero tú... todavía tienes algo de jugo en el cuerpo.

Gracias, Frank. Tú también siempre fuiste un buen muchacho, aunque era un poco difícil verte en la iglesia hasta que tu mamá te curó la costumbre de escarbarte la nariz. Vaya, si a veces te metías el dedo en la nariz tan hondo que yo no sé cómo hiciste para no sacarte los sesos. ¿Se puede saber por qué se te subió el color a la cara? Como si nunca hubiera niños que se sacaran un poco de oro verde de vez en cuando. Por lo menos tú supiste tener las manos lejos de tus pantalones y tus huevos, por lo menos en la iglesia, y eso que hay un montón de jovencitos que *nunca*...

16

Sí, Andy, *sí*... *Voy* a decir las cosas. Válgame Dios, ¿es que nunca te sacudiste las hormigas de los pantalones?

Ya sé qué voy a hacer: un compromiso. En vez de contar las cosas de atrás para adelante o de adelante para atrás, voy a empezar por en medio y les contaré las cosas para los dos lados. Y si no te gusta, Andy Bissette, puedes escribirlo en una confesión y mandársela al capellán.

Joe y yo tuvimos tres hijos, y cuando él se murió en el verano del 63 Selena tenía quince años, Joe junior trece y el pequeño Pete apenas nueve. Y Joe no me dejó ni siquiera una bacinica donde orinar o una ventana por donde tirar...

Nancy, creo que vas a tener que arreglar un poco lo que dije. Es que soy una vieja con mal carácter y la boca sucia. Pero eso es lo que pasa cuando se tiene una vida mala y sucia.

¿En qué estaba yo? ¿Es que ya se me olvida lo que digo?

Ah, sí. Gracias, cariño.

Lo que Joe me dejó fue una choza en la Punta Este y unas dos hectáreas de tierra, llenas de matas de zarzamora y esos arbustos que crecen en cuanto los cortas. ¿Qué más? Déjame ver... Tres camiones que no servían —dos camionetas y una cargadora de pulpa— cuatro cuerdas* de madera, una deuda en el almacén, otra deuda en la ferretería, otra deuda con la compañía de aceite, otra deuda en la funeraria... ¿Y quieren saber qué fue lo mejor? ¡No tenía una semana bajo tierra cuando el borracho de Harry Doucette llegó con un vale por veinte dólares que le debía Joe por una apuesta en el beisbol!

*Medida para la leña, en general 3 625 metros cúbicos.

Todo eso me dejó. ¿Ustedes creen que me dejó siquiera un centavo de algún seguro? ¡No señor! Aunque yo creo que eso, a fin de cuentas, fue más bien una bendición. Ya les contaré de eso después, pero lo que estoy tratando de decirles es que Joe St. George no era lo que se llama un hombre; era una rueda de molino que me pusieron en el cuello. Peor que eso, en realidad, porque las ruedas de molino no se emborrachan y luego llegan a la casa oliendo a cerveza y con ganas de coger a la una de la mañana. No es por nada de eso que maté a ese hijo de puta, pero me parece que podemos empezar por ahí.

Lo que sí puedo decirles es que una isla no es buen lugar para matar a nadie. Es como si siempre hubiera alguien cerca, esperando a meter las narices en tus asuntos cuando menos lo necesitas. Por eso lo hice cuando lo hice, y también les contaré de eso. Por ahora, es suficiente decir que lo hice unos tres años después de que el marido de Vera Donovan murió en un accidente de coche cerca de Baltimore. Ahí vivían cuando no pasaban el verano en Little Tall. En ese entonces, Vera todavía estaba lo que se llama en forma.

Pero sin Joe y sin dinero, yo estaba en un lío. Yo creo que nadie en el mundo se siente tan desesperado como una mujer sola y con niños que dependen de ella. Yo estuve a punto de cruzar el canal para ir a Jonesport a conseguir un trabajo de cajera en una tienda o de mesera, cuando a aquella tipa se le ocurrió vivir en la isla todo el año. Casi todos pensaron que se volvió loca, pero a mí no me sorprendió tanto. De todos modos, ya por entonces pasaba mucho tiempo aquí.

El tipo que trabajaba para ella en ese entonces —no me acuerdo de su nombre, pero ya sabes de quién estoy hablando, Andy, el torpe inmigrante europeo con pantalones lo bastante apretados como para que todo el mundo supiera lo grandes que tenía los huevos— me llamó y me dijo que La Patrona (así le decía: La Patrona; de veras que era bruto) quería saber si yo podría trabajar para ella como ama de llaves de tiempo completo. Y como yo ya había trabajado para su familia desde 1950, los veranos, supongo que era natural que hablara conmigo antes de hacerlo con alguien más, pero en ese momento pareció la respuesta a todas mis plegarias. Ahí mismo dije que sí, y trabajé con ella hasta ayer al mediodía, cuando rodó por las escaleras y cayó sobre su estúpida cabeza hueca.

¿A qué se dedicaba su marido, Andy? Construía aviones, ¿verdad?

Oh. Creo que *oí* decir eso, pero ya sabes cómo le gusta hablar a la gente de la isla. Lo que sé de cierto es que estaban bien de dinero. Lo que se llama *bien* de dinero. Y ella recibió todo cuando él se murió. Quitando lo que se llevó el gobierno, claro, y yo no creo que se haya llevado la mitad de lo que debía llevarse. Michael Donovan era una bala. Y también muy mañoso. Y aunque nadie podría creerlo por la forma en que ella se portó durante los últimos diez años, Vera era tan mañosa como él... y tuvo sus días mañosos hasta el mismo momento en que se murió. Yo me pregunto si ella sabía del lío en que me podía meter si hubiera hecho otra cosa que morirse tranquilamente en su cama de un ataque al corazón. Casi todo el día he estado en Punta Este, sentada en una de esas sillas destartaladas, pensado en eso... en eso y en otras cien cosas. Primero pienso que no, que un plato de avena tiene más cerebro del que tuvo Vera Donovan al final, y luego recuerdo cómo era ella con la aspiradora y pienso que tal vez... sí, tal vez...

19

Pero ahora ya no importa. Lo único que importa ahora es que me salí de la sartén para caer en la lumbre, y me gustaría mucho salir de ahí antes de que se me quemaran las nalgas más de lo que están. Si es que todavía puedo.

Empecé como ama de llaves de Vera Donovan y terminé siendo lo que algunos llaman "dama de compañía". No tardé mucho en entender cuál es la diferencia. Cuando era la ama de llaves de Vera, tenía que comer mierda ocho horas diarias, cinco días a la semana. Como dama de compañía, la comía día y noche.

Tuvo su primera embolia en el verano de 1968, cuando estaba viendo la Convención Nacional Demócrata de Chicago en la televisión. No fue muy grave y le echó la culpa a Hubert Humphrey. "Vi a ese imbécil una vez de más", decía, "y se me reventó una vena. Yo debí saber que me pasaría eso; igual pudo pasarme con Nixon".

Tuvo una más grave en 1975, y esa vez no pudo echarle la culpa a un político. El doctor Freneau le dijo que lo mejor sería que dejara de fumar y de beber, pero pudo ahorrarse sus palabras: una gatita fina como Vera Bésame-Las-Nalgas Donovan no acostumbraba oír a un doctorcito rural como Chip Freneau. Le gustaba decir: "Yo lo voy a enterrar a él, y me voy a tomar un whisky con soda sentada sobre su tumba".

Durante un tiempo pareció que se saldría con la suya. Él la regañaba y ella seguía navegando como si fuera el *Queen Mary*. Luego, en 1981, le pasó la primera cosa seria, y el inmigrante europeo se mató en un choque en tierra firme al año siguiente. Fue entonces cuando me fui a vivir a su casa: octubre de 1982.

¿Que si tenía que hacerlo? No sé. Creo que no. Yo tenía mi seguro sociable, como le decía la vieja Hattie

McLeod. No era mucho dinero, pero para entonces mis hijos ya se habían ido desde hacía mucho —el pequeño Pete se fue del mundo, pobrecita alma extraviada— y de todos modos yo me las ingenié para ahorrar unos dólares. No es caro vivir en la isla, y aunque no es lo que era antes, sigue siendo mucho más barato que vivir en el continente. Así que, la verdad, no *tenía* que irme a vivir con Vera.

Pero para entonces ella y yo ya estábamos acostumbradas. Es difícil explicar eso a un hombre. Yo creo que Nancy, con su libreta y su pluma y su grabadora lo entiende, pero por lo visto ella no debe hablar. Estábamos acostumbradas ella a mí y yo a ella de la misma forma en que dos murciélagos viejos están acostumbrados a colgarse de cabeza juntos en la misma cueva, y eso que no se podía decir que fuéramos las mejores amigas. Y las cosas no cambiaron mucho. Si acaso, el mayor cambio fue que colgué en el armario mi ropa de domingo junto con la ropa de trabajo, porque ya para otoño del 82 yo vivía ahí todos los días y casi todas las noches. La paga mejoró, pero no como para dar el enganche de mi primer Cadillac. Ustedes ya saben de qué estoy hablando. ¡Ja!

Yo creo que lo hice porque no había otro que lo hiciera. Ella tenía un administrador de negocios en Nueva York, un hombre llamado Greenbush, pero Greenbush no es de los que vendrían a Little Tall para que ella le gritara desde la ventana de la recámara para asegurarse de que colgara las sábanas con seis ganchos y no con cuatro, y tampoco viviría en el cuarto de huéspedes para cambiarle a Vera los pañales y limpiar caca de sus nalgas gordas, mientras que ella lo acusara de robar el cambio de su alcancía de porcelana y que lo mandaría a la cárcel por eso. Greenbush hacía los cheques; yo limpiaba la caca y la oía gritar por las sábanas y el polvo y su maldito cochinito de porcelana.

¿Y qué con eso? No estoy pidiendo que me den una medalla al mérito. Ni siquiera una condecoración del Corazón Púrpura. Con mis años, yo ya limpié mucha caca, y escuché mucha más (recuerden que yo estuve casada dieciséis años con Joe St. George) y nada de eso me dejó raquítica. Yo creo que al final me quedé con ella porque no tenía a nadie más; no le quedaba más que yo o el asilo. Sus hijos nunca venían a verla, y yo la compadecía por eso. Yo no esperaba que ellos la adoraran, pero yo no podía entender por qué no arreglaban su vieja pelea, cualquiera que fuera, y venían de vez en cuando a pasar un día o un fin de semana con ella. Ni duda cabe de que ella era una perra miserable, pero también era su *Mamá*. Y ya era una vieja. Claro que ahora sé más cosas de las que sabía entonces, pero...

¿Qué?

Sí. Es cierto. Si miento, muero, como les gusta decir a mis nietos. Háblenle a ese sujeto Greenbush si ustedes no me creen. Yo ya espero que cuando se sepa la noticia —y se sabrá, como siempre— van a escribir uno de esos artículos muy sentimentales en el *Daily News* de Bangor acerca de lo maravilloso que fue todo. Pues les tengo una noticia: *no es* maravilloso. Es una pesadilla del carajo. No importa lo que pase aquí, los demás dirán que yo le lavé el cerebro para que hiciera lo que hizo y luego la maté. Yo lo sé, Andy, y tú también. No hay poder en el cielo ni en la tierra que evite que la gente piense lo peor cuando quiere hacerlo.

Pues nada de eso es cierto. Yo no la obligué a hacer nada. Y claro que ella no hizo lo que hizo porque me quería, o siquiera porque yo le cayera bien. Supongo que lo hizo *porque* pensaba que me debía algo; a su modo muy especial ella pudo pensar que me debía mucho, y no acostumbraba decirme nada. Incluso puede ser que lo que hizo fue una forma de agradecerme... no por cambiar sus pañales sucios sino por estar con ella todas las noches en que los alambres salían de los rincones o los conejitos de polvo salían de abajo de la cama.

Sé que ustedes no entienden eso, pero ya lo entenderán. Antes de que abran esa puerta y salgan de este cuarto, les prometo que entenderán todo.

Ella tenía tres modos de portarse como una perra. He conocido mujeres que tenían más modos, pero tres son suficientes para una señora senil que siempre estaba en cama o en la silla de ruedas. Tres son más que suficientes para una mujer así.

El primer modo era cuando se portaba como una perra simplemente porque ella era así. ¿Recuerdan lo que les dije de los ganchos, que tenía que usar seis para colgar las sábanas y no cuatro? Pues ése es un ejemplo.

Había ciertas cosas que *tenían* que hacerse si se trabajaba para la señora Vera Bésame-Las-Nalgas Donovan, y pobre de una si olvidaba siquiera una de ellas. Ella te decía cómo había que hacer las cosas, y aquí les digo que así fue como se hicieron. Si olvidabas algo una vez, te reprendía como sólo ella podía hacerlo. Si lo olvidabas dos veces, te multaba el día de pago. Si lo olvidabas tres, te ibas y punto, sin excusa que valiera. Ésa era la ley de Vera, y a mí me venía bien. Pienso que la ley era dura, pero justa. Si ella te decía dos veces en qué moldes tenías que poner el pastel al sacarlo del horno, y que nunca lo debías poner a enfriar junto a la ventana como una arrabalera irlandesa, y después de eso *seguías* sin recordarlo, lo más seguro es que *nunca* lo recordarías.

La ley era que después de tres *strikes* estabas ponchada. Sin excepciones de ninguna clase, y durante los años que trabajé en esa casa entró y salió muchísima gente por esa ley. En mis tiempos oí decir más de una vez que trabajar para los Donovan era como pasar por una puerta giratoria. Podías dar una vuelta, o dos, y había quienes pasaban diez o doce veces, pero al final siempre terminabas en la calle. Así que cuando fui a trabajar con ella la primera vez —esto fue en 1949— entré como quien se mete a la cueva del dragón. Pero ella no era tan mala persona como a la gente le gustaba contar. Si parabas bien las orejas, te podías quedar. Yo me quedé, y también el inmigrante. Pero tenías que estar alerta todo el tiempo, porque ella era lista, porque sabía mejor lo que pasaba con los que vivíamos en la isla que los otros que tenían casa de verano... y porque ella podía ser mala. Aún entonces, antes de que le cayeran encima todos sus líos, ella podía ser mala. Eso era para ella algo así como un pasatiempo.

—¿Qué estás haciendo aquí? —me preguntó el primer día—. ¿No deberías estar con tu nuevo bebé, cocinando una buena cena para la alegría de tu vida?

—A la señora Cullum le gusta cuidar a Selena cuatro horas al día —contesté—. Sólo puedo trabajar medio tiempo, señora.

—Sólo necesito que trabajes medio tiempo. Creo que eso dice el anuncio que puse en el seudoperiódico local —rebatió inmediatamente, dándome una muestra de lo filosa que tenía la lengua, aunque no me cortó con ella como lo haría después. Recuerdo que ese día estaba tejiendo. Esa mujer podía tejer muy rápido: para ella no era problema tejer un par de calcetines en un día, aun si empezaba a las diez de la mañana. Pero ella decía que tenía que tener el humor para hacerlo.

—Sí, seño —abundé—. Así decía en el anuncio.

—No me llamo seño —dijo, poniendo su tejido a un lado—. Me llamo Vera Donovan. Si trabajas para mí, me llamarás señora Donovan, por lo menos hasta que nos conozcamos lo suficientemente bien como para hacer algún cambio, y yo te llamaré Dolores. ¿Está claro?

—Sí, señora Donovan —acepté.

—Muy bien. Estamos empezando correctamente. Ahora responde: ¿Qué haces aquí si tienes tu propia casa que cuidar, Dolores?

—Quiero ganar algún dinero extra para Navidad —le dije. Antes de llegar ya había decidido decirle eso si me lo preguntaba—. Si soy de su parecer hasta entonces y, desde luego, si a mí me gusta trabajar para usted, entonces tal vez me quede algún tiempo más.

—Si a *ti* te gusta trabajar para *mí* —repitió, y movió los ojos como si fuera la cosa más tonta que hubiera oído, ¿cómo es que a alguien *no* le gustaría trabajar para la gran Vera Donovan? Luego volvió a repetir—: Dinero para Navidad —hizo una pausa, durante ese tiempo se me quedó viendo, y luego volvió a decir, todavía más sarcástica—: ¡Di-ne-ro-pa-ra-Na-vi-dad!

Como si ella ya sospechara de que en verdad yo estaba ahí porque apenas me había sacudido el arroz del pelo y ya tenía problemas con el marido, y que lo único que quería era ver cómo me ponía roja y bajaba la mirada para estar segura. Así que ni me puse roja ni bajé la mirada, a pesar de que sólo tenía veintidós años y casi lo hice. Tampoco habría admitido ante nadie que ya *tenía* problemas; por nada del mundo me lo habrían sacado. A Vera le pareció bien lo del dinero para Navidad, con todo lo sarcástica que lo pudo haber dicho, y yo admitía que el dinero de la casa ya era muy poco para ese verano. Pasaron muchos años para que yo pudiera admitir la verdadera razón por la que me enfrenté al dragón en su madriguera ese día: tenía que encontrar la manera de recuperar el dinero que Joe se bebía durante la semana y el que perdía los viernes en los juegos de póker en la taberna de Fudgy, en tierra firme. Por ese entonces yo todavía creía que el amor de un hombre por una mujer y el de una mujer por un hombre era más fuerte que el amor por la bebida y los pleitos, que el amor subiría como la crema en una botella de leche. Aprendí más cosas en los siguientes diez años. A veces el mundo es una escuela que duele, ¿o no?

—Bien —dijo Vera—, nos daremos una oportunidad la una a la otra, Dolores St. George... aunque imagino que, a pesar de que te acomodes, dentro de un año volverás a embarazarte y ésa será la última vez que te vea.

Lo cierto es que ya entonces tenía dos meses de embarazo, pero tampoco eso lo hubiera dicho por nada del mundo. Yo necesitaba los diez dólares a la semana de ese trabajo, y me lo dieron, y será mejor que me crean cuando les digo que me gané cada centavo de la paga. Ese verano me deslomé trabajando, y cuando fue Día del Trabajo, Vera me preguntó si quería quedarme cuando ellos regresaran a Baltimore —alguien tenía que cuidar una casa tan grande como esa durante todo el año— y yo dije que sí.

Trabajé ahí hasta un mes antes de que Joe junior naciera y regresé cuando todavía le daba de mamar. En el verano lo dejé con Arlene Cullum (por supuesto que Vera no era de las que podía tener un bebé llorando en la casa) pero cuando ella y su esposo se fueron, traje conmigo a Selena y al bebé. A Selena casi siempre la dejaba sola: desde que tenía dos o tres años podía confiar en ella casi todo el tiempo. A Joe junior lo llevaba en carrito en mis rondas diarias. Dio sus primeros pasos en el dormitorio de los señores, aunque se podrán imaginar que Vera nunca lo supo.

Me llamó una semana después del parto (por poco y no le mando una tarjeta de nacimiento, pero luego decidí que era su problema si pensaba que quería que me mandara un buen regalo), me felicitó por dar a luz a un hijo y después dijo lo que yo creo que realmente quería decirme: que estaba guardando mi lugar. Yo creo que quería hacerme sentir halagada, y así fue. Era más o menos el cumplido más grande que puede hacer una mujer como Vera, y significó mucho más que el cheque de veinticinco dólares que me regaló por correo en diciembre de ese año.

Era dura pero también era justa, y ella era la que mandaba en esa casa. De todos modos su marido no estaba ahí mas que un día de cada diez, incluso en verano, cuando se suponía que vivían ahí todo el tiempo. Pero hasta cuando estaba en la casa se sabía quién mandaba ahí. Tal vez él tenía doscientos o trescientos ejecutivos que temblaban cada vez que abría la boca, pero Vera era la comandante en la batalla de isla Little Tall, y cuando ella le decía que se quitara los zapatos y dejara de ensuciar la alfombra limpia, él obedecía.

Y pienso que ella tenía su forma de hacer las cosas. ¡De veras que la tenía! Yo no sé de dónde sacó sus ideas, pero lo que sí *sé* es que era prisionera de esas ideas. Si las cosas no se hacían de cierto modo, a ella le dolía la cabeza o el estómago. Pasaba tanto tiempo revisando las cosas que más de una vez pensé que estaría más tranquila si hubiera cuidado la casa ella misma.

En primer lugar, las tinas tenían que ser lavadas con Spic n Span. No con Lestoil ni con Top Job ni con

Mr. Clean. Únicamente con Spic n Span. Si lavabas la tina con cualquier otra cosa, que el Señor te ampare.

Cuando se trataba de planchar, tenías que usar una botella rociadora especial para almidonar los cuellos de las camisas y las blusas, y había una gasa que se suponía que tenías que poner sobre el cuello antes de rociarlo. Hasta donde yo sé, esa gasa del carajo no servía para nada, y yo planché en esa casa por lo menos unas diez mil camisas, pero si ella entraba a la lavandería y yo estaba planchando las camisas sin ese pedazo de gasa en el cuello, o por lo menos colgando de la mesa de planchado, que el Señor te ampare.

Si se te olvidaba prender el extractor de aire en la cocina cuando estabas friendo algo, que el Señor te ampare.

Otra cosa: los basureros en la cochera. Había seis. Sonny Quist venía una vez por semana a recoger la basura, y ya fuera el ama de llaves o una de las sirvientas, la que estuviera más cerca, tenía que regresar esos basureros a la cochera en el mismísimo *segundo* en que Sonny se iba. Y no era cuestión de jalarlos hasta el rincón y dejarlos; había que ordenarlos de dos en dos en la pared este de la cochera, con sus tapas al revés encima de cada uno de ellos. Si se te olvidaba hacerlo exactamente así, que el Señor te ampare.

Luego estaban los tapetes de las entradas. Había tres: uno para la puerta principal, otro para la puerta del patio y otro para la puerta trasera. Esa puerta tenía un letrero que decía, muy altanero, ENTRADA DE SERVICIO, hasta que el año pasado me cansé de verlo y lo quité. Una vez a la semana tenía que poner los tres tapetes sobre una roca que estaba al final del patio trasero, yo diría que a unos cuarenta metros de la piscina, y tenía que sacudirlos con una escoba. Tenía que hacer volar el polvo. Si te atrasabas con eso, ella se daba cuenta. No es que *siempre* te vigilara cuando sacudías los tapetes, pero muchas veces lo hacía. Se paraba en el patio con los binoculares de su esposo. Y la cosa era que cuando traías los tapetes de regreso, tenías que poner bien el BIENVENIDOS. Ponerlo bien era que se tenía que leer en todas las puertas donde los pusieras. Si ponías un tapete al revés o hacia abajo, que el Señor te ampare.

Había unas cincuenta cosas de ese tipo. Al principio, cuando empecé como criada de medio tiempo, oías muchos chismes acerca de Vera Donovan en el almacén. Los Donovan tenían muchísimos invitados, y durante los años cincuenta tenían muchos sirvientes, y casi siempre la que más se quejaba y chismorreaba era alguna muchacha joven a la que habían contratado por medio tiempo y luego la habían despedido por olvidar alguna de las reglas tres veces seguidas. Le decía a cualquiera que quisiera oírla que Vera Donovan era mala, una serpiente con lengua filosa, y más loca que una cabra. Tal vez estaba loca y tal vez no, pero déjenme decirles que si una se acordaba, ella no se metía. Y yo pienso que cualquiera que se acuerde de quién se acuesta con quién en esas telenovelas que pasan por la tarde puede recordar que se debe usar Spic n Span en las tinas y colocar los tapetes de la entrada con el letrero bien puesto.

Pero viene el asunto de las sábanas. Eso es algo que *nunca* se debía hacer mal. Había que colgarlas perfectamente en el tendedero, ustedes saben cómo: que las costuras coincidan, y se tenían que usar seis ganchos. Nunca cuatro: seis. Y si se te ensuciaba una sola sábana con lodo, ya no era necesario esperar a que algo te saliera mal tres veces. El tendedero estaba en el patio lateral, que estaba justo abajo de la ventana de su recámara. Ella estaba junto a la ventana, año con año, y me gritaba: *"¡Dolores, dije que seis ganchos! ¿Me oyes? ¡Seis, no cuatro! ¡Estoy contando, y mis ojos están mejor que nunca!"* Ella...

¿Qué, mi amor?

Andy, déjala en paz. Es una buena pregunta. Son de las que a ningún hombre se le ocurre.

Te diré, Nancy Bannister de Kennebunk, Maine: sí. Ella *tenía* una secadora, muy grande, pero teníamos prohibido poner ahí las sábanas a menos que anunciaran cinco días seguidos de tormenta en el pronóstico. "La única sábana digna de estar en la cama de una persona decente es la sábana secada al sol", decía Vera, "porque así huelen bonito. Se les pega un poco del viento que las sacude, y se impregnan con él, y ese olor hace que duermas bien".

Tenía la cabeza llena de estupideces, pero no cuando se trata del olor del viento fresco en las sábanas; en eso creo que tenía toda la razón. Cualquiera puede oler la diferencia entre una sábana que dio vueltas en una secadora y una secada por un buen viento del sur. Pero hubo infinidad de mañanas de invierno en que amanecía a diez bajo cero, y el viento era fuerte y húmedo, venía del este, del Atlántico. En esas mañanas no me hubiera importado que las sábanas olieran bonito. Colgar sábanas con ese frío es una tortura. Nadie sabe lo que es hasta que lo hayan hecho, y cuando lo haces ya no lo puedes olvidar.

Sacas el canasto al tendedero y sale vapor de las sábanas. La primera está tibia, y a lo mejor piensas —esto es, si no lo has hecho antes—: "Bah, no es tan grave". Pero cuando cuelgas la primera, y emparejas los bordes, y le pones los seis ganchos, ya no sale vapor. Todavía está mojada, pero también está fría. Y tienes los dedos mojados, y *fríos*. Vas con la siguiente sábana, y la siguiente, y la siguiente, y los dedos se te ponen rojos y torpes, y te duelen los hombros, y tienes la boca llena de ganchos para tener libres las manos y colgar esa jodida sábana bien tendida y pareja, pero lo peor son los dedos. Si se te durmieran, eso ya sería otra cosa. Casi quisieras que se te durmieran. Pero sólo se te ponen rojos, y si hay muchas sábanas se te oscurecen hasta ponerse de un violeta pálido, como los pétalos de algunas lilias. Cuando terminas, tienes las manos como garras. Pero lo peor es cuando sabes lo que te pasa cuando entras otra vez a la casa con el canasto vacío y sientes el calor en las manos. Sientes hormigueo y te palpitan las articulaciones, sólo que es una sensación tan profunda que es más como un *llanto* que una palpitación. Quisiera describírtelos para que supieras, Andy, pero no puedo. Parece como si Nancy Bannister *lo entendiera*, por lo menos un poco, pero hay un mundo de diferencia entre tender la ropa mojada en el invierno de la costa y tenderla en la isla. Cuando los dedos se te vuelven a calentar, sientes como si tuvieras un avispero adentro. Así que te los frotas con cualquier clase de crema de manos y esperas a que se te vaya el hormigueo, y sabes que no importa cuánta crema o whisky barato te frotes en las manos; a fines de febrero tienes la piel tan agrietada que se te quiebra y te sangra si aprietas el puño. A veces, incluso cuando ya entraste en calor y te vas a dormir, se te despiertan las manos a media noche, llorando por el recuerdo de ese dolor. ¿Crees que no hablo en serio? Puedes reírte si quieres, pero yo no, ni un poquito. Casi las puedes oír, parecen niños que no pueden encontrar a su mamá. Viene de muy adentro, y estás acostada y los oyes, y todo el tiempo sabes que de todos modos vas a tener que salir, pase lo que pase, y eso es parte del trabajo de una mujer que los hombres no conocen ni quieren conocerlo.

Y mientras que pasabas por eso, con las manos entumidas, los dedos morados, los hombros adoloridos, con los mocos goteándote de la punta de la nariz y congelándose sobre el labio, ella estaba casi siempre parada o sentada, viéndote desde la ventana de su recámara. Tenía la frente fruncida y los labios apretados, sin dejar de mover las manos; estaba muy tensa, como si se tratara de una operación de hospital muy complicada en vez de ser el tendido de las sábanas en el viento de invierno. Podías ver que trataba de contenerse, de mantener cerrada su bocota esta vez, pero después de un rato no podía más, abría la ventana y se asomaba hasta que el viento frío del este le hacía volar el pelo hacia atrás, y aullaba: "*¡Seis ganchos! ¡Acuérdate de usar seis ganchos! ¡No dejes que el viento se lleve mis mejores sábanas por el patio! ¿Me estás oyendo? ¡Más te vale que me oigas, porque te estoy viendo, y estoy contando!*"

Cuando llegaba marzo, yo ya soñaba con agarrar el hacha que usábamos el inmigrante y yo para partir la leña de la estufa de la cocina (esto es, hasta que él murió; después de eso me quedó ese trabajo sólo para mí. Suertuda, ¿verdad?) y darle a esa puta gritona un buen hachazo entre los ojos. A veces casi podía verme haciéndolo, tan enojada me tenía, pero supongo que siempre supe que ella tenía una parte de sí misma que odiaba gritarme así tanto como yo odiaba oírla.

Ése era el primer modo que tenía de ser una perra: era así porque no podía evitarlo. La verdad es que era peor para ella que para mí, especialmente después de sus embolias. Por entonces ya había mucho menos lavandería para tender; además, casi todas las recámaras de la casa ya estaban cerradas, en los cuartos de huéspedes sólo había colchones y las sábanas estaban envueltas en plástico y guardadas en el armario de ropa blanca, pero a ella el asunto le seguía importando como si no hubiera pasado nada.

Lo que le empeoró las cosas fue que más o menos en 1985 se acabaron sus días en que sorprendía a los demás: dependía de mí hasta para moverse. Si yo no estaba ahí para sacarla de la cama y ponerla en la silla de ruedas, no tenía otra que quedarse en la cama. Sabrán ustedes que se puso gorda: de los sesenta y cinco kilos que pesaba en los años sesenta, subió a casi cien kilos, y todo eso era de la grasa amarillenta y bofa que tiene la gente anciana. Le colgaba de los brazos, piernas y trasero como masa de pan puesta en un palo. Hay quienes se ponen flacos y nerviosos en su vejez, pero Vera Donovan no. El doctor Freneau dijo que era porque le fallaban los riñones. Yo creo que sí, pero tuve días en que pensé que se puso así de gorda sólo para fastidiarme.

Pero tampoco el peso era todo el problema; también fue que las embolias la dejaron casi ciega. La poca vista que le quedó iba y venía. A veces veía un poco con su ojo izquierdo, y muy bien con el derecho, pero casi siempre decía que era como ver a través de una cortina gruesa y gris. Yo creo que ustedes entienden por qué eso la volvía loca, a ella que estaba acostumbrada a vigilar todo. Algunas veces lloró por eso, y tal vez ustedes crean que era muy difícil hacer llorar a una mujercita tan dura como ella... y aun después de que los años la pusieron de rodillas, seguía siendo una mujercita dura.

¿Qué, Frank?

¿Senil?

No estoy segura, ésa es la pura verdad. No creo. Si lo estuviera, no era la forma en que los demás se ponen

33

seniles. No estoy diciendo eso para que en caso de que fuera senil, el juez que se encarga de su testamento lo use para sonarse la nariz. Por mí, que también lo use para limpiarse el culo; lo único que quiero es salir de este lío en que me metió. Pero lo que sí quiero decir es que tal vez ella no tenía la cabeza *completamente* desalojada, ni siquiera al final. A lo mejor rentaba algunos cuartos, pero lo que se llama desalojada, no.

Lo digo porque tenía sus días en que estaba tan lúcida como siempre. Eran los días en que podía ver algo, y ponía de su parte para sentarse en la cama, y a veces hasta para dar los dos pasos necesarios desde la cama hasta la silla de ruedas en vez de tener que arrastrarla como un saco de grano. La ponía en la silla de ruedas para cambiar la cama, y ella quería estar ahí para poder acercarse a la ventana. La misma desde la que veía el patio lateral y la bahía. Una vez me dijo que se volvería completamente loca si tuviera que estar en cama día y noche, viendo nada más el techo y las paredes, y yo le creí.

Sí: también tenía días en que estaba confundida. No sabía quién era yo, y apenas si sabía quién era *ella*. Era cuando parecía una lancha al garete, sólo que el océano donde vagaba era el tiempo: creía que era 1947 por la mañana o 1974 por la tarde. Pero también tenía sus días buenos. Eran cada vez menos conforme pasaba el tiempo y ella tenía ataques, pero los seguía teniendo. Pero casi siempre sus días buenos eran mis días malos, porque si le daba una oportunidad, volvía a ser la misma perra de siempre.

Podía ser mala. Ése era su segundo modo de ser una perra. Si quería, esa mujer podía ser más mala que la caca de gato. Aunque estuviera en la cama casi todo el tiempo, usando pañales y calzones de hule, podía apestar. El revoltijo que hacía en los días de limpieza son un buen ejemplo de lo que quiero decir. No es que lo hiciera *todos* los días, pero por Dios les digo que no podía ser coincidencia que casi siempre fuera los jueves.

El jueves era día de limpieza en la casa de los Donovan. Es una casa enorme —no se lo imaginan hasta que entran y la recorren— pero casi toda está cerrada. Ya pasaron más de veinte años desde los días en que había media docena de muchachas con el pelo recogido con una mascada, puliendo y lavando ventanas y sacudiendo telarañas en las esquinas del techo. A veces caminaba por esos cuartos oscuros, mirando los muebles cubiertos de capas de polvo, y pensaba en cómo se veía todo esto en los años cincuenta, cuando había fiestas en el verano —con esas linternas japonesas de todos los colores en el pasto, ¡qué bien recuerdo todo eso!— y me da un escalofrío extraño. ¿No se han dado cuenta? Al final la vida se queda sin los colores brillantes. Al final todo se ve gris, como un vestido muy lavado.

En los últimos cuatro años, lo único que quedó abierto en la casa es la cocina, la sala, el comedor, el solario que da a la piscina y el patio, y cuatro recámaras en la planta de arriba: la de ella, la mía y los dos cuartos de huéspedes. No había mucha calefacción en los cuartos de huéspedes durante el invierno, pero los mantenía arreglados en caso de que sus hijos *vinieran* a pasar unos días.

Todavía en estos últimos años siempre tuve dos muchachas del pueblo que me ayudaban en los días de limpieza. También muchas entraron y salieron, pero más o menos desde 1990 vienen Shawna Wyndham y Susy, la hermana de Frank. Sin ellas no podría hacer nada, pero sigo haciendo mucho del quehacer, y para cuando las muchachas se van a la casa a las cuatro de la tarde del jueves, yo ya estoy muerta. Pero todavía queda mucho trabajo: planchar lo que queda de la ropa, escribir la lista de compras del viernes y la cena de Su Majestad, no faltaba más. Pagan justos por pecadores, dicen.

Sólo que antes de terminar *con eso*, había que atender sus desgraciadeces.

Casi todo el tiempo era regular con sus necesidades del cuerpo. Le ponía el orinal debajo cada tres horas y hacía pipí. Casi siempre, en la ronda de mediodía, había un chorizo en el orinal además de la orina.

Casi siempre, o sea, cuando no era jueves.

No *todos* los jueves, pero los jueves en que estaba lúcida, lo más seguro es que había problemas... y un dolor de espalda que no me dejaba dormir hasta la medianoche. Ni siquiera se me quitaba con Anacin-3. Casi toda mi vida estuve sana como un caballo y todavía *hoy* sigo sana como un caballo, pero el hecho es que tengo sesenta y cinco años. Ya no puedo hacer las cosas como antes.

Los jueves, en vez de que el orinal estuviera medio lleno de pipí a las seis de la mañana, sólo había un chorrito. Lo mismo a las nueve. Y a mediodía, en vez de pipí y un chorizo, lo más seguro es que no hubiera nada. Entonces presentía que *iba* a pasar algo. Las únicas veces en que *estaba segura* de que iba a pasar algo era cuando ella no dejaba un chorizo desde el miércoles a mediodía.

Me doy cuenta de que estás tratando de no soltar la carcajada, Andy, pero no me importa. Por mí, te puedes reír si tienes que hacerlo. En esos tiempos no era un chiste, pero ya pasó, y ésa es la verdad, pienses lo que pienses. Esa vieja bolsa tenía su cuenta de ahorros de caca y era como si depositara durante semanas para recibir intereses... lo único es que los retiros me tocaban a mí, me gustara o no.

Me pasaba casi toda la tarde del jueves corriendo por la escalera, tratando de llegar a tiempo, y a veces tenía suerte. Aunque tuviera mal los *ojos*, sus *oídos* estaban muy bien, y ella sabía que yo no dejaba que las muchachas del pueblo aspiraran la alfombra Aubusson de la sala. Cuando ella oía que se encendía la aspiradora en la sala, echaba a andar su pobre fábrica de jarabe de chocolate y su cuenta de ahorros de caca comenzaba a dar ganancia.

Luego pensé en una forma de llegar a tiempo. Le gritaba a una de las muchachas que ahora me tocaba aspirar la sala. Lo gritaba incluso cuando estaban junto a mí, en el comedor. Prendía la aspiradora, pero en vez de usarla me iba a la escalera, con un pie en el primer peldaño y una mano en la pasarela, como esos deportistas agachados y esperando en la pista a que el juez dispare para salir corriendo.

Una o dos veces subí demasiado pronto. No servía de nada. Era como un deportista descalificado por salir antes del disparo. Lo mejor era llegar después de que su motor funcionara demasiado rápido para pararse, pero antes de que dejara una carga en los pañales y el calzón de hule. Llegué a hacerlo muy bien. Ustedes también lo habrían hecho muy bien si supieran que de otro modo tendrían que cargar con los cien kilos de la señora si llegaban tarde. Era como lidiar con una granada que en vez de explosivos estuviera llena de mierda.

Subía y ahí estaba ella en su cama de hospital, con la cara roja, la boca torcida, los codos clavados en el colchón y apretando los puños, diciendo "¡*Nnnj*! ¡*Nnnnnjjjj*! ¡*NNNNNNNJJJJJJJJ*!" Les voy a decir una cosa: lo único que le faltaba era un par de rollos de papel matamoscas colgando del techo y un periódico en las piernas para que todo fuera como si estuviera en el excusado.

Ah, Nancy, ya deja de morderte los labios. Es mejor decirlo y sentir vergüenza que callárselo y quedarse con el dolor. Además, *tiene* su lado chistoso. La caca *siempre* tiene un lado chistoso. Pregúntale a cualquier niño. Ahora que ya pasó yo también me puedo reír, y eso ya es ganancia, ¿o no? Por grande que sea el lío en que me metí, ya no tengo que lidiar con los jueves de mierda de Vera Donovan.

¿Si se enojaba cuando me oía entrar? Estaba tan enojada como un oso con una garra atrapada en un panal.

—¿Qué *haces* aquí? —preguntaba con esa voz pomposa con la que hablaba cada vez que la pescaba haciendo algo malo, como si todavía estuviera en uno de esos colegios caros en donde estudió—. ¡Hoy es *día de limpieza*, Dolores! ¡Sigue ocupándote de lo tuyo! ¡No toqué el timbre para llamarte y no te necesito!

Pero no crean que me intimidaba:

—Yo creo que *sí* me necesita —le decía—. Ese olor que viene de su cola no es lo que se llama Chanel número cinco.

Hubo veces en que trató de pegarme en las manos cuando jalaba la cobija y la sábana. Me miraba como si quisiera convertirme en piedra si no la dejaba, y sacaba el labio como un niño chiquito que no quería ir a la escuela. Pero no me detenía por eso. Eso no era suficiente para Dolores, hija de Patricia Claiborne. Sacaba la sábana en cosa de tres segundos y nunca me tomó más de otros cinco bajarle los calzones y quitar las cintas de sus pañales, aunque me pegara en las manos. Pero casi siempre daba uno o dos manotazos y se cansaba, porque ya la había pescado y las dos lo sabíamos. Su maquinaria estaba tan vieja que ni bien empezaba tenía que seguir. Le ponía el orinal debajo lo mejor que podía y cuando salía para regresar a la sala y pasar la aspiradora en serio, ella maldecía como cargador de muelle: ¡*entonces* no parecía alumna de colegio caro! Porque ella sabía que esta vez no se había salido con la suya y eso era lo que Vera odiaba más en el mundo. Chocha y todo, odiaba salir perdiendo.

Las cosas siguieron así un tiempo y comencé a pensar que ya había ganado la guerra y no un par de batallas. No debí confiarme.

Hace apenas un año y medio, en un día de limpieza, yo ya estaba lista para correr por la escalera y pescarla a tiempo. De algún modo comenzó a gustarme; compensaba todas las veces que llegué en segundo lugar de la competencia. Yo me imaginaba que esta vez tenía planeado un huracán de caca, si se salía con la suya. Había puesto todas las señales. Primero, no sólo tuvo un *día* lúcido, sino toda una *semana*. Incluso el lunes me había pedido ponerle la mesilla sobre los descansos de su silla de ruedas para jugar solitarios, como en los buenos tiempos. Si de sus tripas se trataba, estaba pasando por temporada seca: desde el fin de semana no había puesto nada en el orinal. Me supuse que ese jueves en especial se traía entre manos dejarme mi aguinaldo además de su cuenta de ahorros.

Cuando saqué el orinal de su cama al mediodía de ese día de limpieza y vi que estaba seco como un hueso, le dije:

—¿No cree que podría hacer algo si hiciera el intento, Vera?

—Oh, Dolores —me contesta, viéndome con sus ojos azules y turbios, tan inocente como Caperucita Roja—, de verdad hice el intento, tanto que me lastimé. Creo que estoy estreñida.

Yo estaba de acuerdo:

—Seguro que sí, y si no se alivia, querida, tendré que darle toda una botella de laxante para dinamitarla por dentro.

—Oh, creo que pasará en su momento —me dice, y me sonríe. Claro que para entonces ya no tenía dientes, y no podía usar la dentadura postiza a menos que estuviera en la silla de ruedas, porque si tosía, se le podía atorar en la garganta. Cuando sonreía, su cara parecía un viejo tronco de árbol con un agujero de nudo—. Ya me conoces, Dolores; creo que debe permitirse que la naturaleza siga su curso.

—Seguro que la conozco —dije entre dientes, y me fui a la puerta.

—¿Qué dijiste, querida? —preguntó, más dulce que el azúcar.

—Dije que no puedo estar aquí esperándola a que haga del dos —contesté—. Tengo el quehacer. Ya sabe que hoy es día de limpieza.

—¿Ah, sí? —me dijo, como si no supiera qué día era desde que se despertó—. Entonces ve a trabajar, Dolores. Te avisaré en cuanto tenga que hacer del cuerpo.

Seguro que lo harás, pensé, *cinco minutos después de que se te salga.* Pero no lo dije; sólo bajé las escaleras.

Saqué la aspiradora del armario de la cocina, la llevé a la sala y la enchufé. Pero no la encendí; primero escombré un poco. Ya estaba tan acostumbrada a depender de mi instinto que esperé a que algo me dijera que ya era el momento.

Cuando ese algo me dijo que llegó el momento, le grité a Susy y Shawna que iba a aspirar la sala. Grité tan fuerte que pensé que me había oído la mitad del pueblo junto con la Reina Madre. Encendí la aspiradora y fui a la escalera. Ese día no esperé mucho: treinta o cuarenta segundos. Pensé que ella *estaba* colgada de un hilo. Así que subí los peldaños de dos en dos, ¿y que creen?

¡Nada!

Lo que se llama nada.

Pero.

Pero era la forma en que me *miraba*. Eso era. De lo más dulce y calmada.

—¿Olvidaste algo, Dolores?

—Ajá —le contesté—. Olvidé renunciar a este trabajo hace cinco años. Déjese de cosas, Vera.

—¿Dejar *qué*, querida? —me pregunta, aleteando las pestañas, como si no tuviera idea de lo que yo estaba diciendo.

—Lo que quiero decir es que ya estuvo bien. Sólo dígame la verdad: ¿necesita el orinal o no?

—No —me expresó en su tono más sincero—. ¡Ya te lo *dije*! —y me sonrió. No dijo nada más, pero no tenía para qué hacerlo. Con su cara me dijo todo. Me decía: "Te gané esta vez, Dolores. Te gané de todo a todo".

Pero no había terminado. Yo sabía que tenía entre manos la cagada del siglo, y que habría mucho que recoger si ella empezaba antes de que le pusiera el orinal abajo. Así que bajé y me paré junto a la aspiradora, y esperé cinco minutos, y *volví* a subir. Pero ahora no sonrió cuando entré. Esta vez estaba acostada de lado, completamente dormida... o por lo menos eso fue lo que creí. De veras que lo creí. Me engañó bien y bonito, y ya saben lo que se dice en estos casos: estúpido aquel que cae dos veces en el mismo agujero.

Cuando regresé la segunda vez, realmente *aspiré* la sala. Cuando terminé, guardé la aspiradora y volví a subir a la recámara. Estaba sentada en la cama, bien despierta, con las cobijas en el suelo, con los calzones de hule bajados hasta sus rodillas bofas y los pañales abiertos. ¿Que si eso era un desastre? ¡Dios mío! La cama estaba llena de caca, ella estaba forrada de caca, había caca en la alfombra, en la silla de ruedas, en las paredes. Había mierda hasta en las cortinas. Parecía como si hubiera tomado un puñado y lo hubiera *aventado*, como los niños que se avientan lodo cuando nadan en un estanque.

¡Yo estaba furiosa! ¡Como para *escupirla*!

—¡*Vera, puerca puta!* —le grité. Nunca la maté, Andy, pero si lo hubiera hecho, habría pasado ese día, cuando vi ese desastre y olí esa recámara. Claro que quise matarla, no tengo *para qué* mentirles. Ella sólo me miraba con esa expresión tonta que tenía cuando su mente la engañaba... pero podía verle al diablo bailándole en los ojos, y yo bien que sabía a quién había engañado esta vez. Estúpida de mí, caí dos veces en el mismo agujero.

—¿Quién está ahí —preguntó—. ¿Eres tú, Brenda querida? ¿Se volvieron a escapar las vacas?

—¡Ya sabes que aquí no hay vacas desde 1955! —aullé. Crucé la recámara, dando pasos grandes, y eso fue un error, porque resbalé sobre un chorizo y casi me voy de espaldas. Si me hubiera caído, yo creo que no me habría contenido y esta vez sí la habría matado: estaba dispuesta a mascar rieles y tragar clavos.

—¡No *sabíííía!* —dijo, tratando de parecer la pobre anciana lastimera que era casi siempre—. ¡No *sabíííía!* No puedo *ver,* y me siento *tan* mal del estómago. Creo que me va a dar diarrea. ¿Eres tú, Dolores?

—¡Claro que soy yo, vieja bruja! —grité con todas mis fuerzas—. ¡Podría *matarte!*

Supongo que para entonces Susy Proulx y Shawna Wyndham ya estaban junto a la escalera, parando las orejas, y me imagino que ya hablaste con ellas y que con su testimonio ya estoy a medio camino de que me ahorquen. No necesito que me lo digas, Andy; tienes la boca muy abierta.

Vera sabía que ya no me podía engañar, así que ya no trató de hacerme creer que estaba mal y ella también se enojó para defenderse. Supongo que también la asusté un poco. Viéndolo bien, yo también me asusté de *mí misma*. ¡Deberías ver lo que era ese cuarto, Andy! Parecía una cena en el infierno.

—¡Vaya que lo harías! —me gritó—. ¡Algún día *lo harás*, vieja bruja malhumorada! ¡Me matarás igual que a tu marido!

—No, señora —contesté—. No precisamente. Cuando esté lista para saldar *tus* cuentas, no me voy a molestar en hacerlo parecer un accidente. Sencillamente te voy a tirar por la ventana y habrá una puta apestosa menos en el mundo.

La tomé de la cintura y la alcé como si yo fuera Superniña. Esa noche lo resentí en la espalda, y al día siguiente me dolía tanto que apenas podía caminar. Fui a Machias con el quiropráctico y algo me hizo para sentirme un poco mejor, pero ya nunca me repuse completamente. Pero en ese momento no sentí nada. La saqué de su cama como si yo fuera una niña berrinchuda y ella una muñeca de trapo. Empezó a temblar y el saber que ella *estaba* asustada me ayudó a controlarme, aunque mentiría si dijera que no estaba contenta de que estuviera asustada.

—¡Aaayyyyy! —gritó—. ¡Aaayyyy, no! ¡No me lleves a la ventana! ¡No te atrevas a tirarme! ¡Bájame! ¡Me lastimas, Dolores! ¡AAAYYYYYY, SUÉLTAAMEEEEEE!

—¡Bah, no hagas berrinche! —le dije, y la dejé caer en la silla de ruedas con tanta fuerza que se le hubieran caído los dientes… si tuviera dientes—. Mira la porquería que hiciste. Y no me digas que no puedes verla, porque yo sé que sí puedes. ¡Mira!

—Lo siento, Dolores —me contesta. Empezó a lloriquear, pero vi en sus ojos ese brillo maligno. La vi del mismo modo en que puedes ver un pez en el agua clara cuando te asomas por la borda de una lancha—. Lo siento, no quise hacer desorden, yo sólo quería ayudar —eso es lo que *siempre* decía cuando cagaba la cama y se revolcaba un poco en ella... aunque esa fue la primera vez que también decidió pintar con caca. ¡Hazme favor!: *Yo sólo quería ayudar, Dolores.*

—¡Siéntate y cállate! —le grité—. Si de verdad no quieres un boleto para salir por la ventana y estrellarte en las piedras, más vale que oigas lo que te digo —no dudo que aquellas muchachas estaban oyendo desde las escaleras cada palabra que decíamos. Pero en ese momento estaba tan furiosa que no me importó.

Tuvo la suficiente prudencia para callarse como le ordené, pero parecía satisfecha, ¿y por qué no? Se salió con la suya, y esta vez fue ella la que ganó la batalla, y me dejó claro como el agua que la guerra no había terminado ni una pizca. Me puse a trabajar, limpiando y poniendo en orden el lugar. Me tomó casi dos horas, y para cuando terminé, mi espalda cantaba "Ave María".

Ya les conté lo de las sábanas, y nada más de verles las caras sé que entendieron algo del asunto. Es más difícil entender lo de su revoltijo. A lo que me refiero es que no me asusto con la caca. Me pasé toda mi vida limpiándola y no me asusto nada más con verla. No que huela como un jardín de flores, y tienes que andarte con cuidado porque lleva enfermedades y moco y saliva y sangre, pero a fin de cuentas se puede lavar. Cualquiera que tenga un bebé sabe que se puede lavar. Así que ése no era el problema.

Yo creo que el problema fue que ella fuera tan *cruel* con eso. Tan *mañosa*. Ganó tiempo y, cuando tuvo la oportunidad, hizo el peor revoltijo que pudo, lo más *rápido* que pudo, porque sabía que yo estaba alerta.

Hizo esa cosa terrible a propósito, ¿entienden? Hasta donde sus sesos nublados se lo permitieron, ella lo *planeó*, y eso me pesaba en el corazón y me nublaba la vista mientras limpiaba. Mientras arreglaba la cama; mientras llevé el protector del colchón cagado y las sábanas cagadas y las fundas cagadas a la lavandería; mientras tallaba el piso y las paredes y las ventanas; mientras quitaba las cortinas y ponía otras limpias; mientras volvía a hacer la cama; mientras rechinaba los dientes y trataba de mantener la espalda en su lugar en tanto la limpiaba a ella y le ponía un camisón limpio y la sacaba de la silla de ruedas y la ponía en la cama (y sin que ella ayudara ni un tantito, colgando de mis brazos como peso muerto, aunque yo bien sabía que era uno de los días en que *podía* ayudarme si quería); mientras lavaba el piso, mientras lavaba su maldita silla de ruedas, y teniendo que restregar fuerte porque para entonces esa cosa ya estaba dura... Mientras hacía todo eso, sentía opresión en el pecho y la vista nublada. Y ella lo sabía.

Ella lo sabía y se sentía contenta.

Cuando llegué a mi casa esa noche tomé Anacin-3 para el dolor de espalda y me acosté ovillada como un bebé aunque me dolía la espalda, y lloré y lloré y lloré. Parecía como si no pudiera parar. Nunca —por lo menos desde el viejo asunto con Joe— me sentí tan desesperada. Y tan jodidamente *vieja*.

Ése era su segundo modo de ser una perra: ser mala.

¿Qué dices, Frank? ¿Que si lo volvió a hacer?

Diste en el clavo. Lo volvió a hacer a la semana siguiente y a la siguiente. No estuvo tan mal como la primera vez, en parte porque no podía ahorrar tantos dividendos, pero en especial porque yo ya estaba preparada. Pero volví a llorar en la cama la segunda vez que lo hizo, y mientras estaba acostada sintiendo ese dolor en la espalda, me decidí a renunciar. No sabía qué sería de ella o quién la cuidaría, pero en ese momento me importó medio carajo. Por mí, que se muriera de hambre en su cama cagada.

Cuando me dormí seguía llorando, porque la idea de renunciar —de que ella me ganara de una vez por todas— me hizo sentir peor que nunca, pero cuando me desperté me sentí bien. Supongo que es cierto eso de que la mente de una persona no duerme cuando uno cree que sí; sigue pensando y a veces trabaja mejor cuando la persona no está ahí jodiendo con las habladurías que uno tiene todos los días: trabajar, decidir qué va uno a cenar, qué ver en la TV, cosas como esas. Debe ser cierto, porque la *razón* por la que me sentía tan bien era que me desperté sabiendo cómo me había engañado. No me había dado cuenta antes porque yo la subestimaba... sí, hasta alguien como yo la subestimaba, y yo sabía lo mañosa que podía ser Vera a veces. En cuanto entendí el truco, supe qué hacer.

Me dolió darme cuenta de que tendría que confiar en una de las muchachas del jueves para aspirar la alfombra Aubusson, y me daba el soponcio de sólo pensar que lo hiciera Shawna Wyndham. Tú sabes lo bruta que es, Andy... claro que todos los Wyndham son brutos, pero ella le da veinte y las malas a todos los demás. Es como si le salieran chipotes del cuerpo para tirar las cosas cuando pasa. No es su culpa, es algo que ya lleva en la sangre, pero no podía pensar en Shawna pasando por la sala, con toda la cristalería de Vera suplicándole que la tirara.

Pero tenía que hacer *algo* —yo no caería dos veces en el mismo agujero— y por suerte estaba Susy para confiar en ella. No que fuera una bailarina, pero ella fue la que aspiró el Aubusson durante el año siguiente, y nunca rompió nada. Es una buena muchacha, Frank, y no puedo decirte lo contenta que me sentí cuando recibí su tarjeta de compromiso, aun cuando su novio no fuera de la isla. ¿Cómo están? ¿Qué sabes de ellos?

Qué bueno. Me alegro por ella. Todavía no tiene pastel en el horno, ¿o sí? En estos tiempos parece como si la gente esperara hasta antes de entrar al asilo para...

¡Sí, Andy, *ya voy*! Te recuerdo que estamos hablando de *mi vida*... ¡Mi maldita *vida*! ¿Por qué no te pones cómodo en tu silla y subes los pies a la mesa y te calmas? Te va a salir una hernia si te esfuerzas tanto.

Como te iba diciendo, Frank, dile que le deseo lo mejor y que casi le salvó la vida a Dolores Claiborne en el verano de 1991. Puedes contarle la verdadera historia de las tormentas de caca de los jueves y de cómo las detuve. Nunca les dije bien a bien lo que estaba pasando; lo único que sabían a ciencia cierta era que yo tenía un problema con Su Real Majestad. Ahora me doy cuenta de que me daba *vergüenza* decirles lo que estaba pasando. A lo mejor es que a mí no me gusta perder, igual que a Vera.

Era el sonido de la aspiradora. Me di cuenta de *eso* cuando me desperté esa mañana. Ya les dije que ella no tenía ningún problema con sus *oídos*, y se daba cuenta por el sonido de la aspiradora si yo estaba aspirando la sala o parada en las escaleras, preparada para salir. Es que cuando una aspiradora no se mueve, sólo hace un sonido: *zuuuuu*, así. Pero si estás aspirando una alfombra, hace dos sonidos, y suben y bajan como olas. *JUP*, cuando va para adelante. Y *zup* cuando la jalas hacia atrás para seguir. *JUP-zup, JUP-zup, JUP-zup*.

Ya déjense de rascar la cabeza, ustedes dos, y miren la sonrisa de Nancy. Todo lo que se necesita para saber quién de ustedes ha dedicado más tiempo pasando la aspiradora es verles la cara. Si de verdad crees que es tan importante, Andy, trata de hacerlo tú. Lo vas a oír inmediatamente, aunque me imagino que María se desmaya si entra a la casa y te ve pasando la aspiradora en la alfombra de la sala.

Esa mañana me di cuenta de que ella ya no oía si yo encendía la aspiradora, porque ella supo que con eso no bastaba. Estaba atenta a que el sonido subiera y bajara como cuando se usa la aspiradora. No hacía sus trucos sucios hasta que oía la ola *JUP-zup*.

Me moría de ganas de probar mi nueva idea, pero no podía hacerlo inmediatamente, porque justo entonces Vera cayó en una de sus rachas malas, y durante un buen tiempo hizo sus necesidades en el orinal o se meaba un poquito en sus pañales. Yo estaba asustada de que esta vez no saldría de la mala racha. Sé que suena chistoso, porque era más fácil manejarla cuando estaba confundida, pero cuando a una persona se le ocurre una buena idea como esa, lo primero que quiere es probarla. Y saben, yo por esa puta sentía *algo*, además de ganas de estrangularla. Después de estar con ella más de cuarenta años, sería raro que no sintiera algo. Una vez ella me tejió un cubrecama... esto fue mucho antes de que se pusiera grave, pero todavía lo tengo en mi cama y me abriga en esas noches de febrero cuando el viento arrecia.

Luego, más o menos un mes o mes y medio después de que se me ocurrió mi idea, Vera comenzó a volver en sí. Veía los concursos en la televisión de su recámara y regañaba a los que no sabían quién había sido el presidente durante la guerra contra España o quién fue la actriz que hizo el papel de Melanie en *Lo que el viento se llevó*. Empezó otra vez con su cháchara de que sus hijos la vendrían a visitar antes del Día del

Trabajo. Y claro, empezó a fastidiarme para que la pusiera en la silla de ruedas y pudiera verme tender las sábanas y asegurarse de que usaba seis ganchos y no cuatro.

Entonces vino un jueves en que saqué el orinal de la cama seco como un hueso y más vacío que promesas de vendedor de coches. No puedo decirles lo contenta que estaba cuando vi el orinal vacío. "Ahí vamos, zorra mañosa", pensé. "Ahora veremos." Bajé por la escalera y llamé a Susy Proulx a la sala.

—Quiero que *pases* la aspiradora hoy, Susy —le dije.

—Sí, señora Claiborne —me contestó. Así me decían las dos, Andy... y así es como me dicen casi todos en la isla. No es que yo armara mucho alboroto por eso, pero así era. Es como si todos pensaran que me casé con un tipo llamado Claiborne en algún momento de mi vida traqueteada... o es que quiero creer que casi nadie se acuerda de Joe, aunque debe haber muchos que sí lo recuerdan. A fin de cuentas no importa mucho si es de un modo o del otro; creo que tengo derecho a creer lo que yo quiera. Después de todo, fui yo la que estuvo casada con ese bastardo.

—No me importa hacerlo —continuó—. ¿Pero por qué habla bajito?

—No importa —le contesté—. Tú también habla bajito. Ni se te ocurra romper algo, Susan Emma Proulx, ni se te ocurra.

Pues se puso colorada como el carro de los bomberos; era chistoso:

—¿Cómo sabe que mi segundo nombre es Emma?

—Qué te importa —digo—. Tengo muchos años en Little Tall y sé muchísimas cosas de muchísima gente. Tú ten cuidado con tus codos cuando te acerques a los muebles y a los vasos de cristal de Su Majestad, especialmente cuando camines para atrás, y no tendrás nada de qué preocuparte.

—Voy a estar muy atenta —me dijo.

Le encendí la aspiradora, entré a la sala, me hice bocina en la boca con las manos y grité:

—¡Susy! ¡Shawna! ¡Voy a pasar la aspiradora!

Claro que Susy estaba junto a mí, y les digo que toda la *cara* de la muchacha parecía un signo de interrogación. Le hice un gesto con la mano como diciéndole que se dedicara a lo suyo y que no se fijara en mí. Eso hizo.

Me fui de puntitas a la escalera y me paré en mi puesto de siempre. Sé que se oye tonto, pero nunca estuve tan emocionada desde que mi papá me llevó a cazar cuando tenía doce años. Era la misma sensación, con el corazón palpitando y como *piano* en el pecho y en el cuello. Esa mujer tenía docenas de antigüedades valiosas y cristales caros en la sala, pero ni siquiera pensé en Susy Proulx, entrando y saliendo entre ellas como un derviche. ¿Pueden creerlo?

Me quedé ahí todo el tiempo que pude, yo creo que minuto y medio. Entonces corrí. Y cuando entré en el cuarto, ahí estaba ella, con la cara roja, los ojos cerrados, los puños cerrados, haciendo *"¡Njj! ¡Njjjj! ¡NJJJJJJJ!"* Pero abrió los ojos cuando oyó el portazo. Ah, cómo hubiera querido tener una cámara... Fue graciosísimo.

—¡Dolores, sal de aquí ahora mismo! —cacareó—. ¡Estoy tratando de dormir y no puedo hacerlo si te apareces por aquí cada veinte minutos como un toro en celo!

—Muy bien —le dije—. Me voy, pero antes le voy a poner la bacinica debajo. Por el olor, yo creo que lo que necesitaba usted para su estreñimiento era un buen susto.

Me pegó en las manos y me insultó. Podía insultar fuerte cuando quería, y lo quería cuando alguien se le ponía en el camino, pero no le puse mucha atención. Le coloqué el orinal debajo rápido como un rayo y, como dicen, todo salió bien. Cuando terminó, yo la miré y ella me miró y ninguna de las dos tuvo que decir nada. Nos conocíamos desde hacía mucho tiempo.

"Ahí tienes, cabrona, le dije con la mirada. Te gané otra vez. ¿Qué te parece?"

"No está mal, Dolores, me contestó con su mirada, pero que me hayas ganado *ahora* no quiere decir que me ganes *siempre*."

Pero esa vez le gané. Hizo algunos revoltijos más, pero nunca como aquella vez, cuando había mierda hasta en las cortinas. Aquella fue su última hazaña. Después de eso, estuvo cada vez menos lúcida, y cuando lo estaba, era por poco tiempo. Me salvó mi pobre espalda, pero también me daba tristeza. Ella era un fastidio, pero un fastidio al que ya me había acostumbrado. No sé si entienden.

¿Puedo tomar otro vaso de agua, Frank?

Gracias. Hablar mucho da sed. Y si tú, Andy, decides que tu botella de whisky necesita salir de tu escritorio para tomar el fresco, no le voy a decir a nadie.

¿No? Eso es lo que me esperaba de alguien como tú.

¿Qué les estaba diciendo?

Ah, sí. De cómo era ella. Pues su tercera forma de ser mala era la peor. Era mala porque no era más que una vieja triste que no tenía otra cosa que hacer más que morirse en una recámara en una isla lejos de los lugares y la gente que conoció durante su vida. Eso ya de por sí era malo, pero además se estaba volviendo loca mientras se moría... y había en ella una parte que sabía que el resto era como una orilla del río socavada que estaba a punto de ser jalada por la corriente.

Ella estaba muy sola, y eso es algo que yo no entiendo. Más que nada, nunca entendí por qué dejó atrás su vida para venir a esta isla. Al menos no hasta ayer. Pero también estaba asustada, y eso yo lo podía entender también. Aun así, ella tenía una clase de fortaleza que era horrible; me asustaba. Era como una reina moribunda que no suelta su corona hasta el final. Como si el mismo Dios se la arrancara quitándole dedo a dedo.

Ya les dije que tenía sus días buenos y sus días malos. Lo que yo llamo sus ataques siempre pasaban entre ellos, cuando cambiaba de sus pocos días en que estaba lúcida a la semana o dos en que tenía la mente nublada, o de la semana o dos en que estaba nublada a los pocos días en que estaba lúcida otra vez. Cuando cambiaba, era como si no estuviera en ninguna parte... y algo en ella sabía eso. Era entonces cuando tenía sus alucinaciones.

Si es que *eran* alucinaciones. Ya no estoy tan segura de eso. Tal vez les cuente eso, tal vez no. Ya veremos cómo me siento cuando llegue el momento.

Yo creo que no siempre las tenía los domingos por la tarde o a medianoche; yo creo que lo que pasa es que son las veces que recuerdo mejor porque la casa estaba tan silenciosa y me asustaba cuando ella empezaba a gritar. Era como si alguien te tirara un cubo de agua helada en un día de verano; cada vez que ocurría, nunca dejé de pensar que el corazón me fallaría cuando ella empezaba a gritar, y nunca dejé de pensar que para cuando llegara al cuarto la encontraría muriendo. Pero las cosas que le daban miedo no tenían ni pies ni cabeza. A lo que voy es que yo sabía que ella tenía miedo, y además sabía qué era lo que le daba miedo, pero nunca *por qué*.

—¡Los alambres! —gritaba desde el momento en que yo entraba. Estaba encogida en la cama, con las manos metidas entre las piernas, su boca vieja retorcida y temblando; pálida como un fantasma y con las lágrimas corriéndole por las arrugas de los ojos—. ¡Los *alambres*, Dolores, detén los *alambres*! —y siempre señalaba hacia el mismo lugar... el zócalo del rincón más alejado.

Ahí no había nada, pero según *ella* sí. Veía estos alambres que salían de la pared y se arrastraban por el piso hacia su cama... al menos *creo* que eso es lo que ella veía. Lo que hacía era bajar rápido por las escaleras para tomar uno de los cuchillos grandes de la cocina y subirlo. Me ponía de rodillas en el rincón, o cerca de la cama cuando ella se comportaba como si los alambres ya estuvieran muy avanzados, y hacía como si los cortara. Eso hacía, poniendo la hoja del cuchillo en el piso, pero con cuidado para no lastimar el parquet de madera, hasta que ella dejaba de llorar.

Entonces me le acercaba y le secaba las lágrimas de la cara con mi delantal o con uno de los pañuelos desechables que ella siempre tenía bajo la almohada, y le daba uno o dos besos y le decía:

—Ya pasó, mi amor, ya pasó. Ya corté cada uno de esos alambres malos. Mira.

Ella miraba (aunque en esos momentos ella no podía ver nada) y lloraba un poco más, y me abrazaba y me decía:

—Gracias, Dolores. Yo pensaba que esta vez sí me alcanzaban.

Hubo veces en que me decía Brenda cuando me agradecía. Brenda era el ama de llaves de los Donovan en su casa de Baltimore. Otras veces me decía Clarice: así se llamaba su hermana, que murió en 1958.

Otras veces subía a su cuarto y estaba con medio cuerpo salido de la cama, gritando que había una serpiente bajo su almohada. A veces se metía dentro de las cobijas, aullando que las ventanas aumentaban el sol y que se iba a quemar. Juraba que su pelo ya se estaba chamuscando. No importaba que estuviera lloviendo, o más nublado que la cabeza de un borracho; ella seguía en lo suyo de que el sol la quería freír viva, así que corría las cortinas y la abrazaba hasta que dejaba de llorar. A veces la abrazaba un rato más, porque incluso cuando se calmaba yo la sentía temblar como un cachorrito maltratado por niños maldosos. Me pedía una y otra vez que le revisara la piel y le dijera si tenía ampollas. Yo le decía una y otra vez que no tenía nada, y algunas veces después de un rato se dormía. Otras veces no hacía nada... se quedaba atontada y le hablaba a gente que no estaba ahí. De vez en cuando hablaba en francés, y no me refiero a ese francés *par-le-bú* de la isla. A ella y a su marido les encantaba París y viajaban allá cada vez que podían, a veces con sus hijos y a veces solos. Cuando ella estaba de buen humor, me contaba de los cafés, los cabarés, las galerías y las lanchas en el Sena, y a mí me gustaba mucho oírla. Ella era buena con las palabras, y cuando te platicaba algo, casi podías verlo.

Pero lo peor, lo que más la asustaba, eran los conejitos de polvo. No sé si saben de qué estoy hablando: esas bolitas de polvo que se juntan bajo las camas o detrás de las puertas o en los rincones. Es como si fueran algodoncillos. Yo sabía que se trataba de eso aun cuando ella no podía decirlo, pero lo que no sé es por qué se asustaba tanto con caca de fantasma, o lo que ella creyera, pero a veces creo que entiendo. No se rían: lo soñé una vez.

Afortunadamente, este asunto de los conejitos de polvo no era tan seguido como el sol que le quemaba la piel o los alambres en el rincón, pero cuando se

54

trataba de *eso,* yo sabía que el asunto era grave. Sabía que se trataba de los conejitos de polvo cuando Vera empezaba a gritar, aunque fuera de madrugada y yo estuviera en mi cuarto, bien dormida y con la puerta cerrada. Cuando se le metía en la cabeza lo de las otras cosas...

¿Qué, querida?

¿Muy bajito?

No, no necesito que me acerques tu grabadora; si quieres que hable más fuerte, pídemelo. Casi siempre soy la tipa más escandalosa del mundo; Joe decía que quería ponerse algodones en las orejas cada vez que yo estaba en la casa. Pero a mí siempre se me sumía el estómago con esto de los conejitos de polvo, y si hablé bajito es porque todavía me da miedo. A pesar de que ya murió, aún me da miedo. A veces la regañaba por eso. "¿Por qué quieres despertarte por esa estupidez, Vera?", le decía. Pero no era ninguna estupidez. Por lo menos no para Vera. Más de una vez pensé que ya sabía cómo se moriría. Se mataría de un susto por esos conejitos de polvo del carajo. Y eso no está muy lejos de la verdad, ahora que lo pienso mejor.

Lo que estaba diciendo es que cuando se le metía en la cabeza lo de las otras cosas, la serpiente en la almohada, el sol, los alambres, ella gritaba. Cuando se trataba de los conejitos de polvo, daba *alaridos.* No decía nada. Solamente eran esos alaridos largos y fuertes que te hacían hielo el corazón.

Entraba a su cuarto corriendo y ella se estaba jalando las greñas o rasguñándose la cara y parecía una bruja. Tenía los ojos tan grandes y tan abiertos que parecían huevos duros, y siempre estaban viendo hacia un rincón o hacia el otro.

A veces podía decir: "*¡Conejitos de polvo, Dolores! ¡Dios mío, conejitos de polvo!*" Pero a veces sólo podía llorar y casi vomitaba. Se tapaba los ojos con las manos un segundo o dos, pero luego las quitaba. Era como si no soportara ver, pero como si tampoco soportara *no verlo*. Y entonces vuelta a rasguñarse la cara. Le recortaba las uñas lo más que podía, pero casi siempre se sacaba sangre, y yo siempre me preguntaba cómo es que el corazón podía resistirle tanto terror, con lo vieja y gorda que estaba.

Una vez hasta se cayó de la cama y ahí se quedó con una pierna encogida debajo de ella. De verdad que me puso un buen susto. Entré y ahí estaba ella, en el suelo, pegando con los puños en el parquet como un niño haciendo berrinches y gritando como para alzar el techo. En todos los años que trabajé para ella, ésa fue la única vez que llamé al doctor Freneau a media noche. Vino desde Jonesport en la lancha rápida de Collie Violette. Lo llamé porque pensé que se le había roto una pierna; *debía* tenerla rota, por la forma en que la tenía doblada, y yo estaba segura de que se moriría de la impresión. Pero no fue así. No sé *cómo* le hizo, pero Freneau dijo que sólo la tenía torcida, y al día siguiente se puso lúcida otra vez y no se acordaba de nada de eso. Le pregunté un par de veces sobre los conejitos de polvo cuando ya estaba en sus cinco y se me quedó viendo como si yo estuviera loca. No tenía ni la menor idea de lo que yo estaba hablando.

Luego de que sucedió algunas veces, me di cuenta de lo que tenía que hacer. Tan pronto como le oía sus alaridos, me paraba de la cama y salía a la puerta (ustedes ya saben que mi recámara está a dos puertas de la suya, y entre las dos está el armario con la ropa de cama). Yo ya tenía preparada una escoba y un recogedor en el pasillo desde que le dio su primera pataleta con los conejitos de polvo. Corría hasta su cuarto, moviendo la escoba como si tratara de hacer señales a un tren de correo y gritando (era la única forma de que me oyera).

—¡*Yo los agarro, Vera!* —gritaba—. ¡*Yo me encargo de ellos! ¡No sueltes el teléfono!*

Y barría el rincón que la asustaba, y de paso barría los demás. A veces se calmaba después de eso, pero casi siempre empezaba a aullar que había más debajo de la cama. Yo me ponía en cuatro patas y hacía como si barriera ahí también. Una vez, la vieja estúpida y asustada casi se cae de la cama encima de mí por asomarse. Si se hubiera caído, me aplastaba como una mosca. Y *eso* sí sería chistoso.

Cuando terminaba de barrer todos los lugares que la asustaban, le enseñaba el recogedor vacío y le decía:

—¿Ves, querida? Atrapé a todas esas cosas.

Primero veía el recogedor y luego me miraba a mí, muy temblorosa, con los ojos tan inundados de lágrimas que parecían piedras dentro de un arroyo, y murmuraba:

—Oh, Dolores, ¡son tan *grises*! ¡Tan *malos*! ¡Llévatelos, por favor llévatelos!

Volvía a poner junto a mi puerta la escoba y el recogedor, listos para la próxima llamada, y trataba de calmar a Vera lo mejor que podía. Y calmarme yo. Si ustedes piensan que yo no necesitaba calmarme, entonces *traten* de despertarse en la noche, solos y dentro de un museo como ese, con el viento ululando y con los gritos de esa vieja loca. El corazón me hacía como una locomotora y casi no podía respirar... pero yo no podía dejar que ella me viera así, porque entonces dudaría de mí, y entonces no hubiera podido hacer nada.

Lo que hacía casi siempre después de que se despertaba era cepillarle el pelo; era lo que la calmaba más rápido. Al principio lloraba, y a veces hasta me abrazaba, apretando la cara contra mi panza. Recuerdo lo caliente que tenía las mejillas y la frente después de sus pataletas con los conejitos de polvo y que a veces me mojaba el camisón con sus lágrimas. ¡Pobre mujer! Supongo que ninguno de nosotros sabemos lo que es ser tan vieja y tener encima esos demonios que no puedes explicar, ni siquiera para una misma.

Hubo veces en que ni siquiera cepillándola media hora se calmaba. Se quedaba mirando hacia el rincón y volvía a llorar. O pasaba la mano por debajo de la cama y como que la sacaba de ahí rápido, como si creyera que había algo que la podía morder. Hasta *yo* llegué a pensar que vi algo moviéndose ahí abajo, y tenía que cerrar la boca para no gritar yo también. Ya sé que sólo había visto la sombra de su mano, pero con eso ya pueden saber ustedes en qué estado me tenía. Como lo oyen, y eso que soy de cabeza dura, así como soy fanfarrona.

Cuando no tenía otra cosa que hacer, me acostaba a su lado. Ella me rodeaba con los brazos y recargaba la cabeza sobre lo que queda de mi regazo, y yo *la abrazaba* y la sostenía hasta que se cambiaba de postura. Entonces salía de la cama, muy despacito, para no despertarla, y regresaba a mi recámara. Hubo veces en que ni siquiera hice eso: era cuando me despertaba a medianoche con sus alaridos, y entonces me quedaba dormida con ella.

Fue en una de esas noches cuando soñé con los conejitos de polvo. Sólo que en el sueño yo no era yo. Yo era *ella*, tumbada en esa cama de hospital, tan gorda que ni siquiera podía moverme sin ayuda, y me ardía el coño por la infección urinaria que nunca se me curaba porque ella siempre estaba húmeda de ahí, y no tenía resistencia contra nada. Se podría decir que el tapete de bienvenida estaba ahí puesto para cualquier bicho o germen que pasara, y siempre estaba colocado como se debe.

Miré hacia el rincón, y lo que vi fue esa cosa que parecía una cabeza hecha de polvo. Sus ojos estaban volteados hacia arriba y tenía la boca abierta y llena de dientes de polvo rotos y muy filosos. Se empezó a acercar a la cama, rodando muy despacio, y cuando estaba hacia el lado de la cara otra vez, sus ojos me veían directo a mí y supe que era Michael Donovan, el esposo de Vera. Pero la segunda vez que volví a ver la cara, era *mi* marido. Era Joe St. George, con una sonrisa de maldad y muchos dientes de polvo que se cerraban y abrían. La tercera vez que giró no era nadie que yo conociera, pero estaba *vivo*, tenía *hambre*, y quería rodar hasta donde estaba yo para *comerme*.

Me desperté de una sacudida tan fuerte que casi soy yo la que se cae de la cama. Era temprano por la mañana y la luz del amanecer pintaba una franja en el piso. Vera estaba dormida. Me había babeado todo el brazo, pero al principio no tenía fuerzas ni para secarme. Me quedé ahí temblando, bañada en sudor, tratando de convencerme de que estaba despierta y de que todo estaba bien, como hacen todos después de una pesadilla. Por un segundo todavía pude ver esa cabeza de polvo con sus ojos grandes y vacíos y sus dientes largos en el suelo junto a la cama. Así de horrible fue el sueño. Luego desapareció; el piso y los rincones del cuarto estaban tan limpios y vacíos como siempre. Pero desde entonces siempre me pregunté si no fue ella la que me *mandó* ese sueño, para que viera un poco de lo que *ella* veía cuando gritaba. Tal vez tomé un poco de su miedo y lo hice mío. ¿Ustedes creen que esas cosas pasan en la vida real o sólo en esos periódicos baratos que venden en la tienda? Yo no sé... pero lo que sí sé es que ese sueño me puso el susto de mi vida.

Bueno, no importa. Basta con decir que sus alaridos de los domingos por la tarde y a medianoche eran su tercer modo de ser mala. Pero igual era algo triste, muy triste. *Todo* lo que ella fastidiaba era triste en el fondo, aunque de todos modos yo tuviera ganas a veces de darle uno bueno en la jeta, y creo que hasta Juana de Arco hubiera hecho lo mismo. Supongo que cuando Susy y Shawna me oyeron gritar ese día que quería matarla... o cuando otras personas me oían... o nos oían gritarnos insultos... debieron pensar que me subiría la falda y bailaría el tap sobre su tumba. Y supongo que oíste decir eso entre ayer y hoy, ¿verdad, Andy? No te pido que me contestes; ya tienes en la cara todas las respuestas que necesito. Pareces un letrero. Además, yo sé que a la gente le encanta hablar. Hablaban de Vera y de mí, también había chismes y más chismes de Joe y yo, algunos antes de que muriera y muchos más después de eso. Aquí, en el quinto infierno, lo más interesante que puede hacer una persona es morirse de repente. ¿Nunca pensaron eso?

Así que ahora empezamos con lo de Joe.

No quería llegar a esta parte de la historia, y no tengo por qué mentirles. Ya les dije que yo lo maté, pero todavía falta lo más difícil: cómo lo hice... y por qué... y cuándo.

Andy, hoy pensé mucho en Joe, la verdad es que más en él que en Vera. En primer lugar estoy tratando de recordar por qué me casé con él, y al principio no podía hacerlo. Después de un tiempo me dio una especie de pánico por eso, como con Vera cuando se le ocurrió lo de la serpiente dentro de la funda de la almohada. Entonces me di cuenta de cuál era el problema: estaba buscando lo del amor, como si fuera una de esas muchachitas tontas que Vera contrataba en junio y luego las despedía a medio verano porque no podían seguir sus reglas. Estaba buscando lo del amor, y siempre hubo muy poco ya desde 1945, cuando yo tenía dieciocho y él diecinueve y el mundo era nuevo.

¿Saben ustedes qué fue lo único que se me ocurrió hoy, mientras estaba sentada en las escaleras, congelándome las nalgas y tratando de acordarme de lo del amor? Tenía una bonita frente. Yo me sentaba cerca de él en el salón cuando estábamos juntos en la preparatoria, durante la Segunda Guerra Mundial, y me acuerdo de su frente, lo suave que se veía, sin un solo granito. Tenía algunos en los cachetes y la barbilla, y tenía espinillas en la nariz, pero su frente era tan lisa como la crema. Recuerdo que quería tocarla... a decir verdad, *soñaba* que la tocaba, para saber si era tan suave como parecía. Y cuando me invitó al baile de graduación yo le dije que sí, y tuve oportunidad de tocarle la frente, y en verdad era tan suave como parecía, con el pelo que crecía hacia atrás en ondas lisas. Le acaricié el pelo y la frente en la oscuridad mientras la orquesta en el salón de baile del The Samoset Inn tocaba *Cocktail de medianoche...* Después de muchas horas de estar sentada y temblando en esas escaleras desvencijadas, al menos me acordé de *eso*, así que ya ven que había *algo* ahí, después de todo. Claro que antes de que pasaran algunas semanas yo ya le estaba tocando mucho más que la frente y ahí fue donde me equivoqué.

Pero que quede bien claro: no estoy tratando de decir que malgasté los mejores años de mi vida con ese viejo borracho sólo porque me gustaba su frente cuando le daba la luz del sol mientras estudiábamos en la preparatoria. Rayos, no. Pero *quiero* que sepan que eso es lo único del amor que pude recordar hoy, y eso me hace sentirme mal. Sentada en las escaleras, pensando en los viejos tiempos... eso sí que fue difícil. Fue la primera vez que me di cuenta de que tal vez me vendí barato, y quizá lo hice porque pensé que eso era lo mejor que podía conseguir la gente como yo. *Sé* que fue la primera vez que me atreví a pensar que merecía ser amada más de lo que Joe St. George amó a nadie (excepto a él, quizá). No quiero que piensen que una vieja malhablada como yo no cree en el amor, porque la verdad es la única cosa en la que *creo*.

Pero yo no tuve mucho que ver en el asunto de casarnos, quiero que lo sepan de una vez. Ya tenía una bebita de seis semanas en la panza cuando le dije que nos casaríamos, hasta que la muerte nos separe. Y eso fue lo más inteligente del asunto... es triste pero es cierto. Lo demás fueron las razones estúpidas de siempre, y si hay algo que aprendí en mi vida es que las razones estúpidas hacen matrimonios estúpidos.

Estaba cansada de pelearme con mi mamá.

Estaba cansada de que me regañara mi papá.

Todas mis amigas lo hacían, tenían sus propias casas, y yo quería ser grande como ellas; estaba cansada de ser una niña tonta.

Él me dijo que me deseaba, y yo le creí.

Él me dijo que me amaba, y también le creí... y después de que dijo eso y me preguntó si yo sentía lo mismo por él, me pareció que lo más educado era decirle que sí.

Tenía miedo de lo que me podía pasar si no lo decía: dónde iría, qué haría, quién cuidaría de mi bebé cuando lo hiciera.

Todo eso va a parecer muy tonto si lo escribes, Nancy, pero lo más tonto es que conozco un montón de mujeres que eran niñas cuando íbamos a la escuela que se casaron por las mismas razones, y la mayoría de ellas siguen casadas, y muchas de ellas sólo se dedican a aguantar, esperando a vivir más que su marido para poderlo enterrar y luego sacudir para siempre de las sábanas sus pedos con olor a cerveza.

Para 1952 yo ya no me acordaba de su frente y para 1956 tampoco me importaba el resto, y creo que empecé a odiarlo cuando Kennedy subió en lugar de Eisenhower, pero no pensé en matarlo sino hasta mucho después. Pensaba que me debía quedar con él porque mis hijos necesitaban un padre, aunque no tuviera otra razón. ¿Verdad que es para reírse? Pero ésa es la verdad. Juro que lo es. Y también juro otra cosa: si Dios me diera una segunda oportunidad, lo volvería a matar, aunque eso me valiera el infierno y la condenación eterna... que tal vez lo vale.

Supongo que todos en Little Tall, menos los recién llegados, saben que lo maté, y casi todos piensan que saben por qué, por la forma en que me ponía las manos encima. Pero no fueron sus manos encima de *mí* lo que lo mató, y la pura verdad es que, aunque la gente de la isla piense lo que piense, nunca me dio un solo manazo en los últimos tres años de nuestro matrimonio. Yo lo curé de *esa* estupidez a fines de 1960 o principios del 61.

Hasta entonces, él me pegó bastante. No puedo negarlo. Y yo lo aguanté: tampoco puedo negar eso. La primera vez que lo hizo fue en la segunda noche de bodas. Fuimos a Boston a pasar el fin de semana: ésa fue nuestra luna de miel. Apenas si salimos durante ese tiempo. Éramos un par de ratas de campo y teníamos miedo de perdernos. Joe dijo que no iba a gastar los veinticinco dólares que me dieron mis papás en un taxi nada más porque no podía regresar al hotel. ¡Era bruto ese hombre! Claro que yo también... pero lo único que tenía Joe que yo no tenía (y me alegro por eso) era ese carácter de sospechar de todo. Él pensaba que toda la raza humana quería hacerle algo, y yo creo que cuando se emborrachaba, quizá era porque sólo así podía dormirse sin tener un ojo abierto.

Pero eso no viene al caso. Lo que quería decirles es que cuando bajamos al comedor ese sábado por la noche, él cenó bien, y luego se regresó al cuarto. Recuerdo que Joe ya se inclinaba a estribor cuando caminó por el salón: se tomó cuatro o cinco cervezas con la cena, y eso que durante la tarde se tomó nueve o diez. Cuando ya estábamos en el cuarto, se me quedó viendo tanto tiempo que le pregunté si tenía monos en la cara.

—No —me contestó—, pero noté que un tipo en el restaurante miraba tu vestido, Dolores. Parecía como si los ojos le colgaran de resortes. Y tú *sabías* que te estaba viendo, ¿o no?

Casi le dije que por mí podía estar sentado Gary Cooper con Rita Hayworth y yo no me habría enterado, y luego pensé que no tenía caso, porque no servía de nada discutir con Joe cuando estaba borracho; no me casé con los ojos completamente cerrados y tampoco quiero que lo piensen.

—Si había un tipo que me miraba el vestido, ¿por qué no fuiste y le dijiste que cerrara los ojos, Joe? —le pregunté. Fue sólo un chiste, tal vez estaba tratando de cambiar de tema, ya no me acuerdo, pero a él no le pareció chistoso. De eso *sí* me acuerdo. Joe no era de los que aceptaban un chiste; es más, casi no tenía sentido del humor. Eso es algo que *no sabía* que no iba con él; por entonces yo pensaba que el sentido del humor era como una nariz o unas orejas: que algunos lo tenían mejor que otros, pero que todos lo tenían.

Me agarró, me puso sobre la rodilla y me dio de nalgadas con su zapato.

—Esto es para que, por el resto de tu vida, nadie más que yo sepa cuál es el color de tus calzones, Dolores —me dijo—. ¿Me oíste? Sólo yo.

Yo que pensé que era un juego de amor, él haciendo como que estaba celoso para complacerme... así *era* yo, así de estúpida. Claro que eran celos, pero el amor no tenía nada que ver con eso. Era más bien como la forma en que un perro pone su garra sobre su hueso y te gruñe si te acercas. Por entonces yo no sabía eso, así que lo dejé pasar. Después lo dejé pasar porque pensé que un hombre que le pega a su esposa de vez en cuando es parte de la vida de casados... no que me gustara esa parte, pero tampoco me gustaba la parte de lavar excusados, pero casi todas las mujeres lo hacen luego de que guardan en el armario el vestido y el velo de novia. ¿Verdad que sí, Nancy?

Mi papá le ponía las manos encima a mi mamá de vez en cuando, y creo que de ahí pensé que eso estaba bien... algo que debes dejar pasar. Yo quería muchísimo a mi papá, y él y ella se querían muchísimo, pero él podía ser un tipo duro por cualquier cosa que no le gustara.

Recuerdo que una vez, cuando yo tenía unos... digamos unos nueve años, papá llegó de hacer el heno en el campo de George Richards en la Punta Oeste, y mamá no tenía su cena lista. No recuerdo por qué no la tenía lista, pero sí recuerdo bien lo que pasó cuando él entró. Sólo tenía puesto su overol (se había quitado las botas y los calcetines en la entrada porque estaban llenos de broza) y tenía la cara y los hombros muy rojos. Tenía el pelo pegado a las sienes por el sudor y tenía una rama de heno en la frente, justo en medio de las arrugas del ceño. Se veía acalorado y cansado y de mal humor.

Entró a la cocina y no había nada en la mesa, sólo un jarrón con flores. Miró a mi mamá y le dijo:

—¿Dónde está mi cena, tarada?

Ella abrió la boca, pero antes de que pudiera decir algo, él le puso una mano en la cara y le dio un empujón que la lanzó hasta el rincón. Yo estaba en la entrada de la cocina y vi todo. Vino caminando hacia mí con la cabeza baja y el pelo como si le colgara sobre los ojos... cada vez que veo a un hombre regresar a su casa de ese modo, cansado de su día de trabajo y con la caja del almuerzo en la mano, me acuerdo de mi papá... y yo estaba asustada. Quería quitarme de su camino porque pensé que también me iba a empujar a mí, pero mis piernas estaban demasiado pesadas para moverse. Pero no lo hizo. Sólo me tomó con sus manos grandes, duras y tibias, me puso a un lado y salió de la casa. Se sentó en el tocón de la leña con las manos en el regazo y con la cabeza baja como si se estuviera viendo las manos. Primero asustó a las gallinas, pero regresaron al rato y empezaron a picotear alrededor de él. Pensé que las desplumaría a patadas, pero tampoco hizo eso.

Un rato después miré a mi mamá. Todavía estaba sentada en el rincón. Se había puesto un trapo de platos sobre la cara y lloraba. Tenía los brazos cruzados sobre el regazo. Eso es lo que mejor recuerdo de todo lo que pasó, aunque no sé por qué... cómo es que tenía los brazos cruzados sobre el regazo así. Me le acerqué y la abracé y ella sintió mis brazos y me abrazó a mí. Luego se quitó el trapo de la cara y se secó con él las lágrimas y me dijo que saliera y le preguntara a papá si quería un vaso de limonada fría o una botella de cerveza.

—No se te olvide decirle que sólo quedan dos botellas de cerveza —me advirtió—. Si quiere más, será mejor que vaya a la tienda o que no se tome ninguna.

Salí y se lo dije. Él no quería cerveza, y le pareció que un vaso de limonada era lo mejor. Corrí por el vaso. Mamá estaba haciendo la cena. Tenía la cara un poco hinchada por haber llorado, pero tarareaba una canción, y esa noche hicieron sonar los resortes de la cama como lo hacían casi todas las noches. Nunca se dijo o se hizo algo más por lo que pasó. En esos tiempos, esa clase de cosas se llamaban corrección de la casa, y era parte del trabajo de un hombre, y después, cuando me acordaba de eso, pensaba que mi mamá tal vez lo necesitaba, o mi papá nunca hubiera hecho lo que hizo.

Hubo otras cuantas veces en que lo vi corrigiendo a mi mamá, pero ésa es la vez que mejor recuerdo. Nunca vi a mi papá pegarle con el puño, como a veces lo hizo Joe conmigo, pero una vez le dio en las piernas con un pedazo de lienzo de vela mojado, y eso debe doler como el carajo. Sé que le dejó marcas rojas que no se le quitaron en toda la tarde.

Ya nadie le dice "corrección" a eso —hasta donde yo sé, ya nadie habla de esa palabra, y en buena hora—, pero yo crecí con la idea de que si las mujeres y los niños se salen de la senda, el trabajo del hombre es regresarlos. No estoy tratando de decirles que sólo porque crecí con esa idea pensaba que era correcta. Yo no soy de las que se convencen fácil. Yo sabía que no tiene mucho que ver con corregir el que un hombre sa vaya a las manos con una mujer... pero igual permití que Joe lo hiciera conmigo mucho tiempo. Yo creo que ya estaba demasiado cansada por el quehacer de la casa, por hacer la limpieza a los que venían de vacaciones, por criar a los hijos y por tratar de arreglar los problemas de Joe con los vecinos, como para pensar mucho en el asunto.

Estar casada con Joe... ¡Ah, carajo! ¿Cómo es *cualquier* matrimonio? Supongo que todos son distintos, pero lo que sí puedo decirles es que ninguno es lo que parece desde fuera. Lo que la gente ve de la vida de casados y lo que realmente ocurre adentro muchas veces no es más que besitos aquí y allá. A veces eso es terrible y a veces da risa, pero casi siempre es como todo lo demás en la vida: es las dos cosas al mismo tiempo.

Lo que la gente *piensa* es esto: que Joe era un alcohólico que me pegaba, y tal vez también a los niños, cuando estaba borracho. También creen que una vez se le pasó la mano y yo me harté. Es cierto que Joe tomaba y que algunas veces fue a las reuniones de Alcohólicos Anónimos en Jonesport, pero la verdad es que era tan alcohólico como yo. Se emborrachaba una vez cada cuatro o cinco meses, casi siempre con basuras como Rick Thibodeau o Stevie Brooks (esos tipos *eran* alcohólicos de verdad), pero fuera de eso sólo tomaba un trago o dos por las noches cuando llegaba a la casa. Nunca bebió más de eso, porque cuando tenía una botella, le gustaba que durara. De los borrachos de verdad que he conocido, a ninguno de ellos le interesa que le dure una botella de *nada:* ni de whisky Jim Bean, ni de Old Duke o siquiera de químico, que es líquido anticongelante colado con tela de algodón. A un verdadero borracho sólo le interesan dos cosas: tomar de la botella o conseguirla.

No, él no era un alcohólico, pero no le importaba que los demás pensaran que *lo era.* Eso lo ayudaba a conseguir trabajo, especialmente en verano. Creo que ha cambiado la forma en que piensan los demás de los Alcohólicos Anónimos y sé que hablan más de eso que antes, pero lo que no cambió es la forma en que los demás tratan de ayudar a alguien que dice que trabaja para ayudarse a sí mismo. Joe pasó todo un año sin beber, o por lo menos bebía y no lo decía, y en Jonesport le hicieron una fiesta. Le dieron un pastel y una medalla. Así que cuando buscaba trabajo entre la gente que venía de vacaciones, lo primero que les decía es que era un alcohólico en recuperación:

—Si ustedes no quieren contratarme por eso, yo no me ofendo —les decía—, pero tengo que confesarlo. Voy a Alcohólicos Anónimos desde hace un año, y ahí nos dicen que no podemos estar sobrios si no somos sinceros.

Entonces sacaba su medalla de oro y se las enseñaba, y él tenía la pinta de no tener ni para comer. Yo creo que uno o dos de ellos lloraban cuando Joe les decía que se esforzaba día a día, y que trataba de tomárselo con calma, y que lo dejaba en manos de Dios si sentía la urgencia de tomar... lo que según él le ocurría cada quince minutos. Casi siempre le ofrecían el trabajo, y le daban quince centavos o un dolar más por hora de lo que tenían pensado pagarle. Ustedes pensarán que el truco habría dejado de funcionar después de usarlo algunas veces, pero funcionaba muy bien incluso aquí en la isla, donde todos deberían haberlo conocido mejor.

La verdad es que, cuando me pegaba, casi siempre estaba sobrio. Cuando estaba bien mamado, no me hacía mucho caso, para bien o para mal. Luego, en el año 60 o 61, una noche regresó a la casa después de ayudar a Charlie Dispenzieri a sacar su lancha del agua, y cuando fue al refrigerador a sacar una Coca-Cola, vi que tenía los pantalones rotos en el trasero. Me reí. No me pude aguantar. Él no dijo nada, pero cuando fui a la estufa a probar la col (me acuerdo como si fuera ayer que estaba preparando una cena caliente) él agarró un tronco de maple de la leña y me pegó en la cintura. Eso me dolió en serio. Yo creo que ustedes saben a qué me refiero si alguien los ha golpeado en los riñones: se sienten calientes, pesados y encogidos, como si se zafaran de donde se supone que tendrían que estar y se hundieran, como plomo en una cubeta.

Me tambaleé hasta la mesa y me senté en una de las sillas. Me habría caído al piso si esa silla hubiera estado un poco más lejos. Me quedé sentada ahí, esperando a que el dolor se me fuera. No es que haya llorado, porque no quería asustar a los niños, pero igual se me salieron las lágrimas. No pude detenerlas. Eran lágrimas de dolor, de las que no puedes detener por nada ni por nadie.

—Nunca te vuelvas a reír de mí, cabrona —me dijo Joe. Echó a la leña el tronco con el que me pegó y se sentó a leer el periódico—. Eso lo tenías que saber desde hace diez años.

Pasaron veinte minutos antes de que pudiera moverme de esa silla. Tuve que llamar a Selena para que apagara la estufa con las verduras y la carne, y eso que la estufa no estaba a más de cuatro pasos de donde yo estaba sentada.

—¿Por qué no lo hiciste tú, mamá? —me preguntó—. Estaba viendo las caricaturas con Joey.

—Estoy descansando —le respondí.

—Así es —dijo Joe, sentado detrás de su periódico—. Movió tanto la boca que se cayó de cansada —y le dio risa. Eso fue lo que buscaba. Ahí fue donde decidí que nunca me volvería a pegar, a menos que quisiera pagar el precio por eso.

Cenamos como siempre, y vimos la TV como siempre, yo y los niños en el sofá, y el bebé Pete con su papá en el sillón. Pete se quedó dormido a las siete y media, como siempre, y Joe lo llevó a su cama. A Joe junior lo mandé a la cama una hora más tarde, y Selena se fue a las nueve. Casi siempre me quedaba hasta las diez y Joe se quedaba hasta la medianoche, cabeceando, viendo la TV a ratos, leyendo el periódico a ratos, y hurgándose la nariz. Ya ves, Frank, tú no eres tan malo; algunas personas no pierden el hábito, ni siquiera cuando crecen.

Esa noche no me fui a la cama como siempre. Me quedé con Joe. Me sentí mejor de la espalda. Lo suficiente para hacer lo que tenía que hacer. Tal vez estaba nerviosa, pero no me acuerdo bien. Estaba esperando a que se durmiera, y por fin lo hizo.

Me levanté, entré a la cocina y tomé la cremera de la mesa. No es que buscara eso en especial; estaba ahí porque le tocaba a Joe junior limpiar la mesa y se le olvidó poner eso en el refrigerador. A Joe junior siempre se le olvidaba algo: guardar la cremera, poner la tapa de vidrio en el plato de la mantequilla, doblar bien la envoltura del pan para que la primera rebanada no se pusiera dura, y ahora cuando lo veo en las noticias de la TV, dando un discurso o en una entrevista, pienso en eso... y me pregunto qué pensaría el partido Demócrata si supiera que el líder de la mayoría en el Senado del estado de Maine nunca podía limpiar bien la mesa de la cocina cuando tenía once años. Pero estoy muy orgullosa de él, y nunca, nunca se atrevan a pensar que no. Estoy orgullosa de él aunque *sea* un maldito demócrata.

De cualquier forma, esa vez se las ingenió para olvidar justo lo que necesitaba yo esa noche; la cremera era chica pero pesada, y me cabía bien en la mano. Fui a donde estaba la leña y tomé el hacha de mango corto. Entonces regresé a la sala, donde Joe estaba dormido. Tenía la cremera en la mano derecha, la alcé y se la estrellé en la cara. Se rompió en mil pedazos.

Se despertó muy alerta cuando lo hice, Andy. Ojalá que lo hubieras oído. ¿Gritaba? ¡Como Dios padre! Parecía un toro con el pito atorado en la puerta. Tenía los ojos muy abiertos y se puso la mano en la oreja, que le sangraba. Tenía puntitos de crema en el cachete y en ese mechón de la cara que según él era una patilla.

—¿Sabes qué, Joe? —le dije—. Ya no estoy cansada.

Oí que Selena brincó de la cama, pero no me atreví a mirar a otra parte. Si lo hacía, estaba frita, porque Joe era muy rápido cuando quería. Tenía el hacha en la mano izquierda, a un lado, casi tapada con el delantal. Cuando Joe comenzó a pararse del sillón, la saqué y se la enseñé:

—Mejor siéntate, Joe, si no quieres esto en tu cabeza —le dije.

Por un segundo pensé que de todos modos se pararía. Si lo hubiera hecho, ahí mismo terminaba, porque yo no estaba bromeando. Se dio cuenta de eso, porque se quedó como congelado, con sus nalgas alzadas a diez centímetros del sillón.

—¿Mamá? —me llamó Selena desde la puerta de su cuarto.

—Ve a dormir, mi amor —le ordené, sin quitarle la vista a Joe ni por un segundo—. Tu papá y yo estamos discutiendo un poco.

—¿Está todo bien?

—Ajá —le respondí—. ¿Verdad que sí, Joe?

—Ajá —dijo él—. Seguro que sí.

Oí que Selena regresó, pero no cerró su puerta por un ratito, diez o quince segundos, y supe que estaba viéndonos desde su cuarto. Joe se quedó tal y como estaba, con una mano en el descanso del sillón y con las nalgas a medio sentar. Luego oímos que la puerta se cerró, y parece que eso hizo que Joe se diera cuenta de lo ridículo que se veía, medio sentado, con una mano en la oreja y con puntitos de crema goteándole en la cara.

Se volvió a sentar y movió la mano. Tenía sangre ahí y en la oreja, pero la mano no estaba hinchada y la oreja sí:

—Vas a pagar en serio por esto, puta —me dijo.

—¿Ah, sí? —le contesté—. Entonces, acuérdate bien de esto, Joe St. George: lo que me hagas pagar, tú vas a recibir el doble.

Se estaba sonriendo como si no pudiera creer lo que estaba oyendo:

—Entonces, supongo que voy a tener que matarte, ¿o no?

Le di el hacha casi antes de que le salieran las palabras de la boca. No tenía pensado hacer eso, pero tan pronto como lo vi con el hacha en la mano, supe que era lo único que *podía* hacer.

—Hazlo —le ordené—. Cumple con lo que dices para que yo ya no sufra.

Me miró a mí y luego al hacha y luego a mí otra vez. La cara de sorpresa que tenía hubiera sido chistosa si el asunto no fuera tan serio.

—Luego, cuando termines, calienta la cena y sírvete —le dije—. Come hasta que revientes, porque luego te vas a ir a la cárcel y que yo sepa ahí no te sirven nada hecho en casa. Creo que empezarás por la cárcel de Belfast. Estoy segura de que ahí tienen uno de esos uniformes anaranjados y de tu talla.

—Cierra el hocico —me advirtió.

Pero yo no podía:

—Después de eso te van a mandar a Shawshank y *sé* que ahí no te llevan la comida caliente a la mesa. Y tampoco te dejan salir los viernes en la noche a jugar póker con tus amigos de la cantina. Lo único que te pido es que lo hagas rápido y no dejes que los niños vean el desorden cuando termines.

Cerré los ojos. Yo estaba segura de que no lo haría, pero estar segura no vale de mucho cuando tienes la vida en un hilo. Eso es algo que supe esa noche. Me quedé parada con los ojos cerrados, viendo oscuro y pensando qué se sentiría si me estrellara el hacha en la nariz y la boca y los dientes. Me acuerdo que pensé que antes de morir sentiría el sabor de las astillas de madera en la hoja y me alegré de haberla afilado dos o tres días antes. Si me moría, no quería que fuera con un hacha sin filo.

Me pareció que pasaron diez años. Entonces me dijo, ronco y de mal humor:

—¿Vienes a la cama o te vas a quedar ahí como si te estuvieras viniendo en seco?

Abrí los ojos y vi que puso el hacha bajo el sillón. Pude ver el mango que salía de los caireles del tapiz. Tenía el periódico sobre los pies como si fuera una casa de campaña. Se agachó, tomó el periódico y lo sacudió, tratando de portarse como si no hubiera pasado nada, pero tenía sangre en el cachete que le corría desde la oreja y le temblaban las manos, lo suficiente como para que el periódico crujiera un poco. Dejó las huellas rojas de sus dedos en el papel y decidí quemarlo antes de acostarme para que los niños no lo vieran y pensaran algo.

—Ya me voy a poner el camisón, Joe, pero primero quiero que lleguemos a un acuerdo con esto.

Se me quedó viendo y me dijo con la boca tiesa:

—No te pongas muy fresca, Dolores. Eso podría estar mal. No me provoques.

—No te provoco —le contesto—. Se acabaron los golpes. Eso es todo. Si lo vuelves a hacer, uno de los dos se va al hospital. O al depósito de cadáveres.

Se me quedó viendo mucho tiempo, Andy, y yo lo vi a él. El hacha estaba debajo del sillón, pero no importaba; yo sabía que si movía los ojos antes que él, nunca terminarían los golpes en el cuello y en la espalda. Pero por fin volvió a ver su periódico y murmuró:

—Haz algo útil, mujer. Tráeme una toalla para la cabeza, si no puedes hacer otra cosa. Tengo toda la maldita camisa sangrada.

Ésa fue la última vez que me pegó. En el fondo era un cobarde, aunque nunca se lo dije en la cara, ni entonces ni después. Eso es lo más peligroso que puede hacer una persona, porque un cobarde tiene más miedo de que lo descubran que de morir.

Claro que yo sabía que en el fondo era un cobarde. No me habría atrevido a estrellarle la cremera en la cara si no hubiera sentido que tenía una buena oportunidad de salir ganando. Además, cuando me senté en esa silla después de que me pegó, esperando a que se me pasara el dolor de los riñones, me di cuenta de algo: si no me le enfrentaba en ese momento, tal vez *nunca* lo haría. Así que me le enfrenté.

¿Saben?, lo más fácil fue estrellarle la cremera en la cara a Joe. Antes de que pudiera hacerlo, tuve que vencer, de una vez por todas, el recuerdo de mi papá empujando a mi mamá, y de que le pegó en las piernas con el lienzo de vela mojado. Fue difícil vencer esos recuerdos, porque yo quería mucho a los dos, pero al final pude hacerlo... a lo mejor porque *tenía* que hacerlo. Y estoy agradecida de que lo hice, tal vez porque Selena no tendrá el recuerdo de su mamá sentada en el rincón, llorando y con un trapo de platos sobre la cara. Mi mamá lo tomó cuando mi papá la maltrató, pero yo no quiero juzgar a ninguno de los dos. A lo mejor mi mamá tuvo que tomarlo, y a lo mejor él tuvo que maltratarla, para no sentirse menos que los demás hombres con los que vivía y trabajaba todos los días. En esos tiempos las cosas eran distintas: casi nadie sabe *lo distintas* que eran. Pero eso no quiere decir que tuviera que aguantar a Joe sólo porque yo ya había sido lo suficientemente estúpida como para casarme con él. No hay ninguna corrección de la casa si un hombre le pega a su mujer con los puños o con un atizador de leña, y a fin de cuentas decidí que yo no iba a aguantar eso de los tipos como Joe St. George, ni de ningún otro hombre.

Hubo veces en que me alzó la mano, pero luego lo pensaba mejor. A veces, cuando tenía la mano levantada, *queriéndome* pegar pero *sin atreverse* a hacerlo, veía en sus ojos que se acordaba de la cremera... y tal vez también del hacha. Entonces hacía como si hubiera alzado la mano para rascarse la cabeza o secarse la frente. Ésa fue la primera lección que aprendió. Tal vez la única.

Pero también aprendió otra cosa en la noche en que me pegó con el atizador y yo le pegué con la cremera. No me gusta hablar de eso, porque yo soy de la gente de costumbres antiguas que creen que lo que pasa en la recámara es algo que debe quedarse ahí, pero será mejor que lo haga, porque quizá es parte de la razón de que las cosas salieran así.

Aunque estábamos casados y vivimos bajo el mismo techo durante los siguientes dos años (quizá tres, pero no lo recuerdo bien), sólo trató de usar su privilegio conmigo unas cuantas veces después de eso. Él...

¿Qué, Andy?

¡*Claro* que estoy diciendo que él era impotente! ¿De qué otra cosa podría estar hablando? ¿De su derecho a usar mi ropa interior cada vez que sentía ganas? Nunca lo rechacé; él dejó de hacerlo. Él no era de la clase de hombre que lo hace todas las noches, ni siquiera al principio, y tampoco era de los que lo hacen con calma: siempre era del estilo de una-dos-tres y buenas noches. Pero siempre tuvo el interés suficiente para subirse una o dos veces por semana... hasta que le estrellé la cremera.

En parte era por la bebida, porque en los últimos años tomaba mucho más, pero no creo que *sólo* fuera por eso. Recuerdo que una noche se bajó de mí después de veinte minutos de resoplar y jadear sin ningún provecho, con su cosita colgándole como un fideo mojado. No sé cuánto tiempo había pasado desde la noche que les conté, pero sé que fue después porque recuerdo que estaba acostada, y me dolían los riñones, y pensaba que me pararía muy pronto para tomarme una aspirina.

—Ya está —me gritó casi llorando—. Ojalá estés satisfecha, Dolores. ¿Lo estás?

Yo no dije nada. Hay veces en que está mal cualquier cosa que una mujer le diga a un hombre.

—¿Lo *estás*? —me preguntó—. ¿*Estás* satisfecha, Dolores?

Tampoco dije nada. Me quedé muy quieta, viendo al techo y oyendo el viento. Esa noche soplaba viento del este, y traía el sonido del mar. Siempre me gustó ese sonido, porque me calma.

Se volteó hacia mí y pude oler su aliento de cerveza rancia:

—Antes me ayudaba apagar la luz —dijo—, pero ya no. Puedo ver tu carota hasta en la oscuridad —me tocó un pecho y lo sacudió—. Y esto, flojo y plano como un panqué. Tu coño está todavía peor. Cristo, no tienes treinta y cinco años y cogerte es como si se la metiera a un charco de lodo.

Pensé decirle: "Si *fuera* un charco de lodo podrías meterla aunque la tuvieras blanda, Joe, y *eso* te tendría más tranquilo", pero me quedé callada. Ya les dije que Patricia Claiborne no crió tarados.

No dijimos nada por un rato, pero decidí que él ya había dicho bastantes cosas malas y que finalmente se habría dormido, y estaba pensando que yo necesitaba pararme para tomar una aspirina; entonces él volvió a hablar... y esta vez estaba segura de que *estaba* llorando.

—Ojalá que nunca hubiera visto tu cara —advirtió—. ¿Por qué no usaste esa hacha para cortármelo, Dolores? Hubiera sido lo mismo.

Como ven, yo no era la única que pensó que el golpe con la cremera —y decir que las cosas iban a cambiar en la casa— tenía algo que ver con su problema. Seguí sin decir nada: quería saber si se dormiría o si me pondría las manos encima otra vez. Él estaba desnudo y yo sabía qué le podía hacer si me pegaba. Un rato después oí que roncaba. No sé si ésa fue la última vez que trató de ser un hombre conmigo, pero si no lo fue, casi lo consigue.

Claro que ninguno de sus amigos se enteró de lo que pasaba, porque él no les contaría que su esposa le estrelló una cremera en la cara y que su pájaro ya no le servía, ¿o sí? ¡Él no! Así que cuando los demás presumían de cómo trataban a sus esposas, él también presumía, y les decía que me ponía en mi lugar si yo abría mi bocota, o si me compraba un vestido en Jonesport sin avisarle antes que tomaría dinero de la alcancía.

¿Cómo sé eso? Hay veces en que abro las orejas en vez de la boca. Ya sé que es difícil de creer, a juzgar por lo que he dicho esta noche, pero es la verdad.

Recuerdo una vez que estaba trabajando medio tiempo para los Marshall (¿te acuerdas de John Marshall, Andy, que siempre decía que quería construir un puente hasta la costa?). Sonó el timbre de la puerta. Yo estaba sola en la casa y corrí a la puerta y me resbalé en una alfombra y me pegué con la esquina de la repisa de la chimenea. Me lastimé el brazo, junto al codo.

Tres días después, cuando el moretón se puso de color amarillo verdoso, me topé en el pueblo con Yvette Anderson. Ella salía del almacén y yo entraba. Me miró el moretón en el brazo, y cuando me habló, su voz era *toda* simpatía. Solo una mujer que se siente más contenta que un puerco en el chiquero habla así:

—¿Verdad que los hombres son *terribles*, Dolores? —me dijo.

—A veces sí y a veces no —le contesté. Yo no sabía de qué estaba hablando. Lo que más me importaba en ese momento era comprar las chuletas de puerco que estaban en oferta antes de que se acabaran.

Me palmeó muy suave el brazo (el que no estaba lastimado) y me dijo:

—Tienes que ser fuerte. Ya verás que las cosas se van a componer. Yo ya pasé por eso y sé qué es. Voy a rezar por ti, Dolores —esto último lo dijo como si me fuera a dar un millón de dólares y luego salió a la calle. Entré al mercado, muy extrañada. Pensé que le patinaba el seso, pero cualquiera que conozca a Yvette sabe que no tiene mucho seso que le pueda patinar.

Casi terminaba las compras cuando supe lo que estaba pasando. Me quedé viendo a Skippy Porter que pesaba las chuletas, con la canasta en el brazo y con la cabeza para atrás, riéndome sola, como cuando lo haces porque no puedes aguantar la risa. Skippy se me quedó viendo y me dijo:

—¿Se siente bien, seño Claiborne?

—Estoy bien —le dije—. Me acordé de algo chistoso —y me volví a reír.

—Me imagino que sí —me respondió Skippy, y siguió pesando. Dios bendiga a los Porter, Andy; mientras estén por aquí, siempre habrá una familia en la isla que no se meta en lo que no le importa. Mientras, me seguí riendo. Otras gentes me miraron como si estuviera loca, pero no me importó. A veces la vida es tan chistosa que te *tienes* que reír.

Claro que Yvette está casada con Tommy Anderson, y Tommy tomaba y jugaba póker con Joe a fines de los cincuenta y principios de los sesenta. Dos o tres días después de que me lastimé el brazo, él estaba en mi casa con otros de sus amigos, tratando de componer la última ganga de Joe, una vieja camioneta Ford. Era mi día libre, y les serví una jarra de té helado, para que no tomaran antes de la noche.

Tommy me vio el moretón cuando serví el té. Quizá le preguntó a Joe cuando me fui, o quizá sólo dijo algo. Como fuera, Joe St. George no era de los que dejaba pasar una oportunidad, o por lo menos no una de esas. Al regresar a mi casa del mercado, lo único que quería saber era lo que Joe le había contado a Tommy y a los demás de lo que yo había hecho: ¿les dijo que se me olvidó ponerle las pantuflas debajo de la estufa para que se calentaran o que cociné mal los frijoles del sábado? Como fuera, Tommy fue a su casa y le dijo a Yvette que Joe St. George tuvo que darle a su mujer un poco de corrección del hogar. ¡Y lo que había pasado era que me pegué con la repisa de los Marshall por correr para abrir la puerta!

A eso me refiero cuando digo que el matrimonio tiene dos lados: el de afuera y el de adentro. La gente de la isla nos veía a Joe y a mí como a las demás parejas de nuestra edad: no muy felices y no muy tristes, que estaban juntos como dos caballos que jalan una carreta... no se fijan el uno en el otro como lo hacían antes, y cuando *se fijan* el uno en el otro ya no se llevan tan bien como antes, pero están amarrados el uno al otro y van juntos por el camino lo mejor que pueden, sin morderse, sin darse coces o haciendo cualquier otra cosa que amerite la fusta.

Pero las personas no son caballos, y el matrimonio no es jalar una carreta, aunque yo sé que a veces eso parece cuando lo ves de fuera. La gente de la isla no sabía del asunto de la cremera ni de que Joe lloró en la oscuridad y me dijo que ojalá nunca hubiera visto mi carota. Además, eso no era lo peor. Lo peor no empezó sino hasta un año después de que dejamos de hacer cosas en la cama. Es curioso cómo la gente puede fijarse en las cosas y sacar una conclusión totalmente equivocada de cómo sucedió todo. Pero eso es lo natural, mientras que recuerdes que el interior y el exterior de un matrimonio no se parecen mucho. Lo que les voy a contar es el interior del nuestro, y hasta hoy pensé que siempre se quedaría adentro.

Viéndolo en retrospectiva, creo que los problemas empezaron en el año 62. Selena empezó los estudios de preparatoria en el continente. Era una muchacha muy guapa, y recuerdo que cuando terminó el primer año se llevaba con su papá mucho mejor que en los últimos tiempos. Yo me imaginaba que cuando se hiciera jovencita habría muchos problemas entre los dos, cuando ella criticara las ideas de su papá y lo que él pensaba que eran sus derechos.

Pero en vez de eso hubo una temporada de calma y buenos sentimientos entre ellos dos: ella salía y lo veía trabajar en el patio, o se sentaba junto a él en el sofá cuando veíamos la TV por la noche (se imaginarán que al pequeño Pete eso no le gustaba mucho) y en los comerciales le preguntaba cómo le había ido ese día. Él le contestaba de un modo calmado y pensativo que yo no recordaba... aunque lo conocía de algún modo. Lo recordaba de la preparatoria, cuando lo comencé a conocer y él decidió que quería ser mi novio.

Al mismo tiempo, ella se empezó a alejar de mí. Seguía cumpliendo con las labores que le pedía, y a veces me contaba cómo iba en la escuela... pero sólo si yo insistía. Había en ella una frialdad que no había antes, y sólo después me di cuenta cómo es que las cosas embonaban, y que todo empezaba en la noche en que Selena salió de su cuarto y nos vio, su papá agarrándose la oreja y con sangre corriéndole entre los dedos, y su mamá con un hacha en la mano.

Ya les dije que él no era un hombre que dejara pasar las oportunidades, y ésta era una de ellas. A Tommy Anderson le contó una historia; la que le contó a su hija era de otra parroquia pero de la misma iglesia. Yo creo que al principio tenía malas intenciones, porque sabía lo mucho que yo quería a Selena, y pensó en decirle que yo era mala y con mal carácter, y quizá hasta decirle que yo era *peligrosa*, para vengarse de mí. Trató de ponerla en mi contra, y aunque nunca lo consiguió, se las ingenió para acercarse a ella más de lo que pudo cuando ella era una niña. ¿Por qué no? Ella siempre fue de buen corazón y Joe era el mejor del mundo cuando se trataba de dar lástima a los demás.

Él entró en la vida de Selena, y una vez adentro se dio cuenta de lo guapa que se estaba poniendo y decidió que quería de ella algo más que oírlo cuando él hablaba o pasarle las herramientas cuando estaba adentro del motor de alguna carcacha. Y mientras pasaba todo esto y ocurrían los cambios, yo iba de un lugar a otro, trabajando hasta en cuatro empleos distintos, y tratando de ahorrar un poco cada semana para pagar la colegiatura de los niños. Nunca me di cuenta de nada hasta que casi fue demasiado tarde.

Mi Selena era una jovencita alegre y conversadora, y siempre estaba dispuesta a complacer a los demás. Cuando le pedía que trajera algo, no caminaba, sino corría. Cuando creció, ella preparaba la cena mientras yo trabajaba, y nunca se lo tuve que pedir. Al principio quemó la cena y Joe la regañó o se burló de ella (más de una vez hizo que se fuera a su cuarto, llorando) pero dejó de hacerlo durante la época que les estoy contando. En ese entonces, en la primavera y verano de 1962, él se portaba como si cada pastel que hacía fuera un manjar, aunque la masa pareciera cemento, y le hacía cumplidos de su asado de carne como si fuera cocina francesa. Ella estaba feliz con sus cumplidos, y cualquiera se sentiría feliz, pero no se pavoneaba por eso. Ella no era esa clase de muchacha. Pero les diré una cosa: cuando Selena salió de la casa, ya era mucho mejor cocinera que yo.

Cuando se trataba de ayudarme en la casa, ninguna mamá podría tener una mejor hija... especialmente una mamá que tenía que pasar la mayor parte del tiempo limpiando la mugre ajena. A Selena nunca se le olvidó hacerle a Joe junior y al pequeño Pete el almuerzo para la escuela cuando ellos salían por la mañana, y siempre les forraba los libros al principio del año. Joe junior pudo haber hecho *eso*, pero ella nunca se lo permitió.

En su primer año de preparatoria fue una estudiante con primer lugar, pero nunca perdió el interés por lo que pasaba en la casa, como lo hacen otros jóvenes inteligentes de su edad. Casi todos los muchachos de trece o catorce años piensan que cualquiera con más de treinta años es un vejestorio, y casi siempre salen corriendo de la casa dos minutos después de que los vejestorios entran. Pero Selena no era así. Les servía café o ayudaba con los platos, y luego se sentaba junto a la estufa para oír la plática de los mayores. Ella oía si era yo con una o dos amigas, o Joe con tres o cuatro de sus amigos. Si yo la hubiera dejado, se habría quedado cuando ellos jugaban póker. Pero no la dejé, porque eran muy mal hablados. Esa niña entendía lo que se hablaba; y si no entendía, era como un ratón comiendo queso: lo que no comía, lo guardaba para después.

Luego cambió. No sé cuándo empezó a cambiar, pero me di cuenta cuando ella empezó a estudiar el segundo año. Más o menos a fines de septiembre.

Lo primero que noté fue que ella no volvía a casa en el primer trasbordador como lo hacía el año anterior, a pesar de que eso le había funcionado bien: podía terminar la tarea en su cuarto antes de que llegaran los muchachos y luego limpiar un poco o hacer la cena. En vez del de las dos de la tarde, tomaba el barco que sale de tierra firme a las cuatro cuarenta y cinco.

Cuando le pregunté, me dijo que prefería hacer la tarea en la biblioteca de la escuela, y que eso era todo. Luego me miró de una forma extraña que quería decir que no tenía ganas de hablar más del asunto. Pensé que vi vergüenza en esa mirada, y también una mentira. Esas cosas me preocupaban, pero me decidí a no insistirle hasta que estuviera segura de que algo andaba mal. Era difícil hablarle. Sentía la distancia que había ahora entre nosotros, y yo sabía muy bien de dónde venía eso: Joe medio sentado en el sillón, sangrando, y yo parada frente a él con un hacha. Y por primera vez me di cuenta de que él quizá hablaba con ella de eso, y de otras cosas. Hablaba de ellas a su modo, por decirlo así.

Pensé que si fastidiaba demasiado a Selena al preguntarle por qué se quedaba hasta tan tarde en la escuela, mis problemas con ella se harían peores. Todas las preguntas que pensé hacerle sonaban como *En que estás metida, Selena*, y si a mí, una mujer de treinta y cinco años, me sonaba así, ¿cómo le sonaría a una niña que todavía no cumplía los quince? Es tan difícil hablarle a los niños cuando tienes esa edad; tienes que caminar alrededor de ellos de puntitas, igual que si tuvieras un frasco de nitroglicerina en el piso.

Las escuelas hacen una reunión de padres un poco después de empezar el año, e hice todo lo que pude para ir. También traté de fastidiar a la maestra de Selena lo menos posible; solamente me le acerqué y le pregunté si sabía por qué este año Selena prefería quedarse hasta el siguiente barco. La maestra me dijo que no sabía, pero ella pensaba que era para que Selena pudiera terminar la tarea. Yo pensé, pero no lo dije, que ella antes podía terminar la tarea en el escritorio de su cuarto, así que algo había cambiado. *Lo habría* dicho si la maestra pudiera decirme algo nuevo, pero me quedó muy claro que no podía. Vaya, si tal vez ella se iba corriendo en cuanto sonaba la campana de salida.

Los demás maestros tampoco fueron de mucha ayuda. Oí que ponían a Selena en el cielo, y hacer eso no costaba mucho trabajo. Cuando regresé a la casa, sentí que no había avanzado mucho desde que salí de la isla a la reunión.

Conseguí un asiento en el trasbordador junto a la ventana. Miré a un jovencito y una muchacha, no mucho mayores que Selena, parados junto a la borda, tomándose las manos y mirando la luna sobre el mar. Él le dijo algo a la muchacha que la hizo reírse de él. "Eres muy bruto si no aprovechas una oportunidad como esa, hijito", pensé, pero él no la desaprovechó: se acercó a ella, le tomó la otra mano y la besó bien y bonito. Caray, tú eres tonta, me dije a mí misma mientras los veía. Es eso o que eres muy vieja para acordarte de lo que es tener quince años, cuando tienes cada fibra de tu cuerpo ardiendo como una veladora romana durante todo el día y casi toda la noche. Selena había conocido a un muchacho, eso era todo. Ella anda con un muchacho y tal vez estudien juntos en la biblioteca después de la escuela. Quizá se estudien uno al otro más que los libros. No se imaginan lo aliviada que me sentí.

Estuve pensando en eso los siguientes días; la cosa de lavar sábanas y planchar camisas y aspirar alfombras es que tienes mucho tiempo para pensar, y mientras más lo pensaba, menos aliviada me sentía. Ella no *hablaba* de ningún muchacho, y la forma de ser de Selena no era la de callarse las cosas. Ella no era conmigo tan abierta y amistosa como antes, no, pero tampoco era como si hubiera un muro de silencio entre las dos. Además, yo siempre pensé que si Selena se enamoraba, era capaz de poner un anuncio en el periódico.

Lo *importante*, lo que me asustaba, era la forma en que me miraba. Yo siempre me doy cuenta que cuando una muchacha está loca por un muchacho, sus ojos se ponen tan brillantes que parece que le hubieran puesto un farol. Cuando busqué esa luz en los ojos de Selena, no la encontré... pero eso no era lo peor. Tampoco estaba la luz que tenía antes. Y *eso* sí era lo peor. Verla a los ojos era como mirar en las ventanas de una casa donde la gente salió sin correr las cortinas.

Cuando vi eso se me abrieron *a mí* los ojos, y empecé a notar toda clase de cosas que debí haber visto antes, o *pude* haber visto antes, creo, si no tuviera que trabajar tanto, y si no estuviera tan convencida de que Selena estaba enojada conmigo por haber lastimado a su padre.

Lo primero que noté es que ya no se trataba nada más de mí: también se alejaba de Joe. Ya no platicaba con él mientras trabajaba con sus carcachas o con las lanchas de motor, y ya no se sentaba en el sofá junto a él para ver la televisión. Si se quedaba en la sala, se sentaba en la mecedora junto a la estufa con un tramo de tejido. Pero casi no se quedaba por las noches. Se metía a su cuarto y se encerraba. A Joe no pareció que le importaba, o siquiera que lo notara. Comenzó a sentarse otra vez en el sillón, cargando al pequeño Pete hasta que se dormía.

Su pelo era otra cosa. Selena ya no se lo lavaba todos los días como antes. A veces lo tenía tan grasoso que se podían freír huevos, y eso no era del estilo de Selena. Era de complexión muy bonita, con esa piel suave que quizá viene de la familia de Joe, pero tenía en la cara esos granos que parecían dientes de león. Estaba pálida y casi no comía.

Seguía viendo de vez en cuando a sus dos mejores amigas, Tanya Caron y Laurie Langill, pero no como lo hacía durante la secundaria. Eso me hizo notar que ni Tanya ni Laurie habían venido a la casa desde que empezó la escuela... y tampoco durante el último mes de las vacaciones de verano. Eso me asustó, Andy, y eso obligó a vigilar más de cerca a mi niña. Lo que vi me asustó todavía más.

Por ejemplo, la forma en que se vestía ahora. No es que hubiera cambiado un suéter por otro o usara faldas en vez de vestidos; había cambiado toda su *forma* de vestirse, y el cambio le venía mal. Ya no se podía notar su figura. En vez de ponerse faldas o vestidos para ir a la escuela, usaba vestidos sin mangas en línea A que le quedaban muy grandes. La hacían verse gorda, y ella no era gorda.

En la casa se ponía suéteres flojos que le llegaban casi a las rodillas, y no se quitaba sus pantalones de mezclilla y sus botas de trabajo. Se ponía en el pelo una mascada que parecía un trapo, a veces tan grande que le colgaba sobre las cejas, y los ojos parecían dos animales que se asomaban por una cueva. Parecía un marimacho, pero pensé que se olvidaría de eso cuando cumpliera los quince años. Una noche, cuando olvidé tocar en la puerta antes de entrar a su cuarto, casi se rompe las piernas tratando de sacar la bata del armario y ponérsela, y eso que estaba usando ropa interior: no es que estuviera desnuda o con las tetas al aire.

Pero lo peor es que no hablaba casi nada. No sólo conmigo; en vista de lo que estaba pasando entre nosotras dos, yo podía entender eso. Pero ya casi no hablaba con *nadie*. En la cena, se sentaba a la mesa con la cabeza baja y el fleco, muy largo, le tapaba los ojos. Cuando trataba de hacerle conversación y le preguntaba cómo le había ido en la escuela y cosas así, lo único que me contestaba era "Ajá" o "A lo mejor" en vez de la cháchara de antes. También Joe junior trató de hablarle, y se dio contra la misma pared: me miró una o dos veces, confundido. Yo me encogí de hombros. En cuanto terminábamos de cenar y lavar los platos, salía de la casa o se iba a su cuarto.

Luego, que Dios me ayude, pensé que si no se trataba de un muchacho, entonces era marihuana... no me mires así, Andy, como si no supiera de qué estoy hablando. Le decíamos grifa en vez de mota, como le dicen hoy, pero era lo mismo, y en la isla había mucha gente que quería venderla cuando bajaba el precio de las langostas... y también cuando no bajaba. En ese entonces venía mucha grifa de las islas costeras, igual que ahora, y aquí se vendía un poco. No había cocaína, gracias a Dios, pero si querías fumar mota, siempre podías encontrarla. A Marky Benoit lo arrestó la guardia costera ese mismo verano: le encontraron cuatro atados en la cala de su lancha *Maggie's Delight*. Tal vez por eso se me metió la idea en la cabeza, pero aun ahora, después de tantos años, me pregunto cómo me las arreglé para hacer un asunto tan complicado de algo tan simple. El verdadero problema estaba sentado en la mesa frente a mí, todas las noches, casi siempre necesitando un buen baño y afeitarse, y ahí estaba *yo*, mirándolo a él, a Joe St. George, el que sabía de todo pero no hacía nada. Y yo que pensaba si mi niña se metía detrás de la carpintería de la escuela en las tardes, fumando hierba. ¡Y yo soy la que dice que mi mamá no crió taradas! ¡Cielos!.

Pensé en entrar a su cuarto y revisar su armario y sus cajones, pero eso me hizo sentir asco de mí misma. Andy, yo seré muchas cosas, pero nunca ando hurgando en donde no debo. Pero que se me ocurriera esa idea me hizo ver que había pasado mucho tiempo yendo por las ramas de lo que estaba pasando (fuera lo que fuera que estaba pasando), esperando a que el problema se resolviera solo o que Selena hablara conmigo por su propia voluntad.

Entonces, un día, un poco antes del Haloween, porque recuerdo que el pequeño Pete puso una bruja de papel en la ventana de la entrada, se suponía que yo tenía que ir a casa de los Strayhorn después de almorzar. Lisa McCandless y yo teníamos que voltear esas alfombras persas en la planta baja... se supone que hay que hacer eso cada seis meses para que no se decoloren, o para que se decoloren parejo, o algo así. Me puse mi abrigo y lo abotoné y estaba a punto de salir cuando pensé: ¿Qué estás haciendo con este abrigo tan pesado? Afuera hacen casi veinte grados. Y otra voz me dijo: cuando vuelvas, ya no van a ser veinte grados, sino diez. Y además está húmedo. Y entonces fue cuando me enteré de que esa tarde no iba a ir a casa de los Strayhorn. Tomaría el trasbordador y me iría a Jonesport, y me iría con mi hija. Llamé a Lisa, le dije que voltearíamos las alfombras otro día, y me fui al muelle. Estaba a tiempo para subirme al de las dos y quince. Si no lo alcanzaba, no la hubiera alcanzado a *ella*, y ¿quién sabe que hubiera pasado entonces?

Fui la primera en bajarse del trasbordador, lo sé porque todavía estaban haciendo el último amarre cuando bajé al muelle, y me fui derechito a la preparatoria. Se me ocurrió en el camino que no me la iba a encontrar en la biblioteca, aunque ella y la maestra me dijeron que era así, que estaría detrás de la carpintería con el resto de sus amigos y amigas... riéndose, manoseándose y quizá tomando una botella de vino corriente. Si ustedes nunca pasaron por una situación así, no pueden saber lo que es y yo no puedo explicarlo. Todo lo que puedo decirles es que me di cuenta de que no hay forma de prepararse para una desgracia. Lo único que se puede hacer es seguir caminando y esperar con todas las fuerzas que no ocurra.

Pero cuando abrí la puerta de la biblioteca y me asomé, ella *estaba* ahí, sentada en un escritorio junto a la ventana y haciendo la tarea de álgebra. Al principio no se dio cuenta de que yo estaba ahí y me quedé parada, viéndola. No andaba con malas compañías como yo pensaba, pero de todos modos sentí un nudo en la garganta, Andy, porque parecía como si no tuviera compañía de ninguna clase, y eso podía ser peor. Quizá su maestra no veía nada malo en una muchacha que estudiara después de clases, sola en un lugar tan grande, tal vez pensaba que era hasta admirable. Pero a mí no me pareció admirable, ni siquiera me pareció sano. No le hacían compañía ni siquiera los muchachos castigados, porque a los que se portan mal los mandan a la biblioteca de la preparator Jonesport-Beals.

Ella debería estar con sus amigas, oyendo discos o abrazada de algún muchacho, y en vez de eso estaba sentada ahí, bajo la luz polvosa de la tarde, sentada entre el olor del gis, el desinfectante de pisos y ese serrín rojo que ponían cuando los niños se iban a la casa, sentada con la cabeza tan cerca del libro que podías pensar que ahí estaban todos los secretos de la vida y la muerte.

—Hola, Selena —le dije. Se asustó como un conejo y tiró la mitad de los libros en el escritorio cuando se volteó a ver quién la había saludado. Tenía los ojos tan grandes que parecía que le llenaban la mitad de la cara, y lo que pude verle de los cachetes y la frente estaba más pálido que leche en una taza blanca. Sin contar los nuevos granos. *Ésos* eran muy rojos, como quemaduras.

Entonces se dio cuenta de que era yo. Se le fue el miedo, pero no me sonrió. Era como si tuviera una cortina en la cara... o como si ella estuviera dentro de un castillo y hubiera levantado el puente. Sí, así. ¿Entienden lo que quiero decir?

—¡Mamá! —me dijo—. ¿Qué *estás* haciendo aquí?

Pensé decirle: "Vine para llevarte a la casa en el trasbordador y que me expliques lo que está pasando, mi niña", pero algo me dijo que esa biblioteca no era el mejor lugar para hacerlo, ese salón vacío donde pude oler lo que andaba mal con ella casi tan bien como podía oler el gis y el serrín rojo. Lo pude oler, y tenía que saber qué era. Viéndola, me di cuenta de que ya había esperado demasiado. Ya no pensaba que se tratara de droga, pero lo que fuera, estaba hambriento. Se la estaba comiendo en vida.

Le dije que decidí no trabajar esa tarde para venir y ver los escaparates de las tiendas, pero no encontré nada que me gustara:

—Así que pensé que tú y yo podríamos regresar juntas en el trasbordador —le dije—. ¿Está bien, Selena?

Por fin sonrió. Yo les digo que hubiera pagado mil dólares por esa sonrisa... una sonrisa que era sólo para mí.

—Claro que sí, mamá —me dijo—. No estaría mal tener compañía.

Entonces caminamos hasta la terminal del trasbordador, y cuando le pregunté de sus clases, habló más de lo que había dicho en semanas. Tras la primera mirada que me lanzó, como un conejo acorralado por un gato, parecía que después de tantos meses volvió a ser como antes, y eso me dio esperanzas.

Andy, quizá Nancy no sabe lo vacío que está el trasbordador de las cuatro cuarenta y cinco hacia Little Tall y las demás islas, pero creo que tú y Frank sí. Casi todos los que trabajan en tierra firme regresan a casa en el de las cinco y media, y lo que hay en el de las cuatro cuarenta y cinco es correo, cajas y mercancía para los mercados. Así que aunque era una bonita tarde de otoño, mucho menos fría y húmeda de lo que pensé, teníamos la cubierta de popa para nosotras dos solas.

Ahí nos quedamos un rato, mirando la estela del barco y la costa. Para entonces el sol ya estaba en el oeste, se veía el reflejo en el agua, y las olas lo rompían: parecía como pedacitos de oro. Cuando yo era niña, mi papá me decía que *era* oro, y que a veces las sirenas salían y lo tomaban. Me decía que usaban esos pedacitos del sol de la tarde para hacer los tejados de sus castillos mágicos en el mar. Cuando veía esos reflejos dorados en el agua, siempre buscaba sirenas, y todavía cuando tenía casi la edad de Selena creía que esas cosas existían, porque mi papá me había dicho que era así.

Ese día el agua era del color azul muy oscuro que sólo se ve en los días tranquilos de octubre, y el sonido de los motores me calmaba. Selena se quitó la mascada que usaba en la cabeza, alzó los brazos y se rió:

—¿Verdad que es bonito, mamá? —me preguntó.

—Sí —le contesté—. Es bonito. Y tú también eras bonita, Selena. ¿Por qué ya no eres así?

Me miró, y fue como si tuviera dos caras. La de arriba estaba confundida y como si siguiera riendo... pero la de abajo tenía una mirada precavida y desconfiada. Lo que vi en esa cara de abajo era todo lo que Joe le dijo durante la primavera y el verano, antes de que ella se alejara también de él. Su cara de abajo me decía: "Yo no tengo amigos". "Ni tú, ni él", pensé. Y mientras más nos mirábamos, más fuerte era la cara de abajo.

Ella dejó de reírse y de mirarme y volteó hacia el agua. Eso me hizo sentirme mal, Andy, pero ya no podía detenerme, por triste que fuera la verdad, como tampoco me detuve con las hijoputeces de Vera. El asunto es que a veces *tenemos* que ser crueles para ser buenos, como un doctor que inyecta a un niño aun cuando sabe que el niño llora y no lo entiende. Pensé y me di cuenta de que yo podía ser igual de cruel si tenía que hacerlo. En ese entonces me asustó darme cuenta de eso, y todavía me asusta un poco. Da miedo saber que puedes ser tan dura como lo necesites, y no titubear antes, o pensar después y no saber si hiciste bien.

—No sé a qué te refieres, mamá —masculló, pero me miraba con mucho cuidado.

—Cambiaste —le dije—. Es como te ves, como te vistes, como te comportas. Todas esas cosas me dicen que tienes problemas.

—No pasa nada —rebatió, pero mientras lo decía se iba alejando de mí. Le tomé las manos antes de que se alejara demasiado.

—Sí, sí está pasando —le contesté—, y ninguna de las dos se baja de este barco hasta que me lo digas.

—¡Nada! —me gritó. Trató de liberar sus manos pero yo no la solté—. ¡No pasa nada, suéltame! ¡Suéltame!

—Todavía no —le dije—. No me importa en qué lío te metiste, Selena: te voy a querer igual. Pero no te puedo ayudar a salir del problema si no me dices qué es.

Dejó de forcejear y me miró. Y vi una tercera cara debajo de las otras dos, una cara astuta y miserable que no me gustó. Poniendo de lado su complexión, Selena es como mi familia, pero en ese momento se parecía a Joe.

—Primero dime algo —me pidió.

—Si puedo, sí —le contesté.

—¿Por qué le pegaste? —me preguntó—. ¿Por qué le pegaste esa vez?

Abrí la boca para preguntar "¿Cuándo?", aunque sólo fuera para ganar tiempo y pensar, pero en ese momento supe algo, Andy. No me preguntes cómo: pudo ser una corazonada, o lo que se llama intuición femenina, o quizá pude leerle la mente a mi hija. Supe que si titubeaba, aunque fuera un segundo, la perdía. Tal vez la perdería por un día, pero lo más probable es que la perdería para siempre. Era algo que supe, y no titubeé.

—Porque por la tarde me pegó en la espalda con un leño —le dije—. Me aplastó los riñones. Yo creo que decidí que nadie volvería a hacerme eso. Nunca más.

Parpadeó como cuando alguien te mueve rápido la mano frente a la cara, y se le abrió la boca, formando una "O" sorprendida.

—Él no te dijo que fue así, ¿verdad?

Sacudió la cabeza.

—¿Qué te dijo? ¿Que fue por beber?

—Por eso y por el póker —me contestó en una voz tan quedita que casi no se podía oír—. Me dijo que no te gustaba que él, ni nadie, se divirtiera. Que por eso no querías que él jugara póker, y que por eso no me dejaste ir a la fiesta de Tanya el año pasado. Me dijo que quieres que todos trabajen ocho días a la semana como tú. Y que cuando él se rebeló, le estrellaste la cremera y le dijiste que le cortarías la cabeza si trataba de hacer algo. Que se la cortarías mientras estuviera dormido.

Me habría reído, Andy, si no fuera tan terrible.

—¿Le creíste?

—No sé —me respondió—. De sólo pensar en esa hacha me asustaba tanto que no sabía qué pensar.

Eso me atravesó el corazón como un cuchillo, pero no dejé que se me notara.

—Selena, te dijo una mentira —le advertí.

—*¡Déjame en paz!* —me respondió, empujándome. Le volvió esa cara de conejo acorralado, y me di cuenta de que no estaba escondiendo algo porque tuviera miedo o estuviera preocupada, sino porque estaba aterrada—: *¡Yo me arreglo sola! ¡No quiero que me ayudes, sólo déjame en paz!*

—No *puedes* arreglarte sola, Selena —le contesté. Estaba hablando con la voz baja que se usa con una oveja atrapada en un alambre de púas—. Si pudieras, ya lo habrías resuelto. Ahora escúchame: siento mucho que me hayas visto con esa hacha en la mano; siento mucho *todo* lo que viste y oíste esa noche. De haber sabido que te asustarías o te sentirías infeliz, no lo habría hecho por más que me provocara.

—¿Por qué no te callas? —replicó, y cuando pudo zafar sus manos de las mías se tapó los oídos—. No quiero oír más. ¡No *puedo* oír más!

—No me puedo callar porque eso ya quedó atrás y no se pueder hacer nada —le objeté—. Pero lo de ahora no quedó atrás. Así que déjame ayudarte, mi amor. Por favor —traté de abrazarla y acercarla a mí.

—¡No! ¡No me pegues! ¡No me toques, carajo! —gritó, y se echó para atrás. Se dio contra el barandal de la borda y yo estaba segura de que se iba a caer al agua. Se me detuvo el corazón, pero mis manos no, gracias a Dios. La alcancé, la tomé por el abrigo y la jalé hacia mí. Me resbalé con algo que estaba mojado y por poco me caigo. Pero me pude quedar de pie, y cuando la miré, alzó la mano y me abofeteó.

No me importó. La volví a agarrar y la abracé. Si te echas para atrás en un momento así con una niña de la edad de Selena, entonces pierdes todo lo que tuviste con esa niña. Además, no me dolió la bofetada. Es que me asustaba perderla, y no sólo de mi cariño. En ese momento estaba segura de que se tiraría de cabeza por la borda. Estaba tan segura que casi pude verlo. Todavía no entiendo cómo es que el pelo no se me puso blanco ahí mismo.

Luego empezó a llorar y a pedirme que la perdonara, que no quería pegarme, que nunca lo quiso hacer, y yo le dije que lo sabía:

—Ya, ya —la consolé, y lo que me contestó me dejó helada.

—Me hubieras dejado tirarme, mamá. Me hubieras dejado irme.

Dejé de abrazarla, pero la mantuve cerca de mí. Para entonces las dos llorábamos, y le dije:

—Por nada del mundo haría eso, mi niña.

Ella meneaba la cabeza para atrás y para adelante:

—No aguanto más, mamá... No puedo. Me siento tan confundida y tan sucia, y no puedo estar contenta por más que trato.

—¿Qué pasa? —le pregunté, y me volví a sentir asustada—. ¿Qué pasa, Selena?

—Si te digo, tú me vas a tirar por la borda.

—Ya sabes que no —le contesté—. Y te voy a decir otra cosa, mi amor: no vas a volver a poner pie en tierra firme hasta que no me digas todo lo que sientes. Si para eso vamos a tener que ir de ida y vuelta en este barco por el resto del año, entonces lo vamos a hacer... pero creo que para fines de noviembre nos vamos a congelar, si es que para entonces no nos morimos envenenadas con la comida de este barco.

Pensé que eso la haría reír, pero no. En vez de eso bajó la cabeza, viendo a la cubierta, y dijo algo, muy quedito. Con el ruido del motor y el viento, no pude entender nada.

—¿Qué dijiste, mi amor?

Lo volvió a decir, y esta vez sí lo oí, y eso que no habló mucho más fuerte. Ahí fue donde entendí todo, y a partir de ese momento los días de Joe St. George estuvieron contados.

—Yo no quería hacerlo. Él me obligó —eso fue lo que dijo.

Por un minuto no pude hacer otra cosa que quedarme parada, y cuando por fin quise acercarla a mí, se echó para atrás. Ella tenía la cara más blanca que una sábana. Entonces el trasbordador, el viejo *Island Princess*, se ladeó. En ese momento, sentía que el mundo era resbaloso, y yo me hubiera caído sobre mis nalgas flacas si Selena no me agarra por la cintura. Al siguiente segundo era otra vez yo la que la detenía a ella, y ella estaba llorando en mi cuello.

—Ya, ya —le dije—. Ven acá y siéntate conmigo. Ya tuvimos suficiente con eso de ir de un lado del barco al otro, ¿verdad?

Fuimos a la banca en la cabina de popa, abrazadas, tambaleándonos como dos inválidas. No sé si Selena se sentía como una inválida, pero yo sí. A mí me salieron unas lágrimas, pero Selena lloraba tan fuerte que pensé que se le saldrían las tripas. Pero la verdad es que me sentí bien de que llorara así. Cuando la oí llorar y le vi las lágrimas en los cachetes me di cuenta de que se le estaba quitando de encima *el peso* que llevaba, como el brillo en sus ojos y su figura dentro de sus ropas. Me habría gustado mucho más oírla reírse que llorar, pero yo estaba dispuesta a conformarme con lo que fuera.

Nos sentamos en la banca y la dejé llorar un rato más. Cuando se calmó un poco, saqué el pañuelo de mi bolsa y se lo di. Al principio ni siquiera lo usó. Sólo me miraba, con los cachetes mojados y con unas ojeras enormes, y luego me dijo:

—¿No me odias, mamá? ¿De veras que no?

—No —le expresé—. Ni ahora ni nunca. Te lo juro. Pero quiero dejar bien claro esto. Quiero que me cuentes todo, de pe a pa. Con sólo verte la cara me doy cuenta de que crees que no puedes, pero yo sé que sí. Y recuerda esto: ya no vas a tener que contarlo otra vez, ni siquiera a tu propio marido, si no quieres hacerlo. Será como si te sacaras una espina. También te juro *eso*. ¿Entendiste?

—Sí, mamá, pero él me dijo que si lo contaba... él aseguró que a veces tú te enojas mucho... como esa noche en que le pegaste con la cremera... me dijo que si se me ocurría contarlo, que entonces me acordara del hacha... y...

—No, así no son las cosas —le comenté—. Tienes que empezar por el principio y seguir. Pero quiero estar segura de una cosa antes de empezar. Tu papá te estuvo fastidiando, ¿verdad?

Sólo movió la cabeza sin decir nada. Ésa era la respuesta que *yo* necesitaba, pero creo que *ella* necesitaba decirlo en voz alta.

Le puse un dedo debajo de la barbilla y le alcé la cabeza hasta que nos vimos la una a la otra a los ojos:

—¿Verdad?

—Sí —contestó, y volvió a llorar. Pero esta vez no duró tanto ni vino de tan hondo. Dejé que llorara otro poquito porque a mí también me tomó un rato saber *cómo* seguir. No podía preguntarle "¿Qué te hizo?" porque era muy posible que ella tampoco lo supiera. Por un rato lo único que se me ocurrió fue decir "¿Te cogió?", pero pensé que ella tampoco podría estar segura aunque se lo preguntara así, tan brusco. Y se oía feo de sólo pensarlo.

Por fin pregunté:

—¿Te puso el pene adentro, Selena? ¿Te lo puso en el coño?

Sacudió la cabeza:

—No lo dejé —volvió a llorar—. Todavía no.

Bueno, después de eso las dos pudimos calmarnos. Por lo menos la una con la otra. Lo que sentí dentro de mí fue furia. Es como si tuviera un ojo adentro, uno que no conocí hasta entonces, y lo único que pude ver fue la cara larga, como de caballo, de Joe, con los labios siempre partidos y sus dientes amarillos, y sus cachetes siempre agrietados y rojos sobre los pómulos. Después de eso siempre sentí su cara cerca. Ese ojo seguía viendo aunque tuviera los otros dos cerrados para dormir, y me di cuenta de que nunca se *cerraría* hasta que él estuviera muerto. Era como estar enamorada, sólo que al revés.

Mientras, Selena me estaba contando su historia, de principio a fin. La escuché y no interrumpí ni una sola vez, y claro que empezó desde la noche en que le pegué a Joe con la cremera y Selena llegó a la puerta justo para verlo con la mano en la oreja que le sangraba y yo con el hacha como si de veras quisiera cortarle la cabeza. Lo único que quise hacer era *detenerlo*, Andy, y arriesgué el pellejo para hacerlo, pero ella no se dio cuenta de eso. Ella vio todo como si estuviera de parte *de Joe*. Dicen que el camino al infierno está cubierto de buenas intenciones, y yo sé que es verdad. Lo sé por experiencia amarga. Lo que no sé es *por qué*... por qué tratar de hacer el bien a veces termina mal. Creo que eso es para mejores cabezas que la mía.

No les voy a contar toda la historia, no por respeto a Selena, sino porque es muy larga y todavía me duele mucho recordarla. Pero les diré lo primero que me dijo. Nunca lo voy a olvidar, porque otra vez me sorprendió la diferencia que hay entre cómo se ven las cosas y cómo son... entre lo de afuera y lo de adentro.

—Se veía tan triste —dijo Selena—. La sangre le corría entre los dedos y tenía lágrimas en los ojos y se veía muy *triste*. Te odié más por esa mirada que por la sangre y las lágrimas, mamá, y decidí que yo lo consolaría. Antes de acostarme, me ponía de rodillas y rezaba. "Dios", decía, "si no dejas que ella lo lastime, yo lo voy a consolar. Te juro que sí. En nombre de Jesús, amén".

¿Tienen una idea de cómo me sentí, oyendo eso de mi hija más de un año después de que pensé que el asunto estaba terminado? ¿Tú, Andy? ¿Frank? ¿Y tú, Nancy Bannister de Kennebunk? No... ya sé que no. Espero en Dios que nunca lo sepan.

Ella empezó a portarse bien con el, y le traía regalos cuando él salía al cobertizo para arreglar el trineo o la lancha de alguien, se sentaba junto a él cuando veíamos la TV por las noches, y se sentaba con él en el pórche mientras afilaba ramas con el cuchillo, oyéndolo mientras que Joe St. George decía sus sandeces políticas de siempre: que Kennedy permitía que los judíos y los católicos fueran dueños de todo, que los comunistas estaban tratando de meter a los negros a las escuelas y comedores del sur, y que dentro de poco el país se vendría abajo. Ella lo oía, se reía de sus chistes, le ponía pomada en las manos cuando se le partían, y él no estaba tan sordo como para no oír a la oportunidad tocando a su puerta. Dejó de decirle a Selena sus sandeces de política para decirle sus sandeces de mí, de lo loca que me volvía cuando me enojaba, y de todo lo que estaba mal en nuestro matrimonio. Según él, casi todo era por mi culpa.

Fue a fines de la primavera de 1962 cuando él la empezó a tocar de un modo que no era lo que se llamaba paternal. Pero al principio sólo fue eso: caricias en la pierna cuando estaban sentados en el sofá y yo salía de la sala, palmaditas en el trasero cuando ella le llevaba cerveza al cobertizo. Ahí empezó, y siguió. A mediados de julio, la pobre Selena estaba tan asustada de él como de mí. Cuando por fin se me ocurrió ir al continente y hablar con ella, él ya había hecho con ella todo lo que un hombre le puede hacer a una mujer, menos coger... y la asustó lo suficiente para obligarla a hacerle a él cualquier cosa.

Yo creo que él lo hubiera hecho antes del Día del Trabajo si no fuera porque Joe junior y el pequeño Pete no fueron ese día a la escuela y estorbaban. El pequeño Pete simplemente se le puso en el camino, pero creo que Joe junior tenía una idea de lo que estaba pasando, y decidió interponerse. Todo lo que puedo decir es que Dios lo bendiga si fue así. Lo que es cierto es que yo no ayudé en mucho, que entonces trabajaba doce y hasta catorce horas diarias. Y mientras yo estaba afuera, Joe la rondaba, tocándola, pidiéndole besos, pidiéndole que lo tocara en sus "lugares especiales" (así les decía él), y diciéndole que no podía evitarlo, que *tenía* que pedirlo. Ella trataba de ser buena con él, yo no, un hombre tiene ciertas necesidades, y así era la cosa. Pero ella no debía contárselo a nadie. Él dijo que si lo hacía, yo los mataría a los dos. Él le recordaba lo de la cremera y el hacha. Le decía que yo era una bruja fría y de mal genio y que él no podía evitarlo porque un hombre tiene ciertas necesidades. Él le metió en la cabeza esas cosas a ella, Andy, hasta que Selena casi se volvió loca con eso. Él...

¿Qué, Frank?

Sí, sí trabajaba, pero su trabajo no lo distraía mucho cuando se trataba de ir detrás de su hija. Ya les dije que sabía hacer de todo. Hacía trabajos para un montón de gente que venía de vacaciones y fue conserje en dos casas (espero que la gente que lo contrató para hacer *eso* tenga un buen inventario de sus pertenencias); había cuatro o cinco pescadores que lo llamaban para tripular las lanchas cuando tenían mucho trabajo (Joe podía instalar trampas como el mejor, siempre y cuando no estuviera demasiado crudo) y además tenía sus lanchas pequeñas para trabajitos aquí y allá. En pocas palabras, trabajaba como lo hace mucha gente en la isla (aunque no tan duro como los demás): algo aquí y algo allá. Un hombre como ese puede ponerse sus propios horarios, y durante ese verano y principios de otoño, Joe se las arregló para estar en la casa cuando yo no estaba. Para estar con Selena.

¿Entienden lo que quiero que entiendan? ¿Se dan cuenta de que él estaba tratando de entrar en su *mente* de la misma manera en que quería hacerlo en sus calzones? Yo creo que lo que más poder tenía sobre ella era haberme visto con esa hacha en la mano, así que eso fue lo que usó. Cuando se dio cuenta de que ya no podía usarlo para ganarse su simpatía, lo usó para asustarla. Le dijo una y otra vez que yo la sacaría de la casa si me daba cuenta de lo que estaban haciendo.

¡De lo que estaban haciendo entre *ellos*! ¡Cielos!

Ella decía que no *quería* hacerlo, y él le decía "qué lástima", pero ya era muy tarde para dejar de hacerlo. Él le decía que ella lo provocó hasta casi volverlo loco, y le dijo que por esas provocaciones ocurren casi todas las violaciones y que las buenas mujeres (yo creo que se refería a las cabronas malhumoradas y con hachas en la mano como yo) lo sabían. Joe le decía que *él* no contaría nada siempre y cuando *ella* no contara nada... "Pero", le dijo Joe, "tienes que entender, nena, que si sale *algo* de esto, entonces tiene que salir *todo*".

Ella no entendió a qué se refería Joe con *todo*, y tampoco entendía qué tenía que ver que ella le llevara un vaso de té helado o le platicara del nuevo cachorro de Laurie Langill con que él pudiera meterle la mano entre las piernas y tocarla ahí cada vez que se le diera la gana, pero ella estaba convencida de que había hecho *algo* para que él se portara tan mal, y eso la hizo sentir vergüenza. Yo creo que eso fue lo peor de todo: no era el miedo, sino la vergüenza.

Selena me dijo que un día se decidió a contarle todo a la señora Sheets, la orientadora de la escuela. Incluso hizo una cita, pero se le fue el valor en la sala de espera cuando la cita de otra muchacha tardó más de la cuenta. Eso había pasado menos de un mes antes, cuando volvió a la escuela después de las vacaciones.

—Comencé a pensar cómo se oiría —me dijo cuando nos sentamos en la banca de la cabina de popa. Ya estábamos a la mitad del camino y podíamos ver Punta Este, alumbrada por el sol de la tarde. Selena ya había terminado de llorar. De vez en cuando se le salía un solloso y mi pañuelo estaba empapado, pero ella se supo controlar casi todo el tiempo, y yo me sentía muy orgullosa de ella. Aunque nunca me soltó la mano. Me la tuvo bien agarrada todo el tiempo que estuvimos hablando. Al día siguiente la tenía magullada—. Pensé en cómo sería sentarse y decir: "Señora Sheets, mi papá está tratando de hacerme ya-sabe-qué". Ella es tan pesada, y tan *vieja*, que seguro diría: "Selena, *no* sé qué es ya-sabe-qué. ¿De qué estás hablando?" Y lo diría como si me estuviera dando clase. Entonces le tendría que decir que mi propio padre estaba tratando de cogerme, y ella no me creería, porque de donde ella viene, la gente no hace cosas como esas.

—Yo creo que pasa en todo el mundo —le dije—. Es triste, pero es cierto. Y además creo que una orientadora de escuela debería saberlo, a menos que fuera una verdadera tarada. ¿La señora Sheets es una tarada, Selena?

—No —negó Selena—. No creo, mamá, pero...

—Mi niña, ¿*pensaste* que eres la única muchacha a la que le pasa esto? —le pregunté, y otra vez habló tan quedito que no pude oírla. Tuve que preguntárselo otra vez.

—No sabía si era la única o no —me contestó, y me abrazó. Yo la abracé a ella—. De todos modos —por fin volvió a hablar—, en la sala de espera me di cuenta de que no podía decirlo. Quizá si hubiera entrado sin esperar lo habría hablado, pero no una vez que tuve tiempo de sentarme y repasarlo, pensar si papá estaba bien, y si tú pensarías que yo era una niña mala...

—Nunca habría pensado eso —le afirmé, y la volví a abrazar.

Me sonrió de una manera que se me alegró el corazón:

—Ahora ya lo sé —expresó—, pero en ese momento no estaba tan segura. Mientras que estaba sentada, esperando, mirando por la ventana mientras la señora Sheets terminaba con la muchacha que estaba antes que yo, pensé en una buena razón para no entrar.

—¿Ah, sí? —le pregunté—. ¿Cuál?

—Pues... que no era asunto de la escuela.

Eso me pareció chistoso y empecé a reírme. Selena empezó a reírse conmigo, y nos reímos hasta que nos doblamos, tomadas las manos, como somormujos en época de celo. Hicimos tanto ruido que el hombre que vendía bocadillos y cigarros se asomó para ver si nos sentíamos bien.

Dijo otras dos cosas durante el viaje: una con la boca y otra con los ojos. La que dijo en voz alta es que había pensado empacar sus cosas y escaparse de la casa; al menos ésa era una forma de salir. Pero escapar no te resuelve las cosas si estás muy lastimada: después de todo, a donde vayas, te llevas la cabeza y el corazón contigo. Lo que vi en sus ojos es que más de una vez pensó en suicidarse.

Cada vez que pensaba en eso, en ver la idea del suicidio en los ojos de mi hija veía más clara la cara de Joe con ese ojo de adentro. Me daba cuenta de cómo se veía él, fastidiando a Selena, tratando de meterle la mano en la falda hasta que ella no usó más que pantalones para defenderse, y sin conseguir lo que quería (o por lo menos no *todo* lo que quería) por pura suerte, buena para ella y mala para él, y no porque no lo intentara. Pensé en lo que pudo haber pasado si de vez en cuando Joe junior no hubiera terminado de jugar temprano con Willy Bramhall, o si yo no hubiera abierto los ojos a tiempo para verla bien a ella. Más que nada, pensé en la forma en que la obligó. Lo hizo como los hombres crueles usan una fusta para arrear a sus caballos y no paran nunca, ni por amor ni por piedad, hasta que el animal cae muerto a sus pies... y quizá él parado con la fusta en la mano, sin saber *por qué* se murió. A esto me había llevado querer tocarle la frente, saber si era tan suave como parecía: hasta aquí había llegado. Ahora tenía los ojos muy abiertos: me di cuenta de que vivía con un hombre sin amor y sin piedad, que pensaba que todo aquello que estuviera a su alcance era suyo, aunque se tratara de su propia hija.

Cuando pensé en todo eso, fue la primera vez que me pasó por la cabeza la idea de matarlo. No fue ahí cuando me decidí a hacerlo, cielos, no, pero mentiría si les dijera que sólo soñaba despierta. Era *mucho* más que eso.

Selena vio algo de eso en mis ojos, porque me puso la mano en el brazo y me dijo:

—¿Va a pasar algo, mamá? Por favor dime que no... ¡Se va a dar cuenta de que te lo dije y se va a enojar!

Quería calmarla y decirle lo que ella quería oír, pero no pude. Vaya que *pasaría* algo: dependía de Joe si era mucho o muy grave. Se amansó la noche en que le pegué con la cremera, pero eso no quería decir que se volvería a amansar.

—No sé qué va a pasar —le dije—, pero te voy a decir dos cosas, Selena: nada de lo que pasó es por tu culpa, y se acabó eso de que te moleste y te manosee. ¿Entendiste?

Los ojos se le volvieron a llenar de lágrimas, y una de ellas le rodó por el cachete.

—Es que no quiero que haya problemas —me dijo. Se quedó callada un minuto, y luego se le salió decirme—: ¡Cómo *odio* todo esto! ¿Por qué tuviste que pegarle? ¿Por qué él tuvo que hacer eso conmigo? ¿Por qué las cosas no son como antes?

Le tomé la mano:

—Las cosas nunca son como antes, mi amor. A veces van mal y hay que enderezarlas. Ya sabías eso, ¿verdad?

Meneó la cabeza. Vi dolor en su cara, pero no duda.

—Sí —afirmó—. Creo que sí lo sabía.

En ese momento llegamos al muelle, y ya no teníamos tiempo para seguir hablando. Yo estaba contenta; no quería que ella me mirara con sus ojos temerosos, queriendo lo que creo que todos los niños quieren: que todo se haga bien, pero sin dolor y sin que nadie se lastime. Ella quería que le prometiera cosas que yo no podía prometerle, porque no sabía si podría cumplirlas. No estaba segura de que ese ojo de adentro me *dejara* cumplirlas. Bajamos del trasbordador sin decirnos nada más, y eso me vino bien.

Esa noche, cuando Joe regresó de trabajar en la casa de los Carstair, donde estaba construyendo un porche trasero, mandé a los tres niños al mercado. Me di cuenta de que Selena echaba miradas desde el camino, con la cara más pálida que la leche. Cada vez que miraba hacia la casa, Andy, tenía en los ojos esa hacha, maldita sea. Pero también vi en sus ojos otra cosa, y creo que era alivio. Estoy segura de que ella pensó que por lo menos las cosas ya no seguirían siendo como hasta entonces; aunque estuviera tan asustada, yo creo que una parte de ella *debía* estar pensando eso.

Joe estaba sentado junto a la estufa leyendo el periódico, como todas las noches. Yo me paré junto a la leña, mirándolo, y mi ojo de adentro pareció abrirse más que nunca. "Míralo, pensé, sentado como si fuera el Conde de Culolandia. Sentado como si no se tuviera que poner calzones como el resto de la humanidad. Sentado como si manosear a su única hija fuera la cosa más normal del mundo y cualquier hombre pudiera dormir bien después de eso". Traté de entender cómo habíamos llegado a donde estábamos desde nuestro baile de graduación, él sentado junto a la estufa leyendo el periódico con sus pantalones parchados y la camiseta sucia, y yo parada junto a la leña con el asesinato en mi corazón, y sin poderlo hacer. Era como estar en un bosque mágico, donde volteas para ver el camino que recorriste y te das cuenta de que desapareció.

Mientras, el ojo de adentro vio más y más. Vio la maraña de cicatrices que le dejé en la oreja cuando le estrellé la cremera; vio las venitas que tenía en la nariz; vio cómo su labio inferior le colgaba, como si casi siempre estuviera a punto de hacer berrinche; vio la caspa en sus cejas y la forma en que se jalaba los pelos que le crecían de la nariz y la manera en que se pellizcaba el cierre de los pantalones.

Todas las cosas que vio el ojo eran malas, y se me ocurrió que casarme con él había sido algo más que el peor error de mi vida: era el único error importante, porque no era yo la única que pagaría por él al final. Ahora estaba ocupado nada más con Selena, pero había otros dos muchachos después de ella, y si a él no le importaba tratar de violar a su hermana mayor, ¿qué podría hacerles a ellos?

Giré la cabeza y ese ojo de adentro vio el hacha, puesta en la repisa sobre la leña, como siempre. La tomé y apreté los dedos en el mango, pensando: "Esta vez no te la voy a poner en las manos, Joe". Luego pensé en Selena mirándome mientras los tres caminaban hacia el mercado y decidí que, pasara lo que pasara, no tendría que ver con esa maldita hacha. Me agaché y tomé un tronco de la leña.

Casi no importa si era un hacha o un tronco. La vida de Joe estaba a un pelo de terminar ahí mismo.

Mientras más lo miraba, sentado con su camiseta sucia, jalándose los pelos de la nariz y leyendo las caricaturas, más pensaba en lo que había hecho con Selena; mientras más pensaba en eso, más me enojaba; mientras más me enojaba, más cerca estaba de aproximarme y romperle el cráneo con el tronco. Incluso podía ver el lugar donde le daría el primer golpe. Ya se estaba quedando calvo, sobre todo en la coronilla, y la luz de la lámpara junto a su silla hacía que le brillara. Podía verle las pecas en la piel entre lo poco de cabello que le quedaba. Ahí mismo, pensé, en ese punto. La sangre le va a brotar y salpicará la pantalla de la lámpara, pero no me importa: de todos modos es una lámpara fea. Mientras más lo pensaba, más *quería* ver la sangre saltando a la pantalla como imaginaba que lo haría. Entonces pensé que algunas gotas saldrían disparadas al foco y harían un ruidito al hervir. Pensé en esas cosas, y mientras más lo pensaba, más apretaba los dedos en ese tronco de leña, para agarrarlo mejor. Era una locura, vaya que sí, pero no podía quitarle los ojos de encima, y sabía que el ojo de adentro seguiría viéndolo aunque yo pudiera voltear para otra parte.

Me dije que pensara en cómo se sentiría Selena si lo hacía —su miedo más grande se haría realidad— pero tampoco me sirvió de nada. Por mucho que quisiera a Selena y me importara su bienestar, no sirvió. Ese ojo era demasiado fuerte para que le importara el amor. Ni siquiera se cerró cuando pensé en lo que pasaría con mis tres hijos si él estaba muerto y me mandaban a la cárcel por matarlo. Estaba muy abierto, y cada vez veía más y más cosas feas en la cara de Joe. La forma en que se rascaba pellejos blancos de los cachetes cuando se afeitaba. Una mancha de mostaza que se le secaba en la barbilla desde la cena. Su dentadura postiza muy grande, como de caballo, que ordenó por correo y no quedaba bien. Y cada vez que el ojo veía algo nuevo, pretaba un poco más los dedos en el leño.

En el último minuto pensé en otra cosa: si lo haces ahora mismo, no va a ser por Selena. Tampoco va a ser por los niños. Lo vas a hacer porque todo ese manoseo ocurrió frente a tus narices durante tres meses, o más, y tú fuiste tan bruta que no te diste cuenta. Si lo matas y vas a la cárcel, y sólo puedes ver a tus hijos los sábados por la tarde, será mejor que entiendas por qué lo hiciste: no por lo que le hizo a Selena, sino porque te engañó, y en eso eres igual a Vera: lo que más detestas es que te engañen.

Eso me frenó. El ojo de adentro no se cerró, pero se apagó un poco y perdió algo de su fuerza. Traté de abrir la mano y dejar caer el leño, pero lo había apretado mucho y no podía zafarse. Tuve que usar la otra mano para abrir los dos primeros dedos antes de que cayera otra vez a la leña, y los otros tres se quedaron encogidos, como si todavía detuvieran el tronco. Tuve que mover los dedos tres o cuatro veces antes de que la volviera a tener normal.

Cuando lo conseguí, me acerqué a Joe y lo toqué en el hombro:

—Quiero hablar contigo —le dije.

—Entonces habla —me dice del otro lado del periódico—. No te estoy deteniendo.

—Quiero que me mires cuando te hablo —le ordené—. Baja eso.

Dejó caer el periódico en sus piernas y me miró:

—Andas con la boca *muy suelta* en estos días.

—Yo me cuido mi boca —le dije—. Y tú cuídate las manos. Si no las cuidas, no vas a poder con los problemas que vas a tener.

Arqueó las cejas y me preguntó de qué estaba hablando.

110

—Estoy hablando de que dejes a Selena en paz —le dije.

Se me quedó viendo como si le hubiera clavado la rodilla en sus joyas de familia. Eso fue lo mejor de este asunto tan sucio, Andy, la mirada de Joe cuando lo descubrían en algo. La piel se le puso pálida y la boca se le abrió y el cuerpo se le sacudió en esa mecedora desvencijada, de la misma manera en que a la gente se le sacude el cuerpo cuando se está durmiendo y piensa en algo malo.

Trató de disimularlo actuando como si le hubiera dado un aire en la espalda, pero no engañó a ninguno de los dos. En realidad parecía un poco avergonzado, pero eso no le ganó ningún favor conmigo. Hasta un perro estúpido se siente avergonzado si lo pescas robando huevos del gallinero.

—No sé de qué estás hablando —me dijo.

—¿Entonces por qué parece como si tuvieras al diablo en los pantalones y te apretara las pelotas? —le pregunté.

Entonces le apareció un trueno en la frente:

—Si ese cabrón de Joe junior dijo mentiras de mí... —comenzó a decir.

—Joe junior no dijo ni una sola palabra de ti. Y deja de hacer tu numerito, Joe. Me lo dijo Selena. Me contó todo: que trató de ser buena contigo después de la noche en que te pegué con la cremera, cómo se lo pagaste, y lo que le dijiste que le pasaría si me lo contaba.

—¡Es una mentirosa! —gritó, y tiró el periódico al piso como si eso lo demostrara—. ¡Mentirosa y provocadora! Voy a tomar el cinturón y cuando vuelva a aparecer, si se *atreve* a aparecerse por aquí...

Se comenzó a parar. Lo empujé de vuelta con una sola mano. Es muy fácil empujar a alguien que trata de pararse de una mecedora; yo misma me sorprendí de lo fácil que fue. Claro que apenas tres minutos antes casi le aplastaba el cráneo con un tronco y quizá eso tuvo algo que ver.

Entrecerró los ojos hasta que parecieron ranuras y me dijo que no jugara con él:

—Ya lo hiciste antes, pero no creas que *siempre* te vas a salir con la tuya.

No hace mucho tiempo yo ya había pensado en eso, pero ése no era el momento de decírselo:

—Eso se lo puedes decir a tus amigos. Lo que vas a hacer ahora es oír, y no hablar... y será mejor que oigas bien, porque no lo voy a repetir. Si te vuelves a meter con Selena, yo me encargo de mandarte a la cárcel por perversión de menores o por violación... cualquiera de los dos cargos que te tenga encerrado por más tiempo.

Eso lo dejó frío. Se volvió a quedar con la boca abierta y se quedó sentado, mirándome.

—No lo harías... —comenzó a decir, y se quedó callado, porque se dio cuenta de que sí *lo haría*. Así que hizo el papel del niño, con el labio de abajo más salido que nunca—. Te pusiste de su parte, ¿verdad? Nunca me preguntaste cuál es mi lado, Dolores.

—¿*Tienes* tu lado? —le respondí—. Si un hombre de treinta y seis años le pide a su hija de catorce que se quite los calzones para ver cuanto pelo tiene en el coño, ¿puedes decir que este tipo *tiene* su lado?

—Cumple quince el mes que entra —me dijo, como si eso cambiara las cosas en algo. Joe era lo que se llama una joyita.

—¿No oyes lo que estás diciendo? —le pregunté—. ¿Oíste lo que salió de tu boca?

Me miró un momento más, luego se agachó y recogió su periódico del suelo:

—Déjame en paz, Dolores —dijo con su mejor voz de pobrecito-de-mí—. Quiero terminar de leer este artículo.

Sentí ganas de arrancarle el periódico de las manos y tirárselo a la cara, pro si lo hubiera hecho habría corrido la sangre, y no quería que los niños, sobre todo Selena, vieran algo así. Así que sólo doblé un poco el periódico por arriba, suave, con un dedo.

—Primero promete que vas a dejar a Selena en paz, para poder salir de este asunto de mierda. Promete que nunca en tu vida la vas a volver a tocar de ese modo.

—Dolores, no vuelvas a... —comenzó a decir.

—Promételo, Joe, o hago de tu vida un infierno.

—¿Crees que eso me asusta? —me gritó—. Mi vida ha sido un infierno los últimos quince años, cabrona... ¡Tu jeta no es mejor que tu carácter! ¡Si no te gusta como soy, es por tu culpa!

—Todavía no sabes lo que es el infierno —le dije—. Si no prometes dejarla en paz, yo me encargo de que lo sepas.

—¡Está bien! —aulló—. ¡Está bien, lo prometo! ¡Ya está! ¿Satisfecha?

—Sí —le afirmé. Pero no lo estaba. Ya nunca volvería a estar satisfecha con él, aunque me hiciera el milagro del pan y los peces. Yo estaba decidida a sacar a los niños de esa casa o a verlo muerto antes de fin de año. No me importaba cuál de las dos. Lo que no quería era que supiera que algo le iba a pasar antes de que ya fuera demasiado tarde para que pudiera hacer algo.

—Muy bien —exclamó—. Entonces el asunto está terminado, Dolores —pero me miraba con un brillo extraño en los ojos que no me gustó mucho—. ¿Crees que eres muy lista?

—No sé —le contesté—. Yo pensaba que tenías algo de inteligencia, pero mira con quién me casé a fin de cuentas.

—No jodas —me siguió viendo de ese modo raro—. Te sientes como las bailarinas españolas, que se ven el culo y se aplauden. Pero tú no sabes todo.

—¿Qué quieres decir con eso?

—*Averíqualo* —dijo, y estiró el periódico como si fuera un tipo rico que quiere asegurarse de que la bolsa de valores no lo trató mal ese día—. No es problema para alguien con tantos sesos como tú.

No me gustó, pero lo dejé pasar. En parte era porque no quería seguir lanzando piedras a un nido de avispas más de lo necesario, pero eso no era todo. Yo *pensaba* que sí era lista, por lo menos más lista que él. Pensé que si Joe trataba de no cumplir la promesa, me daría cuenta cinco minutos después de que empezara. En otras palabras, era orgullo, orgullo puro, y nunca me pasó por la cabeza que él *ya había* empezado.

Cuando los niños regresaron de la tienda, le pedí a los muchachos que entraran y me fui al patio trasero con Selena. Ahí crece un matorral de zarzamoras muy espeso, que en esa época del año está ralo. Sopló brisa, que hizo sonar las ramas. Era un sonido solitario y también un poco inquietante. También hay una roca blanca, y nos sentamos ahí. La media luna subió sobre Punta Este, y cuando ella me tomó las manos, tenía los dedos más fríos que esa media luna.

—No me atrevo a entrar, mamá —me dijo, y la voz le temblaba—. Me voy a dormir con Tanya, ¿sí? Por favor dime que sí.

—Ya no hay nada que temer, mi amor —le aseguré—. Ya está todo arreglado.

—No te creo —murmuró, aunque su cara decía lo contrario. Su cara decía que quería creerlo más que ninguna otra cosa.

—Es verdad —afirmé—. Prometió dejarte en paz. No siempre cumple sus promesas, pero ésta sí la va a cumplir, ahora que ya sabe que lo estoy vigilando y que tú ya no te vas a quedar callada. Además, está muy asustado.

—¿Asus... por qué?

—Porque le dije que lo mandaría a la cárcel si volvía a hacer otra de sus cosas contigo.

Ella jadeó, y me volvió a tomar las manos:

—Mamá, ¿le dijiste *eso*?

—Sí, y lo dije en serio. Mejor para ti que lo sepas, Selena. Pero si estuviera en tu lugar no me preocuparía mucho; Joe no se va a acercar a tres metros de ti en los próximos cuatro años... Y para entonces ya estarás en la universidad. Si hay algo en este mundo que él respeta, es su propio pellejo.

Me soltó las manos, lento pero seguro. Vi que le volvió la esperanza a la cara, y algo más. Era como si le hubiera vuelto la juventud, y no fue sino hasta ese momento, sentadas a la luz de la luna bajo el matorral de zarzamoras, cuando me di cuenta de lo vieja que se veía.

—¿No me va a amarrar o algo así? —me preguntó.

—No —le aseguré—. Ya está todo arreglado.

Entonces me creyó. Recargó su cabeza en mi hombro y empezó a llorar. Ésas fueron lágrimas de alivio. El que ella llorara de ese modo me hizo odiar a Joe todavía más.

Durante las siguientes noches, en mi casa hubo una niña que durmió mejor que en los últimos tres meses o más... pero yo estaba despierta. Escuchaba a Joe roncando junto a mí y lo miraba con ese ojo de adentro, y sentía ganas de voltearme y morderle la garganta. Pero ya no estaba loca, como cuando casi lo mato con el leño. Al ojo no le importaba que yo pensara en lo que pasaría con los niños si me llevaban presa por asesinato. Pero después, cuando le dije a Selena que ya no le pasaría nada y yo pude enfriarme un poco, eso comenzó a influir en el ojo. Pero yo sabía que lo que Selena más quería, que las cosas fueran como si nunca hubiera pasado el asunto con su papá, no podía ser. Aun si el mantenía su promesa y nunca la volvía a tocar, no podía ser... a pesar de lo que le dije a Selena, yo no estaba completamente segura de que cumpliría su promesa. Tarde o temprano, los tipos como Joe se convencen de que pueden salirse con la suya la próxima vez, de que si tienen un poco más de cuidado, pueden tener lo que quieren.

Acostada en la oscuridad y calmada, la respuesta parecía muy simple: tenía que llevarme a los niños al continente, y hacerlo pronto. En ese momento estaba muy calmada, pero sabía que no por mucho tiempo; ese ojo de adentro no me dejaría. La próxima vez que me enojara, vería todavía mejor y Joe me parecería todavía más odioso y no habría pensamiento en el mundo que me controlara para no matarlo. Era una nueva forma de enojarme, al menos para mí, y yo tuve la prudencia de darme cuenta del daño que podía hacer si lo permitía. Teníamos que salir de Little Tall antes de que esa locura saliera. En cuanto hice mis primeros intentos de salir, entendí lo que quería decir ese brillo extraño en sus ojos. ¡Vaya que lo entendí!

Esperé un poco a que se calmaran las cosas, y un viernes por la mañana tomé el trasbordador de las once a tierra firme. Los niños estaban en la escuela y Joe estaba en el mar con Mike Stargill y su hermano Gordon, jugando con las trampas para langostas: no regresaría hasta la tarde.

Me llevé las libretas de ahorros de mis hijos. Ha-bíamos ahorrado dinero para la universidad desde que nacieron... o lo ahorré *yo*; a Joe le importaban tres pitos si iban a la universidad o no. Cada vez que hablábamos del asunto, y claro que era yo la que hablaba, él estaba en su mecedora de mierda con la cara metida en el periódico, y la sacaba sólo para decirme:

—¿Se puede saber *para qué* quieres mandar a esos niños a la universidad, Dolores? *Yo* nunca fui, y me las puedo arreglar.

Hay cosas de las que no puedes discutir. Si Joe pensaba que leer el periódico, sacarse los mocos y embarrarlos en su mecedora era arreglárselas, no había nada para discutir; era inútil desde el principio. Mientras que pudiera hacer que él contribuyera con los ahorros si conseguía un buen trabajo, como cuando se fue a la construcción de la carretera, me importaba un carajo si él pensaba que todas las universidades del país estaban manejadas por los comunistas. Du-rante el invierno que trabajó en la carretera, conseguí que pusiera quinientos dólares en las cuentas de ahorros, y él lloró como un perrito. Dijo que me estaba llevando sus dividendos. Pero yo sabía cómo eran las cosas, Andy. Si ese hijo de puta no ganó dos mil o dos mil quinientos dólares ese invierno, yo besaría a un puerco.

—¿Por qué siempre me estás fastidiando, Dolores? —me preguntaba siempre.

—Si fueras tan hombre como para hacer lo que está bien para tus hijos, no tendría que hacerlo —le con-testaba, y así era todo el tiempo, bla-bla-bla-bla. De vez en cuando me hartaba, Andy, pero casi siempre pude sacarle lo que pensaba que se merecían los niños. No podía hartarme demasiado, como para no hacerlo, porque los niños no tenían a nadie más para asegurarles el futuro cuando llegara el momento.

Hoy nadie diría que en esas cuentas había mucho dinero: más o menos dos mil en la de Selena, ochocientos en la de Joe junior y unos quinientos en la del pequeño Pete, pero esto era en 1962, y en esos tiempos era buen dinero. Más que suficiente para sostenerse. Pensé en sacar el dinero del pequeño Pete en efectivo, y sacar las otras dos cuentas en cheques de caja. Decidí escaparme hasta Portland: encontrar una casa y un trabajo decente. Ninguno de nosotros estaba acostumbrado a vivir en la ciudad, pero la gente se acostumbra a casi cualquier cosa si tiene que hacerlo. Además, en ese entonces Portland no era más que un pueblo grande. No lo que es ahora.

En cuanto nos instaláramos, empezaría a regresar el dinero a los niños, y pensé que podía hacerlo. Y si yo no podía, ellos eran niños inteligentes, y yo sabía que había cosas como becas. Si no las conseguían, decidí que yo no era tan orgullosa como para no pedir un préstamo. Lo importante era *sacarlos* de ahí. En ese momento me pareció más importante que su universidad. Lo primero es lo primero, como decía en la calcomanía que Joe puso en su viejo tractor.

Ya hablé y hablé de Selena casi tres cuartos de hora, pero no sólo ella sufrió con él. Ella se llevó la peor parte, pero Joe junior también se llevó lo suyo. En 1962 tenía doce años, la mejor edad para un niño, pero si lo veías no te podías dar cuenta. Casi nunca sonreía, y no era por nada. Ni bien entraba a la casa, su papá lo acosaba como una comadreja contra una gallina, diciéndole que se pusiera bien la camisa, que se peinara, que se enderezara, que creciera, que dejara de ser un marica con la nariz siempre metida en los libros, que se hiciera hombre. Cuando Joe junior no pudo entrar al equipo de beisbol, un verano antes de que supiera lo que le pasaba a Selena, si oías a su padre hubieras pensado que lo habían expulsado del equipo olímpico de carreras por tomar pastillas. Añade a eso que pudo haber visto cuando su papá manoseaba a su hermana, y lo que tenías era un buen lío de niño. A veces miraba a Joe junior viendo a su padre y notaba que lo odiaba. Lo que se llama odio. Una semana o dos antes de que me fuera a tierra firme con las libretas en mi bolsa, me di cuenta de que, cuando se trataba de su padre, Joe junior tenía su propio ojo interior.

Y luego estaba el pequeño Pete. Cuando cumplió cuatro años, correteaba detrás de Joe, con la cintura de los pantalones muy subida como la usaba Joe, y se jalaba la punta de la nariz y las orejas como Joe. Claro que el pequeño Pete no tenía pelos que jalar, pero jugaba a que lo hacía. En su primer día de escuela, regresó a casa llorando, con los pantalones sucios y el cachete rasguñado. Me senté junto a él en el porche de la entrada, lo abracé y le pregunté qué le había pasado. Me dijo que el maldito judío Dicky O'Hara lo había empujado. Le dije que "maldito" era una mala palabra y que no debía decirla. Luego le pregunté si sabía lo que era un judío. A decir verdad, sentía curiosidad por oír lo que me diría.

—Claro que sé —me dijo—. Un judío es un imbécil como Dicky O'Hara.

Le dije que no, que no era así, y me pidió que entonces le dijera qué *era* esa palabra. Le contesté que no importaba, que no estaba bien hablar así de la gente y que no quería que lo volviera a hacer. Se quedó sentado, viéndome, con el labio inferior salido. Se parecía tanto a su padre. Selena tenía miedo de su papá, Joe junior lo odiaba, pero de alguna forma el que más me asustaba era el pequeño Pete, porque quería ser como él.

Así que tomé sus libretas de ahorros del cajón de mi joyero (las guardaba ahí porque era el único lugar que tenía llave; usaba la llave en una cadena que llevaba en el cuello) y entré al banco Coastal Northern de Jonesport a las doce y media. Cuando me tocó el turno con la cajera, le pasé las libretas, le dije que quería cerrar las tres cuentas y le expliqué cómo quería el dinero.

—Un momento, señora St. George —anotó, y se fue al archivero para sacar las cuentas. Claro que esto era mucho antes de las computadoras y tenían que hacer un montón de papeleo.

Las encontró (yo vi que sacó las tres), las abrió y las miró. Se le hizo una arruga a la mitad de la frente, y le dijo algo a una de las otras mujeres. Las dos miraron un rato, y yo parada al otro lado del mostrador, mirándolas y diciéndome a mí misma que no había razón en el mundo para sentirse nerviosa, pero de todos modos me sentía nerviosa.

Entonces, en vez de volver a mí, la cajera fue a uno de esos cubículos de vidrio que llamaban oficina. Vi cómo ella hablaba con un hombrecito calvo con traje gris y corbata negra. Cuando volvió al mostrador, ya no tenía los expedientes de las cuentas. Los dejó en el escritorio del tipo calvo.

—Será mejor que hable de los ahorros de sus hijos con el señor Pease, señora St. George —me advirtió, y me devolvió las libretas. Las empujó, como si estuvieran sucias y se pudiera infectar si las tocaba mucho.

—¿Por qué? —pregunté—. ¿Qué tienen de malo? —para entonces ya dejé de pensar que no había razón para estar nerviosa. El corazón me palpitaba a toda velocidad en el pecho y tenía la boca seca.

—No podría decirle, pero estoy segura de que hay un malentendido. El señor Pease lo pondrá en orden —me respondió, pero no me miraba a los ojos y yo ya sabía que ella no creía tal cosa.

Entré a esa oficina como si tuviera diez kilos de cemento en cada pie. Ya tenía una idea de lo que había pasado, pero no sabía *cómo* había pasado. Yo tenía las libretas. Joe no las había sacado de mi joyero para regresarlas después, porque la cerradura estaría forzada y no estaba así. Aun si las hubiera sacado de algún modo (lo que era un chiste; ese hombre no podía llevar un tenedor de habas del plato a la boca sin tirar la mitad en sus pantalones), en las libretas aparecerían los retiros o tendrían un sello de CUENTA CERRADA con tinta roja, como el que ponen los bancos... y tampoco había nada así.

Pero igual yo ya sabía que el señor Pease me diría que mi marido había jodido las cosas, y en cuanto entré a su oficina, eso fue lo que me *dijo*. Me explicó que las cuentas de Joe junior y del pequeño Pete se habían cerrado hace dos meses, y que la de Selena se cerró hacía menos de dos semanas. Joe lo hizo cuando lo hizo porque sabía que yo nunca metía dinero en las cuentas después del Día del Trabajo, hasta que decidía que ya había escondido lo suficiente en la sopera de la cocina para pagar las cuentas de Navidad.

Pease me enseñó esas hojas verdes de papel cuadriculado que usan los contadores y vi que Joe sacó el último dinero, quinientos dólares de la cuenta de Selena, un día después de que le dije que no se metiera con ella y él, sentado en la mecedora, me contestó que yo no lo sabía todo. En eso tenía toda la razón.

Revisé los números cinco veces y, cuando alcé la vista, el señor Pease estaba frente a mí, frotándose las manos.

Parecía preocupado. Pude ver gotitas de sudor en su cabeza calva. Él sabía lo que pasó tan bien como yo.

—Como puede usted ver, señora St. George, esas cuentas fueron cerradas por su marido y...

—¿Cómo puede ser? —le pregunté. Tiré las tres libretas en su escritorio. Hicieron un ruido seco y él como que parpadeó y brincó para atrás—. ¿Cómo puede ser, si tengo las benditas libretas de ahorro aquí?

—Pues... —dijo, chupándose los labios y parpadeando como una lagartija asoleándose sobre una roca caliente—. Verá usted, señora St. George, estas son... *eran*... lo que llamamos "cuentas de ahorros de custodia". Eso significa que el niño a cuyo nombre está la cuenta puede... podía... hacer un retiro tanto con la firma de usted como con la de su marido. También significa que cualquiera de ustedes dos, como padres, pueden hacer retiros de estas tres cuentas cuando quieran y como quieran. Como lo podría hacer usted hoy, si el dinero aún, ejem, estuviera en las cuentas.

—¡Pero aquí no aparece *ningún* retiro! —le dije, y creo que estaba gritando, porque la gente en el banco nos estaba mirando. Los podía ver desde el cubículo. No es que me importara—. ¿Cómo pudo sacar el dinero sin las malditas *libretas*?

Se frotaba las manos cada vez más rápido. Hacían un ruido como de lija. Si tuviera un palo seco entre ellas, podría encender las ligas en su cenicero.

—Señora St. George, le suplicaría que no alzara la voz...

—¡Mi voz es asunto *mío*! —le grité más fuerte que antes—. ¡Usted cuide la forma en que este banco de mierda hace sus negocios! Según yo, tiene *mucho* qué cuidar.

Tomó una hoja de papel y la miró:

—Según esto, su esposo declaró que las libretas estaban perdidas —informó al final—. Pidió que se le expidieran libretas nuevas. Es muy común...

—¡Común como el carajo! —aullé—. ¡Nunca me llamaron! ¡*Nadie* en este banco me llamó! Estas cuentas estaban a nombre *de los dos*, eso es lo que me explicaron cuando abrimos las de Selena y Joe junior en 1951, y lo mismo cuando abrimos la de Pete en 1954. ¿Me va a decir que las reglas cambiaron desde entonces?

—Señora St. George... —empezó a decir, pero igual pudo tratar de chiflar con la boca llena de galletas; yo no quería quedarme sin decir todo lo que pensaba.

—Le contó un cuento de hadas y usted le creyó... pidió libretas nuevas y usted se las dio. ¡Me lleva el diablo! Para empezar, ¿quién cree que puso ese dinero en el banco? ¡Si usted cree que fue Joe St. George, entonces es más tarado de lo que parece!

Para entonces todos en el banco dejaron de *hacer* como si atendieran sus asuntos. Se quedaron tiesos, viéndonos. Yo creo que la mayoría pensó que se estaban divirtiendo, a juzgar por las caras que pusieron, pero me pregunto si hubieran estado tan divertidos si fuera el dinero de la universidad de *sus* hijos el que hubiera volado como pájaro. El señor Pease estaba tan rojo como una de las paredes del granero de mi papá. Hasta su cabeza calva y sudada se puso de color rojo brillante.

—*Por favor*, señora St. George —rogó. Para entonces ya parecía como si estuviera a punto de llorar—. Le aseguro que lo que hicimos no sólo es perfectamente legal, sino también una práctica bancaria normal.

Entonces bajé la voz. Sentí que se me salió toda la rabia. Joe me había engañado, me engañó bien y bonito, y esta vez no tuve que esperar a que pasara dos veces para sentirme como una tarada.

—A lo mejor es legal, a lo mejor no —grité—. Para eso tendría que llevarlo al tribunal para saber si es una cosa o la otra, y no tengo ni el tiempo ni el dinero para hacerlo. Además, no es la cuestión de si es legal o no lo que me saca de mis casillas... es que ustedes no pensaron ni una sola vez si a alguien más le importaría lo que pasó con ese dinero. ¿Es que las "prácticas bancarias normales" no les permiten hacer una maldita llamada por teléfono? Vaya, si tienen el número en esos papeles, y no ha cambiado.

—Señora St. George, lo siento mucho, pero...

—Si hubiera sido al revés, si hubiera sido *yo* la del cuento de que se me perdieron las libretas y pidiera nuevas, si hubiera sido *yo* la que retirara lo que tomó once o doce años ahorrar... ¿no hubieran llamado a *Joe*? Si el dinero todavía estuviera ahí para que yo lo retirara *hoy*, como quería hacerlo, ¿no lo habrían llamado en cuanto saliera por la puerta? ¡Como una cortesía! ¿No le habrían dicho lo que acababa de hacer su esposa?

Porque yo esperaba eso, Andy, y es por eso que escogí un día en que él estaba con los Stargill. Pensé en regresar a la isla, juntar a los niños, y ya estar muy lejos antes de que Joe apareciera por la casa con cervezas en una mano y su caja de almuerzo en la otra.

Pease se me quedó viendo con la boca abierta. Luego la volvió a cerrar y no dijo nada. No tenía para qué hacerlo. Tenía en la cara la respuesta. *Claro* que él, o cualquier otro del banco, hubiera llamado a Joe, y estaría insistiendo hasta encontrarlo. ¿Por qué? Porque Joe era el hombre de la casa, por eso. Y la razón por la que nadie se molestó en decírmelo a *mí* era porque yo sólo soy su esposa. ¿Qué carajo se supone que sé *yo* de dinero, además de ganar un poco poniéndome de rodillas para lavar excusados y limpiar pisos? Si el hombre de la casa decide sacar todo el dinero de la universidad de sus hijos, debe tener una muy buena razón para hacerlo, y aunque no la tenga no importa, porque él es el hombre de la casa, y él es el que está a cargo. Su esposa es sólo la mujercita, y de lo que *ella* se encarga es de los pisos, los excusados y hornear el pollo en domingo.

—Si tiene usted algún problema, señora St. George... —comenzó a decir Pease—. Lo siento mucho, pero...

—Si vuelve a decir que lo siente, le voy a patear el culo tan fuerte que se va a quedar jorobado —le dije, pero en verdad no había ningún peligro de que lo hiciera. En ese momento no tenía fuerzas ni para patear una lata por el camino—. Sólo dígame una cosa antes de que lo deje en paz: ¿gastaron todo el dinero?

—¡No tengo forma de saberlo! —me respondió con su vocecita escandalizada. Se podía pensar que le había dicho que yo le enseñaría lo mío si él me enseñaba el suyo.

—Éste es el banco en el que Joe ha hecho sus negocios durante toda su vida —le dije—. *Pudo* ir hasta Machias o Columbia Falls y poner el dinero en los bancos de allá, pero no lo hizo, porque es muy imbécil y holgazán y muy terco. No, o lo puso en frascos y lo enterró en alguna parte o abrió otra cuenta aquí mismo. *Eso* es lo que quiero saber: si mi esposo abrió una nueva cuenta aquí en los últimos meses.

Yo *sentía* que tenía que saberlo, Andy. Saber que me había engañado me hizo sentirme mal del estómago, y eso ya estaba mal, pero no saber lo que hizo con él... eso me estaba matando.

—Si él... ¡Eso es información confidencial! —me dijo, y para entonces se podía pensar que yo le había dicho que le *tocaría* lo suyo si me tocaba lo mío.

—Ajá —le digo—. Me suponía que lo era. Le estoy pidiendo que no cumpla el reglamento. De sólo verlo me doy cuenta de que usted no es un hombre que haga eso a cada rato; eso va en contra de como es usted. Pero ése era el dinero de mis hijos, señor Pease, y él mintió para conseguirlo. Usted sabe que es así; la prueba está en esos papeles de su escritorio. Es una mentira que no habría funcionado si este banco, *su* banco, hubiera tenido la simple cortesía de llamarme por teléfono.

Se aclaró la garganta y comenzó a decir:

—No estamos requeridos a...

—Ya sé que no —tenía ganas de sacudirlo, pero me di cuenta de que no serviría de nada, al menos no con un hombre como este. Además, mi mamá siempre decía que se pueden atrapar más moscas con miel que con vinagre, y sé que es cierto—. Ya sé eso, pero piense en los problemas y preocupaciones que usted me habría ahorrado con una sola llamada. Y si usted quiere reparar algo (ya sé que no *tiene* que hacerlo, pero si *quisiera* hacerlo) por favor dígame si abrió una cuenta aquí o si tengo que empezar a escarbar en el patio de mi casa. Por favor... no se lo voy a decir a nadie. Lo juro en el nombre de Dios.

Se quedó ahí sentado, viéndome, tamborileando en las hojas verdes de contaduría. Sus uñas estaban muy limpias y parecían como si se las hubiera arreglado un manicurista, aunque no creo que fuera así: después de todo, estamos hablando de Jonesport en 1962. Supongo que su esposa se las limpió. Esas uñas limpias hacían un ruidito en los papeles cada vez que las dejaba caer. Yo pensé que él no haría nada por mí, no un hombre como él. ¿Qué le importaban a él los problemas de la gente de la isla? Él está protegido, y es todo lo que le importa.

Así que cuando *habló* por fin, sentí vergüenza de lo que había pensado de los hombres en general y de él en particular.

—No puedo verificar una cosa como esa si usted está sentada aquí, señora St. George —me increpó—. ¿Por qué no va a la cafetería de enfrente y pide una taza de café con pastel? Me da la impresión de que usted lo necesita. Me reuniré con usted en quince minutos. No, mejor media hora.

—Gracias —le contesté—. Muchas gracias.

Suspiró y empezó a juntar los papeles:

—Debo estar loco para hacer una cosa así —dijo, y luego se le salió una risita nerviosa.

—No —le reñí—. Usted está ayudando a una mujer que no tiene a quién recurrir.

—Siempre han sido mi debilidad las damas en problemas —me contestó—. Deme media hora. Tal vez un poco más.

—¿Pero vendrá?

—Sí —me dijo—. Iré.

Vino, pero tardó casi tres cuartos de hora y, para cuando llegó a la cafetería, yo ya estaba segura de que me había dejado plantada. Entonces, cuando entró a fin de cuentas, pensé que tenía malas noticias. Pensé que podía leerlo en su cara.

Se quedó parado en la entrada unos segundos, mirando para asegurarse de que no había nadie en la cafetería que pudiera crearle problemas si nos veían juntos después del alboroto que armé en el banco. Luego llegó hasta la mesa en el rincón donde yo estaba, se sentó frente a mí, y me dijo:

—Aún está en el banco. Casi todo. Un poco menos de tres mil dólares.

—¡Gracias a Dios! —exclamé.

—Bueno —dijo—, ésa es la buena noticia. La mala es que la nueva cuenta está sólo a su nombre.

—Seguro que sí —afirmé—. Desde luego que él no me habría dado una nueva libreta para que la firmara. Con eso me daría cuenta de su jueguito, ¿o no?

—Muchas mujeres no saben distinguir entre una cosa y otra —comentó. Se aclaró la garganta, se enderezó la corbata, y volteó a mirar para ver quién había entrado cuando sonó la campanilla de la puerta—. Muchas mujeres firman cualquier cosa que sus maridos les ponen enfrente.

—Pues... yo no soy muchas mujeres.

—Ya me di cuenta —me contestó, un poco seco—. De todos modos, hice lo que usted me pidió, y ahora debo regresar al banco. Ojalá tuviera tiempo para tomar un café con usted.

—Sabe... —titubeé—. Como que creo que eso no es cierto.

—En realidad, yo también— me contestó. Pero se despidió de mano, como si yo fuera otro hombre, y tomé eso como un cumplido. Me quedé sentada donde estaba hasta que él se fue, y cuando la mesera regresó y me preguntó si quería otra taza de café, le dije "no gracias, la primera me dio agruras". Sí tenía agruras, pero no por la taza de café.

Una persona siempre puede encontrar *algo* que agradecer, no importa qué tan negras estén las cosas, y al regresar en el trasbordador, estaba agradecida de no haber empacado; así, no tendría que deshacer el trabajo. También estaba contenta de no haberle dicho nada a Selena. Por poco lo hice, pero temía que el secreto podía ser mucho para ella y se lo contaría a una de sus amigas, y a fin de cuentas Joe se enteraría. Incluso me pasó por la cabeza que ella se podía poner terca y me diría que no quería irse. No creo que eso fuera posible, por la forma en que ella se ponía cada vez que Joe se le acercaba, pero cuando tratas con una adolescente, todo es posible... cualquier cosa.

Así que tenía algunas cosas buenas conmigo, pero ninguna idea. No era fácil tomar el dinero de la cuenta conjunta de ahorros que teníamos Joe y yo; ahí teníamos unos cuarenta y seis dólares, y nuestra cuenta de cheques era todavía más lastimera: si no estábamos sobregirados, casi lo estábamos. Pero yo no iba a tomar a los niños y me iba a ir así nomás. No señor y no señora. Si hiciera eso, Joe se gastaría el dinero porque sí. Eso lo sabía tan bien como sé mi nombre. Según el señor Pease, él ya se las había ingeniado para gastar trescientos dólares... y de los tres mil que quedaban, unos dos mil quinientos eran míos, que gané fregando pisos y lavando ventanas y tendiendo las sábanas de la puta de Vera Donovan (*seis* ganchos y no cuatro) durante el verano. El verano de ese año no fue tan malo como el invierno, pero aun así tampoco fue lo que se llama un día de campo.

De todos modos yo ya estaba decidida a irme con los niños, pero tampoco nos iríamos sin un centavo. Mis hijos iban a recibir su dinero. Al regresar a la isla, parada en la cubierta de proa del trasbordador, con un viento fresco de mar abierto partiéndose en dos en mi cara y soplando mi pelo hacia atrás, *supe* que yo le sacaría ese dinero. Lo único que no sabía era *cómo*.

La vida siguió su paso. Si veías las cosas por encima, parecía como si no hubiera cambiado nada. En la isla *parece* que las cosas no cambian mucho... esto es, si sólo ves las cosas por encima. Pero la vida tiene muchas más cosas de las que se pueden ver por encima, y por lo menos para mí, las cosas de adentro parecieron completamente distintas en el otoño. Cambió la forma en que yo *veía* las cosas, y creo que eso fue lo más importante. No sólo estoy hablando de ese tercer ojo; para cuando quitamos la bruja de papel del pequeño Pete y pusimos los adornos del Día de Acción de Gracias, yo ya podía ver todo con mis dos ojos naturales.

Por ejemplo, la forma sucia y ansiosa con que Joe miraba a Selena cuando estaba en bata, o la forma en que le miraba el trasero cuando se agachaba para sacar un trapo de debajo del lavabo. La forma en que se alejaba de Joe cuando él estaba en su mecedora y ella tenía que cruzar la sala para ir a su cuarto; la forma en que Selena le pasaba un plato durante la cena de forma en que su mano nunca tocara la de Joe. Sentía dolor por la vergüenza y la lástima, pero también me sentía tan furiosa que casi todo el tiempo me sentía mal del estómago. Él era su *padre*, por Dios, su sangre corría en las venas de Selena, ella tenía el pelo negro muy irlandés y los dedos pequeños y con dos articulaciones como los de su papá, pero los ojos de Joe se abrían mucho con sólo ver que el tirante del corpiño de ella se le caía por el brazo.

También me daba cuenta de la forma en que Joe junior lo evitaba, y se quedaba sin contestarle a su papá cada vez que podía, o le hablaba a media voz si no podía. Recuerdo el día en que Joe junior me trajo su tarea sobre el presidente Roosevelt cuando se la devolvió la maestra. Le puso cien de calificación, y además escribió que era la primera vez que le ponía cien en historia a alguien en sus veinte años de ser maestra, y pensaba que podría estar muy bien que lo publicara en un periódico. Le pregunté a Joe junior si quería mandarlo al *American* de Ellsworth o quizá al *Times* de Bar Harbor. Dije que pagaría con gusto el envío. Él sólo meneó la cabeza y se rió. Su risa no me gustó: era dura y cínica, como la de su padre:

—¿Y que *él* me fastidie los siguientes seis meses? —me preguntó—. No, gracias. ¿Nunca has oído que mi papá le dice Frank D. Rusovelt?

Lo recuerdo ahora, Andy, a sus doce años y midiendo casi un metro ochenta, parado en la puerta trasera con las manos muy metidas en las bolsas del pantalón, mirándome desde arriba mientras que yo tenía en la mano su tarea con el cien de calificación. Recuerdo su sonrisita menuda en las comisuras de la boca. En esa sonrisa no había buena voluntad, ni buen humor, ni felicidad. Era la sonrisa de su padre, aunque por nada del mundo le habría dicho eso al muchacho.

—De todos los presidentes, al que más odia papá es a Roosevelt —me dijo—. Por eso lo escogí a él para hacer la tarea. Ahora devuélvemelo, por favor. Lo voy a quemar en la estufa.

—Eso sí que no —le contesté—. Y si quieres ver qué se siente que tu mamá te haga salir volando por la puerta del patio, trata de quitármelo.

Se encogió de hombros. También hizo eso como Joe, pero la sonrisa se le hizo más grande, era más dulce que cualquiera de las sonrisas que hizo Joe en su vida:

—Está bien —dijo—. Pero no dejes que él la vea, ¿de acuerdo?

Se lo prometí, y se fue a jugar con su amigo Randy Gigeure. Lo vi salir, con su tarea en la mano, pensando en lo que acababa de pasar entre nosotros. En lo que más pensé era en que recibió el único cien que su maestra había puesto en veinte años, y como lo hizo escogiendo al presidente que más odiaba su padre para hacer la tarea.

Y luego estaba el pequeño Pete, siempre pavoneándose con la cintura del pantalón muy subida y con el labio inferior muy salido, diciéndole "judío" a la gente y quedándose castigado en la escuela tres de cada cinco tardes por meterse en problemas. Una vez tuve que ir por él porque se estaba peleando y le pegó a un niño tan fuerte en la cabeza que le sangró la oreja. Lo que le dijo su padre esa noche fue: "Creo que ese niño ya sabrá quitarse de tu camino la próxima vez que te vea, ¿Eh, Pete?" Vi la forma en que le brillaron los ojos al niño cuando Joe dijo eso, y me di cuenta de la ternura con que Joe lo llevó a dormir una hora después. En ese otoño parecía como si me pudiera dar cuenta de todo, menos de lo único que más quería... una forma de quitármelo de encima.

¿Saben quién me dio finalmente la respuesta? Vera. Así como lo oyen: la mismísima Vera Donovan. Ella fue la única que sabía lo que yo hice, al menos hasta hoy. Y fue la que me dio la idea de cómo hacerlo.

Durante los años cincuenta, los Donovan, o por lo menos Vera y sus hijos, eran los que más se quedaban durante el verano. Aparecían en la isla en el Día del Soldado Caído, no salían de la isla durante todo el verano, y regresaban a Baltimore en el fin de semana del Día del Trabajo. No sé si se podía poner la hora en el reloj con ellos, pero sí sé que podías tener el *calendario*. El primer miércoles después de que se iban, entraba a la casa con un equipo de limpieza y lavaba el lugar de proa a popa, quitaba sábanas, tapaba los muebles, juntaba los juguetes de los niños y guardaba los rompecabezas en el sótano. Creo que para 1960, cuando el señor murió, había unos trescientos rompecabezas allá abajo, empacados entre pedazos de cartón y moho. Hacía una limpieza completa como esa porque sabía que lo más seguro era que nadie pondría un pie en esa casa hasta el fin de semana del Soldado Caído del año siguiente.

Claro que había excepciones; el año en que nació el pequeño Pete llegaron a la isla a hacer la cena de Acción de Gracias (la casa estaba totalmente equipada para el invierno, lo que nos parecía ridículo, pero la gente de verano siempre es ridícula), y unos años después llegaron en Navidad. Recuerdo que los hijos de los Donovan se llevaron a Selena y a Joe junior a jugar en trineo en la tarde de Navidad, y que Selena regresó a la casa después de jugar tres horas en Sunrise Hill, con los cachetes rojos como manzanas y los ojos brillándole como diamantes. Entonces no tenía más de ocho o nueve años, pero estoy segura de que estaba lo que se llama enamorada de Donald Donovan.

Así que un año pasaron Acción de Gracias en la isla y otro año pasaron Navidad, pero eso fue todo. Eran gente de *verano*... o por lo menos eso eran Michael Donovan y sus hijos. Vera era de otra parte, pero al final resultó ser una mujer de la isla tanto como yo. Quizá más.

En 1961 las cosas empezaron como todos los años, a pesar de que su marido había muerto en ese accidente de coches el año anterior... ella y sus hijos aparecieron el Día del Soldado Caído y Vera se puso a tejer y armar rompecabezas, coleccionando conchas, fumando y haciendo la hora del coctel al estilo muy especial de Vera Donovan, que empezaba a las cinco y terminaba a las nueve y media. Pero no era lo mismo, hasta yo me di cuenta de eso, y yo sólo era una empleada. Supongo que los niños estaban ensimismados y callados, aún de luto por su papá, y un poco después del Día de la Independencia, Vera y sus dos hijos se gritaron y discutieron mientras comían en el restaurante Harborside. Recuerdo que Jimmy DeWitt, que por entonces era mesero, dijo que la discusión tenía que ver con el coche.

Sea lo que haya sido, los muchachos se fueron al día siguiente. El inmigrante los llevó a tierra firme en la lancha privada y supongo que otros sirvientes los recogieron allá. Desde entonces no he vuelto a ver a ninguno de los dos. Vera se quedó. Cualquiera podía notar que no estaba contenta, pero se quedó. Ese verano no fue fácil estar cerca de ella. Despidió a media docena de sirvientas antes del Día del Trabajo, y cuando la vi subir al trasbordador pensé que no la veríamos el verano siguiente, o de plano no la volveríamos a ver nunca. Ella arreglará sus problemas con sus hijos (tendrá que hacerlo, porque son todo lo que le queda), y si ellos están hartos de Little Tall, ella les hará caso y se irán a otra parte. Después de todo, ya es tiempo de que ellos decidan las cosas, y ella tendrá que reconocerlo.

Eso demuestra lo poco que conocía a Vera en ese entonces. En lo que se refiere a *esa* dulzura, no reconocía a cualquier Juan Pérez en una montaña de chícharos si no tenía necesidad. En 1962 apareció en el trasbordador de la tarde del Día del Soldado Caído, sola, y se pasó el verano hasta el Día del Trabajo. Vino sola, no saludó a nadie, bebía más que nunca y casi todos los días parecía una muerta, pero vino y se quedó y armó rompecabezas y bajaba a la playa, sola, a recoger conchas, como siempre lo hizo. Una vez me dijo que creía que Donald y Helga llegarían en agosto a Pinewood (así le decían a la casa; tal vez tú sepas eso, Andy, pero no creo que Nancy lo sepa), pero nunca aparecieron.

Fue durante 1962 cuando comenzó a llegar *después* del día del Trabajo. Llamó a mediados de octubre y me pidió que le abriera la casa, y eso hice. Se quedó tres días (el inmigrante vino con ella y se quedó en el departamento sobre la cochera) y luego se fue. Antes de hacerlo, me llamó por teléfono y me pidió que Dougie Tappert revisara el horno, y que no pusiera los guardapolvos en los muebles.

—Me verás más seguido, ahora que ya arreglamos los asuntos de mi esposo —me dijo—. Quizá más de lo que te gustaría, Dolores. Y espero que también verás a mis hijos —pero algo en su voz me hizo pensar que ella sabía que esto último eran sólo esperanzas.

La siguiente vez vino a fines de noviembre, una semana después de Acción de Gracias, y me llamó inmediatamente para pasar la aspiradora y hacer las camas. Desde luego, sus hijos no vinieron con ella, pero dijo que tal vez decidirían a último momento pasar el fin de semana con ella en vez de quedarse en los internados donde estaban. Ella debió saber mejor, pero Vera era una niña scout en su corazón: siempre creía en estar bien preparada.

Pude llegar inmediatamente, porque ésa era una época floja para la gente de la isla como yo, que trabajaba en las casas. Llegué en un día lluvioso con la cabeza baja y la mente echando humo, como siempre lo hacía en esos días, luego de enterarme lo que había pasado con el dinero de los niños. Yo había viajado al banco casi un mes antes, y me estaba acabando la vida desde entonces, de la misma forma en que el ácido de las baterías te hace un agujero en la ropa o en la piel.

No podía comer bien, no podía dormir más de tres horas seguidas y me despertaba con pesadillas, apenas si me podía acordar de cambiarme la ropa interior. No podía dejar de pensar en lo que Joe le hizo a Selena, y el dinero que sacó del banco, y en cómo podía recuperarlo. Entendí que tenía que dejar de pensar en eso para tener una respuesta (si podía hacerlo, alguna respuesta llegaría sola), pero era imposible. Incluso cuando la mente se me *iba* a otra parte por un rato, cualquier cosa me la mandaba de regreso al mismo agujero. Estaba atorada en eso, me estaba volviendo loca y supongo que ésa fue la verdadera razón por la que terminé hablando con Vera de lo que había pasado.

Claro que no tenía *intenciones* de hablar con ella; desde el mes de mayo en que apareció en la isla después de que murió su marido, tenía un humor de leona con una espina en las garras, y yo no tenía interés en contarle mis cuitas a una mujer que se comportaba como si el mundo se hubiera convertido en mierda. Pero cuando entré a su casa ese día, su humor había mejorado mucho.

Ella estaba en la cocina, poniendo en el tablero de corcho en la pared junto a la puerta de la despensa un artículo que recortó de la primera página del *Globe* de Boston. Me dijo:

—Mira esto, Dolores... si tenemos suerte y el clima coopera, el próximo verano veremos algo sorprendente.

Después de tantos años, todavía recuerdo cada palabra del título de ese artículo, porque cuando lo leí, sentí como si algo me diera vuelta dentro de mí. UN ECLIPSE TOTAL OSCURECERÁ LOS CIELOS DEL NORTE DE NUEVA INGLATERRA EL PRÓXIMO VERANO. Había un pequeño mapa donde se mostraba que parte de Maine quedaría dentro de la ruta del eclipse, y Vera puso una marca con tinta roja sobre Little Tall.

—No habrá otro igual sino hasta fines del siglo siguiente —me comentó—. Nuestros bisnietos lo verán, Dolores, pero nosotros ya no estaremos... ¡así que será mejor contemplar éste!

—Seguramente lloverá como el demonio ese día —le contesté, casi sin pensarlo, y con el mal genio que tenía Vera casi todo el tiempo desde que murió su marido, pensé que me pondría en mi lugar. Pero en vez de eso se rió y subió por las escaleras, tarareando. Recuerdo que pensé que el clima de ella *había* cambiado. No sólo tarareaba: no había en ella ni una huella de cruda.

Unas dos horas después yo estaba en su cuarto, cambiando las sábanas donde pasó tanto tiempo inválida, muchos años después. Ella estaba sentada junto a la ventana, tejiendo un cubrecama y todavía tarareando. La calefacción estaba encendida pero la casa aún no entraba en calor (pasan años hasta que esas casas tan grandes se calientan, equipadas para el invierno o no) y se había puesto sobre los hombros un chal rosa. El viento soplaba fuerte desde el oeste, y la lluvia que pegaba en la ventana sonaba como granos de arena. Cuando miré por esa ventana, pude ver la luz que venía desde la cochera, que quería decir que el inmigrante estaba en su departamento, durmiendo y roncando.

Estaba metiendo las esquinas de la sábana cubrecama (Vera Donovan no usaba sábanas de cajón, pueden apostar hasta su último dólar en eso: las sábanas de cajón hacían demasiado fácil el trabajo), sin pensar en Joe o en los niños, y de pronto el labio inferior me comenzó a temblar. Deja eso, me dije. Para eso ahora mismo. Pero el labio seguía temblando. Entonces también el labio superior comenzó a temblar. De pronto, los ojos se me llenaron de lágrimas y las piernas se me doblaron y me senté en la cama y lloré.

No. No.

A decir verdad, casi me estaba volviendo loca. El hecho es que no sólo *lloré*; me puse el delantal sobre la cara y *aullé*. Estaba cansada y confundida y en el límite de mis fuerzas. Durante semanas no había dormido más que a ratos y no podía entender qué haría con mi vida. Y lo único que me venía a la cabeza era:

A que te equivocas, Dolores. A que estabas pensando en Joe y los niños. Y claro que pensaba en eso. Era que ya no podía pensar en otra cosa, que era exactamente por lo que estaba berreando.

No sé cuanto tiempo lloré así, pero sé que cuando por fin paró yo tenía la cara llena de mocos y la nariz tapada y estaba jadeando como si viniera de una carrera. También tenía miedo de quitarme el delantal, porque pensaba que cuando lo hiciera Vera me diría: "Fue todo un espectáculo, Dolores. Puedes recoger tu liquidación el próximo viernes. Kenopensky" —ahí está, ése era el nombre del inmigrante, Andy, por fin me acordé— "te lo dará". Eso habría sido muy de su estilo. Excepto que *cualquier cosa* era su estilo. Ni siquiera en esos tiempos podías predecir a Vera, aun antes de que sus sesos se hicieran picadillo.

Cuando finalmente me quité el delantal de la cara, ella estaba sentada junto a la ventana con el tejido en el regazo, viéndome como si fuera una clase de bicho nueva y muy interesante. Recuerdo las sombras de la lluvia que se arrastraban por el vidrio de la ventana y que se reflejaban en sus mejillas y su frente.

—Dolores —me dijo—. Por favor dime que no has sido tan descuidada como para permitir que esa mala criatura con la que vives te haya maltratado otra vez.

Durante un segundo no tuve ni la menor idea de lo que me estaba diciendo. Cuando dijo "maltratado", me apareció en la mente la noche en que Joe me pegó con el leño y yo le pegué con la cremera. Luego desapareció, y comencé a reír. En cuestión de segundos comenzaron a salirme carcajadas tan fuertes como el llanto de antes, y no podía impedirlo del mismo modo en que no pude impedir el llorar. Sabía que era por horror, la idea de estar otra vez embarazada* de Joe era la peor cosa en la que podía pensar, y no cambiaba en nada el hecho de que no hacíamos la cosa que hace a los bebés. Pero saber lo que me hacía reír no pudo parar la risa.

Vera me miró uno o dos segundos más, luego tomó su tejido de su regazo y volvió a tejer, tan calmada como siempre. Comenzó a tararear otra vez. Era como si tener a la ama de llaves sentada en la cama sin hacer, balando como un ternero a la luz de la luna, fuera para ella la cosa más natural del mundo. De ser así, los Donovan debían tener en Baltimore unos criados de lo más peculiares.

Después de un rato, la risa se volvió a convertir en llanto, como la lluvia que a veces se convierte en nieve durante las borrascas de invierno, si el viento sopla desde la dirección justa.

Finalmente paró todo y yo me quedé sentada en su cama. Me sentía cansada y avergonzada de mí misma... pero también sintiéndome limpia de algún modo.

—Lo siento, señora Donovan —afirmé—. De verdad lo siento.

—Vera —me dijo.

—¿Como dijo? —le pregunté.

—Vera —repitió—. Insisto en que todas las mujeres a las que les da un ataque de histeria en mi cama me llamen por mi nombre de bautizo a partir de entonces.

—No sé qué fue lo que me pasó —le contesté.

—Oh —exclamó—. Supongo que sí lo sabes. Lávate, Dolores... parece como si hubieras metido la cara en un plato de puré de espinacas. Puedes usar mi baño.

*Juego de palabras de la expresión "Knock up", que literalmente quiere decir maltratar, pero que en lenguaje popular significa "dejar embarazada".

Entré a lavarme la cara y me quedé ahí un rato largo. La verdad es que tenía un poco de miedo de salir. Dejé de pensar que me despediría cuando me pidió que la llamara Vera en lugar de señora Donovan: no te portas así con alguien a quien vas a despedir dentro de cinco minutos. Pero no sabía lo que *iba* a hacer. Ella podía ser cruel; si no han entendido por lo menos eso de todo lo que les he contado, entonces perdí mi tiempo. Podía ponerte sal en la herida cuando se le daba la gana y, cuando lo hacía, era con todas sus fuerzas.

—¿Te ahogaste ahí dentro, Dolores? —me llamó, y supe que ya no me podía tardar mucho. Cerré la llave de agua, me sequé la cara y regresé a su recámara. Empecé a disculparme otra vez, pero hizo un gesto para que me dejara de eso. Todavía me miraba como si yo fuera un bicho que nunca antes había visto.

—¿Sabes?, me diste un susto del *carajo*, mujer —aseguró—. Durante todos estos años no estaba segura de que *pudieras* llorar... pensé que eras de piedra.

Murmuré algo de que últimamente no había podido descansar.

—Me puedo dar cuenta de eso —me dijo—. Tienes un bonito juego de Louis Vuitton bajo los ojos, y en tus manos tienes un temblor ligeramente picante.

—¿Tengo bajo los ojos *qué*? —le pregunté.

—No importa —consintió—. Dime qué es lo que te pasa. Un pastel en el horno es la única causa que se me ocurre para explicar un exabrupto tan inesperado, y confieso que *aún* es lo único en lo que puedo pensar. Así que esclaréceme, Dolores.

—No puedo —respondí, y seré maldita si no sentí que toda esa cosa que sentí me volvería, como la llave de la cuerda del Ford modelo A de mi papá cuando no la agarrabas bien; si no me controlaba, dentro de poco estaría otra vez sentada en su cama con el delantal en la cara.

—Puedes, y lo harás —dijo Vera—. No puedes pasarte todo el día berreando. Eso me daría dolor de cabeza y tendría que tomar una aspirina. Detesto tomar aspirina. Me irrita la mucosa del estómago.

Me senté en el borde de la cama y la miré. Abrí la boca sin tener ni la menor idea de lo que iba a salir de ahí. Lo que salió fue esto:

—Mi marido está tratando de cogerse a su propia hija, y cuando fui a sacar del banco el dinero de su universidad para llevarme a mi hija y a los niños lejos de aquí, me enteré de que se llevó todo todito. No, no estoy hecha de piedra. No estoy hecha de piedra para nada.

Empecé a llorar otra vez, y lloré un buen rato, pero no tan fuerte como antes y sin sentir ganas de esconder mi cara bajo el delantal. Cuando ya sólo sollozaba, me pidió que le contara toda la historia, desde el mismo principio y sin olvidarme de nada.

Eso hice. No creía que le habría contado a *nadie* esa historia, mucho menos a Vera Donovan, con todo su dinero y su casa en Baltimore y su peón europeo, que no lo tenía con ella nada más para encerarle el coche. Pero la cosa es que *se lo dije*, y pude sentir que el peso que sentía en el pecho se hacía cada vez más ligero. Solté todo, tal y como ella me lo pidió.

—Así que estoy atorada —acepté al final—. No sé qué hacer con ese hijo de puta. Supongo que podría instalarme en algún lugar si empacara y me llevara a los niños a tierra firme... Nunca le tuve miedo a trabajar duro... pero ése no es el punto.

—¿Y cuál es el punto, entonces? —me preguntó. Ya casi había terminado el cubrecama; sus dedos eran los más rápidos que he visto en mi vida.

—Ya hizo todo lo que quiso, menos violar a su propia hija —le dije—. Ya la asustó tanto que tal vez ella nunca se reponga del todo, y se tomó él solo una recompensa de casi tres mil dólares por portarse así. No lo voy a dejar salirse con la suya. *Ése* es el punto.

—¿Lo es? —me dijo con su voz suave, y sus agujas hacían clik-clik-clik, y la lluvia corría por los cristales, y las sombras se arrastraban sobre su frente y sus cachetes como venas negras. Viéndola así me recordó un cuento que mi abuela me contaba acerca de tres hermanas en las estrellas que tejían nuestras vidas... una que tejía y otra que detenía el ovillo y otra que cortaba los hilos cada vez que se le antojaba. Creo que el nombre de la última es Átropos. Y si no es así, de todos modos ese nombre siempre me dio escalofríos.

—Sí —le manifesté a Vera—, pero me revienta no ver la forma de hacerle lo que se merece.

Clik-clik-clik. Junto a ella había una taza de té; hizo una pausa larga para darle un sorbo. Después vendrían los tiempos en que trataría de tomarse el té por la oreja derecha y también darse un champú con el té, pero en ese día de otoño de 1962 ella aún era tan precisa como la navaja de rasurar de mi papá. Cuando me miró, sus ojos parecieron abrirme un agujero hasta el otro lado.

—¿Qué es lo peor de todo el asunto, Dolores? —preguntó finalmente, poniendo la taza a un lado y tomando otra vez el tejido—. ¿Qué crees que sea lo peor? No para Selena o los niños, sino para *ti*.

Ni siquiera tuve que pensarlo para decírselo:

—Que ese hijo de puta se *ría* de mí —le aseguré—. Eso es lo peor para mí. A veces se lo veo en la cara. Nunca se lo dije, pero él sabe que fui al banco, lo sabe pero muy bien, y sabe que me enteré de lo que hizo.

—Tal vez es sólo lo que imaginas —afirmó.

—Me importa un carajo si es eso —le contesté inmediatamente—. Lo que importa es cómo me *siento*.

—Así es —asintió—, lo más importante es cómo te sientes. En eso estoy de acuerdo. Continúa, Dolores.

"¿Que quieres decir con eso de 'continúa'?", le iba a decir. "Ya te dije todo." Pero supongo que no era todo, porque salió algo más, como un muñeco en una caja:

—No se *reiría* de mí si supiera lo cerca que he estado un par de veces de terminar con él de una vez por todas.

Se quedó sentada, mirándome, con esas sombras oscuras y delgadas persiguiéndose una a otra por su cara y entrando en sus ojos, y no podía vérselos, y otra vez pensé en las señoras que tejen en las estrellas. Especialmente la que corta los hilos.

—Estoy asustada —reiteré—. No de él... de mí. Si no alejo a los niños de él, va a pasar algo muy malo. Yo sé que va a ser así. Hay algo dentro de mí que cada vez es peor.

—¿Es un ojo? —me preguntó muy calmada, ¡y qué escalofrío me recorrió! Es como si hubiera encontrado una ventana en mi cráneo y la usara para entrar en mis pensamientos—. ¿Es algo que parece un ojo?

—¿Cómo sabes? —susurré. Sentada como estaba, sentí que se me puso la piel de gallina en los brazos y empecé a temblar.

—Lo sé —asintió, y empezó a tejer una nueva hilera—. Sé todo acerca de eso, Dolores.

—Pues... Lo voy a matar si no me controlo. De eso es de lo que tengo miedo. Si lo hago, entonces ya me puedo olvidar de ese dinero. Me puedo olvidar de *todo*.

—Tonterías —rebatió, y las agujas hicieron clik-clik-clik en su regazo—. Los maridos se mueren todos los días, Dolores. Probablemente alguno se está muriendo ahora mismo, mientras nosotras estamos aquí, hablando. Se mueren y le dejan su dinero a sus esposas —terminó la hilera y me miró, pero yo todavía no podía ver lo que había en sus ojos por las sombras de la lluvia. Se arrastraban por su cara como si fueran serpientes—. Yo debería saberlo, ¿o no? Después de todo, mira lo que le pasó al mío.

No pude decir nada. Tenía la lengua pegada al paladar como un bicho en el papel matamoscas.

—Un accidente —afirmó con una voz clara, como la de una maestra de escuela— es a veces el mejor amigo de una mujer infeliz.

—¿Qué quieres decir? —le pregunté. Era sólo un susurro, pero yo estaba sorprendida de que pudiera decir aunque fuera eso.

—Lo que tú quieras pensar de eso —me contestó. Sonrió. No. Era más una mueca que una sonrisa. A decir verdad, Andy, esa mueca me heló la sangre—. Lo único que necesitas recordar es que lo que es tuyo es de él, y lo que es de él es tuyo. Si tuviera un accidente, por ejemplo, el dinero que tiene en sus cuentas de banco sería tuyo. Ésa es la ley en este nuestro gran país.

Sus ojos se quedaron fijos en los míos, y por un solo segundo las sombras no estaban y pude ver claramente en ellos. Lo que vi me hizo desviar la mirada. Por fuera, Vera era tan fría como un bebé sentado en un bloque de hielo, pero por dentro la temperatura parecía ser mucho más caliente; yo diría que tan caliente como en medio de un bosque incendiado. Lo que es seguro es que era demasiado caliente como para que la gente como yo lo viera por mucho tiempo.

—La ley es una gran cosa, Dolores —expresó—. Y cuando un mal hombre tiene un accidente, también puede ser una gran cosa.

—Estás diciendo que... —empecé a decir. Para entonces ya podía hablar un poco más fuerte que un susurro, pero no mucho.

—No estoy diciendo *nada* —atajó. En esos tiempos, cuando Vera decidía que había terminado de hablar de algo, lo cerraba de un golpe como si fuera un libro. Guardó su tejido en una canasta y se levantó—. Pero te diré lo siguiente: esa cama nunca estará hecha si sigues sentada ahí. Voy a bajar a poner la tetera. Tal vez cuando termines y bajes, querrás probar una rebanada del pastel de manzana que traje del continente. Si tienes suerte, tal vez le añada una bola de helado de vainilla.

—Muy bien —exclamé. Tenía un remolino en la mente, y lo único de lo que estaba completamente segura era de que una rebanada de pastel de la panadería de Jonesport era justo lo que necesitaba. Tenía mucha hambre por primera vez en cuatro semanas... tal vez contar mis cuitas había logrado eso.

Vera llegó hasta la puerta y se volteó a mirarme:

—No siento piedad por ti, Dolores —me dijo—. No me dijiste que estabas embarazada cuando te casaste con él, y no necesitabas decírmelo; hasta una estúpida en matemáticas como yo puede sumar y restar. ¿Cuanto tenías de embarazada? ¿Tres meses?

—Seis semanas —contesté. Otra vez mi voz era sólo un susurro—. Selena llegó temprano.

Asintió:

—¿Y que hace una muchacha isleña convencional cuando sabe que el pan está inflado? Lo obvio, por supuesto... pero toda aquella que se casa con apuro generalmente se arrepiente a su gusto, como al parecer tú lo descubriste. Es una lástima que tu santa madre no te haya enseñado eso junto con lo que dicen de que hay un palpitar en cada papa y usar tu cabeza para salvarte los pies. Pero te diré una cosa, Dolores: llorar a gritos con el delantal sobre la cara no salvará la doncellez de tu hija si ese chivo apestoso está decidido a tomarla, o el dinero de tus hijos si se le da la gana gastarlo. Pero a veces los hombres, especialmente los bebedores, *tienen* accidentes. Se caen por las escaleras, se resbalan en las tinas y a veces les fallan los frenos y chocan sus BMW contra un roble cuando están muy apurados para llegar a casa desde el departamento de su amante en Arlington Heights.

En ese momento salió, cerrando la puerta tras ella. Hice la cama, y mientras lo hacía pensé en lo que dijo Vera... en que cuando un mal hombre tiene un accidente, puede ser una gran cosa. Empecé a ver lo que había estado frente a mí desde el principio: lo que habría visto antes si mi mente no se hubiera vuelto ciega de pánico, como un gorrión atrapado en un desván.

Para cuando comimos el pastel y ella subió para dormir la siesta de la tarde, ya tenía claro en mi mente que podía hacerlo. Quería acabar con Joe, quería de vuelta el dinero de mis hijos y, sobre todo, quería hacerlo pagar por todo lo que nos había hecho sufrir... especialmente por lo que hizo sufrir a Selena. Si ese hijo de puta tuviera un accidente, el accidente *adecuado*, todo eso se cumpliría. El dinero que no podía tener mientras él viviera vendría a mí cuando muriera. Se burló de mí para conseguir el dinero, pero hasta ahora no se había burlado como para hacer un testamento que me dejara afuera. No era una cuestión de tener sesos (ya desde la forma en que consiguió el dinero, supe que era un poco más listo de lo que yo habría esperado), sino de la forma en que funcionaba su mente. Estoy muy segura de que muy en el fondo, Joe St. George pensaba que *nunca* se moriría.

Y, siendo su esposa, todo volvería a mí.

Para cuando salí de Pinewood esa tarde ya no llovía, y regresé a casa caminando muy despacio. Todavía no estaba a mitad de camino cuando empecé a pensar en el viejo pozo tras el cobertizo.

Cuando llegué a casa estaba sola: los muchachos estaban jugando, y Selena dejó una nota diciendo que se había ido con la señora Devereaux para ayudarla con la lavandería... ya saben que en esos días ella se encargaba de las sábanas del hotel Harborside. No tenía idea de dónde estaba Joe y tampoco me importaba. Lo importante era que su camión no estaba, y como tenía los mofles tan flojos que colgaban de un hilo, el ruido me avisaría con tiempo antes de que llegara.

Me quedé parada un minuto, viendo la nota de Selena. Es curioso, las pequeñas cosas que hacen que una persona se decida, las cosas que hacen que una persona pase de tal-vez-lo-haga, a lo-voy-a-hacer, y lo haga a fin de cuentas. Ni siquiera ahora estoy segura de que realmente quise matar a Joe ese día cuando llegué a la casa, después de lo de Vera Donovan. Sí decidí revisar el pozo, pero eso podría ser sólo un juego, la forma en que los niños juegan a ser alguien más. Si Selena no hubiera dejado esa nota, tal vez nunca lo hubiera hecho... no me importa en qué termine todo esto, Andy, pero no quiero que Selena sepa esto nunca.

La nota decía algo como esto: "Mamá: Me fui con Cindy Babcock para ayudar a la señora Devereaux con la lavandería del hotel. Tienen mucha más gente este fin de semana de la que esperaban, y ya sabes lo mal que está la Sra. D. por su artritis. La pobre se oía como que ya no daba más cuando habló. Regreso para ayudarte con la cena. Muchos besos, Sel".

Yo sabía que Selena regresaría con no más de cinco o siete dólares, pero feliz como una alondra por ganárselos. Si la señora Devereaux o Cindy la volvieran a llamar, ella habría regresado con gusto, y si le ofrecieran trabajo en el verano como camarera de medio tiempo en el hotel, me habría tratado de convencer de que le diera permiso para aceptarlo. Eso, porque dinero es dinero, y en la isla de aquel entonces el trueque era la forma de vida más común y el dinero era muy difícil de conseguir. Además, era seguro que la señora Devereaux *volvería* a llamarla, y estaría encantada de escribir una recomendación para Selena si ella se lo pedía, porque Selena trabajaba duro, y no le daba miedo doblarse la espalda ni ensuciarse las manos.

En otras palabras, ella era como yo cuando tenía su edad, y vean en qué había terminado: otra vieja que hacía la limpieza, que caminaba encorvada y tenía una botella de pastillas para el dolor de espalda en el botiquín. A Selena no le parecía que eso estuviera mal, pero apenas tenía quince años, y a los quince años una jovencita no sabe lo que está viendo aun cuando lo tiene enfrente. Leí la nota una y otra vez y pensé: "Al carajo, ella no va a terminar como yo, vieja y casi gastada a los treinta y cinco años. A ella no le va a pasar eso aunque me tenga que morir para que no sea así." ¿Sabes qué, Andy? No pensaba que las cosas tuvieran que ir tan lejos. Pensé que tal vez Joe sería el que se moriría para arreglar las cosas.

Volví a dejar la nota en la mesa, me puse otra vez el impermeable y lo abotoné, y me calcé las botas de goma. Luego caminé un poco y me paré junto a la piedra blanca donde Selena y yo nos sentamos la noche en que le dije que ya no le tuviera miedo a Joe, que él me había prometido dejarla en paz. Ya no llovía, pero todavía se oía el goteo dentro del matorral de zarzamoras en el patio trasero, y de las ramas sin hojas colgaban gotas de agua. Se parecían a los aretes de gotas de diamantes de Vera Donovan, sólo que no tan grandes.

Ese terreno medía casi media hectárea, y para cuando entré, me alegré de tener el impermeable y las botas de goma. Lo mojado era lo de menos: lo peor eran las espinas. A fines de los años cuarenta, en ese terreno había flores y alfalfa, con el pozo en el lado donde estaba el cobertizo, pero unos seis años después de que Joe y yo nos casamos y nos cambiamos a la casa (que su tío Freddy le dejó al morir), el pozo se secó. Joe llamó a Peter Doyon para que perforara un nuevo pozo, en el lado oeste de la casa. Desde entonces no hemos tenido ni un solo problema con el agua.

Cuando dejamos de usar el viejo pozo, en la parte del terreno que estaba detrás del cobertizo crecieron esos matorrales, altos hasta el pecho, de zarzamora silvestre, y las espinas jalaron y rasgaron mi impermeable cuando me metí entre ellos, buscando la tabla que tapaba el pozo viejo. Cuando me corté las manos tres o cuatro veces, me bajé las mangas del impermeable para cubrirlas.

Al final, encontré la tapa porque casi me caigo dentro. Di un paso en algo que estaba flojo y que era esponjoso, se oyó el ruido de algo que se quebraba, y me eché para atrás justo antes de que se rompiera la tabla que pisé. De tener menos suerte me habría caído, y se habría derrumbado la tabla con todo y la borda del pozo. Y colorín colorado, este cuento se habría acabado.

Me puse de rodillas, con una mano adelante de mi cara para que las espinas de zarzamora no me rasparan los cachetes o me sacaran un ojo, y revisé el pozo con mucho cuidado.

149

La barda del pozo era de un metro de ancho y metro y medio de largo; las tablas estaban blancas y podridas. Empujé con la mano una de ellas hacia adentro, y fue como empujar una varita de orozuz. La tabla donde había puesto el pie estaba doblada, y pude ver que la había astillado. Me pude haber caído tranquilamente, y en esos tiempos yo pesaba unos sesenta kilos. Joe pesaba por lo menos veinticinco kilos más.

Tenía un pañuelo en el bolsillo. Lo amarré en un matorral que estaba sobre el lado del cobertizo de la barda, para que pudiera encontrarlo después. Entonces regresé a la casa. Esa noche dormí como bebé, sin tener pesadillas, por primera vez desde que Selena me dijo lo que le había hecho el príncipe azul que tenía como padre.

Eso fue a fines de noviembre, y no planeé hacer otra cosa por un tiempo. No creo que tenga que decirles por qué, pero se los diré de todos modos: si algo le pasaba demasiado pronto después de lo que hablamos en el trasbordador, Selena pondría los ojos en mí. No quería que pasara eso, porque había en ella una parte que todavía quería a su padre y tal vez siempre lo haría, y porque yo tenía miedo de cómo se sentiría si siquiera *sospechara* lo que había pasado. De cómo se sentiría hacia *mí* (creo que no es necesario ni decir eso), pero tenía aún más miedo de cómo se sentiría con ella misma. Si vamos a hablar de en qué terminó todo eso, pues... por ahora no importa. Supongo que ya hablaré de eso.

Así que dejé pasar el tiempo, aunque eso fue lo más difícil de hacer una vez que me decidí a hacer algo así. De cualquier forma, los días se convirtieron en semanas, como siempre. De vez en cuando le preguntaba a Selena sobre su padre: "¿Se está portando bien tu papá?", y las dos entendíamos a qué me refería. Siempre dijo que sí, lo que era un alivio, porque si Joe volvía a las andadas, hubiera tenido que acabar con él de una vez por todas, sin importar los riesgos. O las consecuencias.

Tenía otras cosas de qué ocuparme cuando pasó Navidad y empezó 1963. Una fue el dinero: cada día me despertaba pensando que ése sería el día en que él empezaría a gastarlo. ¿Por qué no *habría* de preocuparme de eso? Se gastó los primeros trescientos de un tiro, y yo no tenía modo de evitar que se gastara el resto mientras yo esperaba ganarle tiempo al tiempo, como dicen en las reuniones de Alcohólicos Anónimos. No puedo decirles cuántas veces busqué la maldita libreta de ahorros que le dieron cuando abrió su propia cuenta, pero nunca la encontré. Todo lo que pude hacer fue mirarlo cuando volvía a casa, y ver si traía una nueva sierra mecánica o un reloj caro, y esperar que no hubiera perdido parte del dinero, o todo, en uno de esos juegos de póker en Ellsworth o Bangor, a los que Joe decía que iba, y donde se apostaba muy fuerte. En mi vida me sentí tan indefensa.

Luego estaban las preguntas de cómo y cuándo lo haría... y si es que tendría el valor de hacerlo. Estaba bien la idea de usar el viejo pozo como una trampa; el problema era que no fuera muy hondo. Si se moría en el acto, como le pasa a la gente en la televisión, todo estaría bien. Pero incluso hace treinta años yo ya conocía suficiente de la vida como para saber que las cosas casi nunca funcionan como en la televisión.

¿Qué tal si se caía y empezaba a gritar? En esos tiempos la isla no estaba construida como ahora, pero teníamos tres vecinos en ese tramo de la carretera del este: los Caron, los Langill y los Jolander. Tal vez no oirían los gritos que vendrían de los matorrales de

151

zarzamora en el patio trasero de mi casa, pero tal vez sí... especialmente si el viento soplaba alto y en la dirección adecuada. Eso no era todo: la carretera del este, sobre todo en el tramo entre el pueblo y el cabo de la isla, a veces era muy transitada. Todo el tiempo pasaban camiones y coches por nuestra casa, no tantos como ahora, pero sí suficientes como para preocupar a una mujer que estaba pensado en las cosas que pensaba.

La respuesta llegó cuando yo estaba a punto de decidir que era muy arriesgado usar el pozo para acabar con Joe. También fue Vera la que me dio la respuesta, aunque no creo que ella se diera cuenta de eso.

Verán: ella estaba fascinada con el eclipse. Estuvo en la isla casi toda esa temporada, y conforme se terminaba el invierno, cada semana pegaba en el tablero de la cocina un nuevo recorte. Cuando empezó la primavera con los vientos altos y los lodazales fríos de siempre, ella se pasó todavía más tiempo en la isla, y los recortes empezaron a aparecer cada día. Había artículos de los periódicos locales, de periódicos de fuera como el *Globe*, el *New York Times* y de revistas como *Scientific American*.

Ella estaba muy emocionada porque estaba segura de que el eclipse volvería a traerle a Pinewood a Donald y a Helga (ella me lo decía una y otra vez), pero también estaba emocionada por sus propias cosas. A mediados de mayo, cuando el clima se entibió, ya estaba completamente instalada: ya ni siquiera *mencionaba* a Baltimore. De lo único que hablaba era de ese puto eclipse. Tenía cuatro cámaras, y no estoy hablando de cámaras baratas, en el armario de la entrada, tres de ellas ya montadas en tripiés. Tenía ocho o nueve pares de anteojos especiales, cajas abiertas especiales que ella llamaba "visores de eclipse", periscopios con espejos de colores especiales, y no sé qué tanta cosa más.

Entonces, casi a fines de mayo, entré y vi el artículo puesto en el tablero, que era de nuestro periódico, el *Weekly Tide*. El titular decía: LA BAHÍA SERÁ EL "CENTRO" DEL ECLIPSE PARA LOS RESIDENTES Y VACACIONISTAS DE VERANO. En la fotografía estaban Jimmy Gagnon y Harley Fox haciendo no sé qué carpintería en el techo del hotel, que era plano y ancho como ahora. ¿Y saben qué? Otra vez sentí que algo me dio vuelta adentro, igual que la vez que vi el primer artículo puesto en ese mismo lugar.

El artículo decía que los dueños del hotel Harborside planeaban convertir el techo en algo así como un observatorio al aire libre el día del eclipse... aunque a mí me sonó a pan-con-lo-mismo con una nueva etiqueta. Decían que el techo estaba "siendo especialmente renovado" para la ocasión (si lo piensas bien, es muy chistosa la idea de que Jimmy Gagnon y Harley Fox renueven cualquier cosa), y esperaban vender trescientos cincuenta "boletos del eclipse" especiales. La gente de verano escogería primero, y luego la gente de la isla. La verdad es que el precio era muy razonable, dos dólares por persona, pero claro que también planeaban servir comida y poner un bar, y ésos son los lugares con los que los hoteles atraen a la gente. Especialmente el bar.

Todavía estaba leyendo el artículo cuando entró Vera. No la oí, y cuando me habló yo brinqué dos metros.

—Y bien, Dolores —me dijo—. ¿Dónde será? ¿En el techo del Harborside o en el trasbordador *Island Princess*?

—¿Qué hay con el trasbordador? —le pregunté.

—Lo fleté para la tarde del eclipse —respondió.

—¿Tú? ¡No...! —exclamé, pero en cuanto me salió de la boca supe que decía la verdad; Vera no hablaba por hablar, ni presumía por presumir. Pero de sólo pensar que ella había fletado todo un trasbordador, se me fue el aire.

—Sí —asintió—. Me costó un ojo de la cara, Dolores, especialmente por el trasbordador que cubrirá las rutas normales del *Island Princess* ese día, pero lo hice con gusto. Y si vienes en *mi* excursión, irás gratis y los tragos serán por cortesía de la casa —entonces, como si me estuviera viendo desde adentro de los párpados, me dijo—: Esto último llamaría la atención de tu marido, ¿verdad?

—Dios mío —grité—. ¿Por qué fletaste el maldito *trasbordador*, Vera? —su nombre me seguía sonando extraño cada vez que salía de mi boca, pero cuando me dejó en claro que no estaba bromeando, no estaba pensando en dejar que le volviera a decir señora Donovan aunque yo quisiera, y a veces quería—. Es decir, yo sé que estás emocionada por el eclipse y todo eso, pero pudiste conseguir un barco de excursión casi igual de grande en Vinalhaven, y quizá a mitad de precio.

Se encogió de hombros y al mismo tiempo se echó el pelo hacia atrás: así era su actitud de bésame-las-nalgas:

—Lo fleté porque amo a ese cabrón barco viejo —me contestó—. La isla Little Tall es mi lugar favorito en el mundo, Dolores... ¿Lo sabías?

A decir verdad, lo *sabía*, así que asentí con la cabeza.

—Claro que lo sabes. Y es el *Princess* el que casi siempre me ha traído aquí, tan gordo, tan ridículo, tan parecido a un pato. Se me dijo que caben, cómodamente y sin riesgo, cuatrocientas personas, cincuenta más que en el techo del hotel, y llevaré a todo aquel que quiera venir conmigo y con los muchachos —y luego hizo una mueca sonriente, y *esa* mueca era buena: la de una niña que está feliz de estar viva—. ¿Y sabes algo más, Dolores?

—No. Estoy patitiesa.

—No necesitas hacerle caravanas ni buenos modales a nadie si... —entonces se detuvo, y me lanzó una mirada rarísima—.¿Dolores? ¿Te sientes bien?

Pero yo no podía decir nada. Mi cabeza se llenó con la imagen más horrible y hermosa. Vi el techo grande y plano del hotel Harborside, lleno de gente parada con las cabezas echadas para atrás, y vi al *Princess* detenido a mitad del mar entre la isla y tierra firme, con las cabinas también atiborradas de gente mirando hacia arriba, y sobre todo esto un gran círculo negro rodeado de fuego y un cielo lleno de estrellas en pleno día. Era una imagen que daba miedo, suficiente para levantar a un muerto, pero eso no era lo que me hizo sentir así. Era el pensar *en el resto de la isla*.

—¿Dolores? —me preguntó, y me puso una mano en el hombro—. ¿Tienes cólico? ¿Desmayo? Ven y siéntate en la mesa. Te voy a traer un vaso de agua.

No tenía cólico, pero sí *sentí* un poco de desmayo, así que me fui a donde ella me pidió y me senté... aunque tenía las rodillas como de hule y casi me caí en la silla. Vi cómo me traía el agua y pensé en algo que me había dicho en noviembre: que hasta una estúpida en matemáticas como ella podía sumar y restar. Bueno, pues hasta alguien como yo podía sumar trescientos cincuenta en el techo del hotel y cuatrocientos más en el *Island Princess*, y saber que eso era setecientos cincuenta. Eso no eran *todos* los que estarían en la isla a mediados de julio, pero por Dios que eran la mayor parte de ellos. Se me ocurrió que el resto estaría sacando las trampas de langostas o viendo el eclipse desde los tejados o desde los muelles.

Vera me trajo el agua y me la tomé de un solo trago. Se sentó frente a mí. Se veía preocupada:

—¿Te sientes bien, Dolores? —me preguntó—. ¿Necesitas acostarte?

—No —le dije—. Es que por unos segundos me sentí rara.

Y era verdad. Yo creo que saber de pronto qué día planeas matar a tu marido es como para que cualquiera se sienta raro.

Unas tres horas después, con la ropa lavada y las compras hechas y la comida guardada y las alfombras aspiradas y una cacerola muy chica puesta en el refrigerador para su cena solitaria (quizá podía compartir su cama con el inmigrante de vez en cuando, pero nunca la vi compartir con él la mesa), yo estaba juntando mis cosas para irme. Vera estaba sentada a la mesa de la cocina, resolviendo el crucigrama del periódico.

—Piensa acerca de venir con nosotros en el barco el veinte de julio, Dolores —me dijo—. Créeme que será mucho más agradable en el mar que en ese techo caliente.

—Gracias, Vera, pero si tengo ese día libre, no creo que vaya a ninguno de los dos lugares... me quedo en casa.

—¿Te ofenderías si te digo que eso se oye muy aburrido? —me preguntó, mirándome.

"¿De cuando acá te preocupas de haberme ofendido a mí o a cualquier otro, perra hocicona?", pensé, pero claro que no lo dije. Además, ella se veía preocupada cuando pensó que me iba a desmayar, aunque también podía ser que tenía miedo de que me cayera de narices y le llenara de sangre el piso de la cocina, que yo enceré el día anterior.

—No —contesté—. Así soy yo, Vera, aburrida como lavar platos.

Me miró de un modo extraño:

—¿Eres así? A veces pienso que sí... y a veces me lo pregunto.

Me despedí y me fui a casa, dándole vueltas a la idea en el camino, buscando puntos débiles. No encontré ninguno: sólo "tal vez", y los "tal vez" son parte de la vida, ¿o no? Siempre se puede tener mala suerte, pero si la gente se preocupa de eso demasiado, no se podría hacer mucho. "Además", pensé, "si las cosas van mal, siempre puedo arrepentirme. Lo puedo hacer casi hasta el final".

Pasó mayo, vino y se fue el Día del Soldado Caído, y empezaron las vacaciones de la escuela. Me preparé para detener a Selena si me empezaba a fastidiar con lo de trabajar en el Harborside, pero antes de que tuviéramos la primera discusión, pasó la cosa más maravillosa. El reverendo Huff, que entonces era el ministro metodista, vino a platicar con Joe y conmigo. Dijo que el campamento de verano de la iglesia metodista de Winthrop necesitaba dos muchachas instructoras para enseñar natación. Bueno, pues Selena y Tanya Caron nadaban como peces, Huffy lo sabía, y para no hacer muy largo el cuento, Melissa Caron y yo llevamos a nuestras hijas al trasbordador una semana después de fin de clases: ellas dos despidiéndose desde el barco, nosotras despidiéndonos desde el muelle, y las cuatro llorando como locas. Selena tenía puesto para el viaje un bonito vestido rosa, y fue la primera vez que pude ver en qué clase de mujer se convertiría. Casi me partió el alma, y todavía es así. ¿Alguno de ustedes tiene un pañuelo?

Gracias, Nancy, muchas gracias. ¿Dónde estaba yo? Ah, sí.

Selena ya estaba bien cuidada; sólo quedaban los niños. Hice que Joe llamara a su hermana en New Gloucester y le preguntara si ella y su marido tendrían inconveniente en tenerlos durante las tres últimas semanas de julio y la primera de agosto, igual que sus dos pequeñas fieras estuvieron con nosotros un par de veranos cuando eran más chicos. Pensé que Joe haría problemas si mandábamos al pequeño Pete, pero no fue así: supongo que pensó en la calma que habría en la casa si se iban los tres y le gustó la idea.

Alicia Forbert (ése era el nombre de casada de su hermana) dijo que estaría encantada de recibir a los niños. Tengo la idea de que Jack Forbert estaba un poco menos encantado que ella, pero Alicia lo convenció, así que no hubo mucho problema, al menos no por ese lado.

El problema fue que ni Joe junior ni el pequeño Pete tenían muchas ganas de ir. Tenían razón, porque los hijos de los Forbert ya eran adolescentes y no tendrían muchas ganas de pasar el rato con dos mocosos como ellos. Pero no por eso me olvidaría de todo; no *podía* olvidarme de todo. Al final, me puse terca y los obligué. De los dos, Joe junior fue el que se puso más duro. A fin de cuentas lo llevé a un lado y le dije: "Piensa que éstas son unas vacaciones de tu padre". Eso lo convenció mejor que nada, y la verdad es que, pensándolo bien, es algo muy triste, ¿verdad?

Una vez que dejé arreglado el viaje de verano de los muchachos, no hubo nada más que hacer que esperar a que se fueran, y creo que a fin de cuentas estaban contentos de irse. Desde el Día de la Independencia Joe estaba bebiendo mucho, y creo que ni siquiera al pequeño Pete le gustaba estar cerca de él.

Para mí no fue sorpresa que bebiera; yo lo ayudé a que lo hiciera. La primera vez que abrió el cajón bajo el fregadero de la cocina y vio una botella nueva de whisky, le pareció extraño: recuerdo que me preguntó si me pegué en la cabeza o algo así. Pero después de eso ya no volvió a hacer preguntas. ¿Para qué habría de hacerlas? Desde el Día de la Independencia hasta el día en que murió, Joe St. George ya estaba mal parte del tiempo, y muy mal el resto del tiempo, y un hombre en esas condiciones no tarda en pensar que su buena suerte es uno de sus derechos constitucionales... especialmente un hombre como Joe.

Eso a mí me venía bien, pero durante los días anteriores al cuatro de julio, la semana antes de que los muchachos se fueran y una semana después, no fue lo que se llama agradable, sino que fue lo mismo. Me iba a trabajar a casa de Vera a las siete, y aquél estaba tumbado en la cama como un costal de queso agrio, roncando y con el pelo desgreñado. Regresaba a la casa a las dos o tres y él estaba en el porche (había sacado su mecedora desvencijada a la terraza), con su periódico en una mano y su segundo o tercer trago del día en la otra. Nunca tuvo compañía para ayudarlo con el whisky: mi Joe no tenía lo que se llama un corazón generoso.

Durante todo julio apareció casi diario en el periódico que leía un artículo del eclipse en la primera página, pero creo que aunque se la pasaba todo el día leyéndolo, Joe sólo tenía una idea muy confusa de que a fin de mes pasaría algo fuera de lo común. Es que a él le importaban un pito esas cosas. Lo que a Joe le importaba eran los comunistas y el movimiento de los "cabrones negros" y ese "maldito católico de la Casa Blanca que tanto quiere a los judíos". Si hubiera sabido lo que le pasaría a Kennedy cuatro meses después, creo que se habría muerto contento. Así de malo era él.

De todos modos yo me sentaba junto a él y lo oía rezongar de las cosas que había leído ese día en el periódico. Quería que se acostumbrara a tenerme cerca de él cuando regresaba a casa, pero sería mentira si les dijera que era muy fácil hacerlo. No me habría importado que bebiera, si tuviera un ánimo más alegre cuando lo hacía. Algunos hombres son así, yo sé, pero Joe no era uno de ellos. La bebida le sacaba lo que había de mujer en él, y la mujer que tenía Joe adentro era una que estaba dos días antes de tener la regla.

Pero conforme se acercaba el gran día, terminar el trabajo con Vera empezó a ser un alivio aun cuando regresara a una casa donde tenía un marido borracho y apestoso. Ella pasó todo junio dando vueltas, hablando todo el día de esto y aquello, revisando y vuelta a revisar su equipo del eclipse, y llamando a la gente por teléfono: durante la última semana de junio llamaba por lo menos dos veces al día a la compañía que se encargaba de su excursión en el trasbordador, y ése era sólo un punto en su agenda del día.

En junio tuve seis muchachas trabajando conmigo, y ocho después del cuatro de julio; Vera nunca tuvo tantas criadas en la casa, ni antes ni después de que su marido muriera. La casa estaba reluciente de pies a cabeza, y todas las camas estaban hechas. Vaya, si hasta puso camas temporales en el solario y en el porche del segundo piso. Ella esperaba por lo menos una docena de invitados para el fin de semana del eclipse, y a veces hablaba de veinte. El día no tenía suficientes horas para ella, que se la pasaba corriendo como Moisés en una motocicleta, pero estaba muy contenta.

160

Entonces, justo cuando estaba empacando las cosas de los niños para que salieran con su tía Alicia y su tío Jack, más o menos el diez o el once de julio, y una semana antes del eclipse, se le acabó el buen humor.

¿Se le acabó? No. No fue así. Se le *reventó*, como si fuera un globo al que hubieran pinchado con un alfiler. Un día volaba como un avión; al siguiente tenía las comisuras de los labios para abajo y en los ojos tenía esa mirada mala y extraña que le conocía desde que empezó a pasar tanto tiempo sola en la isla. Ese día despidió a dos muchachas, a una por pararse en un colchón para lavar las ventanas de la sala, a la otra por reírse en la cocina con uno de los proveedores. Fue muy feo cuando despidió a la segunda muchacha, porque ésta empezó a llorar. Le dijo a Vera que conocía al proveedor de la preparatoria y no lo había visto desde entonces y quería recordar un poco de los viejos tiempos. Le dijo que estaba muy apenada y le suplicó que no la despidiera; también le dijo que su mamá se enojaría más que una gallina mojada si la despedían.

Pero eso no le importó a Vera:

—Velo por el lado bueno, mi amor —le dijo con su voz más hijoputesca—. Tu mamá se va a enojar, pero tu vas a tener *mucho* tiempo para hablar de lo mucho que te divertiste en la preparatoria de Jonesport.

La muchacha (era Sandra Mulcahey) se fue por el camino con la cabeza baja, sollozando como si se le fuera a romper el corazón. Vera se quedó parada en la sala, un poco agachada para verla desde la ventana de la puerta de entrada. Tuve cosquillas en el pie para patearle el culo cuando la vi parada así... pero también me sentí un poco triste por ella. No era difícil adivinar qué fue lo que le cambió el humor, y muy poco después ya lo sabía bien a bien: después de todo, sus hijos no vendrían a ver el eclipse con ella, aunque hubiera fletado el trasbordador. Tal vez era porque ellos habían hecho otros planes, como los hijos lo hacen sin pensar ni un poquito en los sentimientos de sus padres, pero yo supongo que lo que andaba mal entre ellos seguía estando mal.

El humor de Vera mejoró cuando el dieciséis o diecisiete apareció el primero de sus invitados, pero a mí me seguía dando gusto regresar a casa todos los días, y el jueves dieciocho despidió a otra muchacha, a Karen Jolander. Su crimen fue tirar un plato que de por sí estaba quebrado. Karen no lloró cuando se fue por el camino, pero se podía adivinar que se estaba aguantando hasta el primer recodo para soltarlo todo.

Bueno, pues yo también hice una estupidez, pero recuerden que por entonces yo estaba muy nerviosa. Me las ingenié para esperar a que por lo menos Karen se perdiera de vista, pero entonces salí a buscar a Vera. La encontré en el jardín trasero. Se había calado tanto el sombrero de paja que el ala le tocaba las orejas, y daba unos cortes con esas tijeras jardineras que se podía pensar que era Salomé cortando cabezas en vez de Vera Donovan que cortaba rosas para la sala y el comedor.

Caminé hasta ella y le dije:

—Eso que hiciste es una cosa mala, despedir a esa muchacha así nomás.

Se enderezó y me lanzó su mejor mirada de dama-dueña-de-la-mansión:

—¿Así lo crees? Estoy tan complacida de que me des tu opinión, Dolores. Sabes que la necesito muchísimo; cada noche, cuando me acuesto a dormir, yazco en la oscuridad, recordando el día que terminó y haciéndome la misma pregunta conforme cada evento pasa frente a mis ojos: "¿Qué habría hecho en mi lugar Dolores St. George?"

Pues eso me enojo todavía más:

—Yo te voy a decir lo que Dolores Claiborne *no* hace —le dije— y es que no me desquito con los demás cuando estoy enojada o decepcionada por algo. Yo creo que no soy una cabrona de muchos vuelos para hacer eso.

Se le abrió la boca como si alguien le hubiera sacado los tornillos que le sostenían la quijada. Estoy segura de que ésa fue la primera vez que le di una sorpresa, y me fui corriendo, antes de que ella se diera cuenta de lo asustada que estaba yo. Las piernas me temblaban tanto cuando llegué a la cocina que tuve que sentarme, y pensé: "Dolores, estás loca, retorciéndole la cola así". Me alcé lo suficiente para mirar por la ventana del fregadero, pero ella estaba de espaldas y trabajaba con las tijeras otra vez; las rosas caían en su canasta como soldados muertos con las cabezas sangradas.

Esa tarde me estaba preparando para ir a casa cuando de pronto la oí y me dijo que esperara un minuto, porque quería hablar conmigo. Sentí que el corazón se me hundió hasta los zapatos. No tenía duda de que me había llegado la hora: me diría que ya no necesitaba de mis servicios, me lanzaría la última de sus miradas bésame-las-nalgas, y yo me iría por el camino, por última vez. Ustedes pensarán que sería un alivio terminar con ella, y supongo que de algún modo lo era, pero de todos modos sentí un dolor en el pecho. Yo tenía treinta y seis años, trabajaba muy duro desde los dieciséis, y nunca me habían despedido de un trabajo. Pero de todos modos, hay cierta clase de hijoputeces que uno no puede aguantar, y estaba tratando de hacer eso con todas mis fuerzas cuando me volteé a mirarla.

Pero cuando la **vi** a la cara, supe que no había venido a despedirme. Se había quitado todo el maquillaje que se puso por la mañana, y por la forma en que tenía hinchados los párpados pensé que había dormido una siesta o había llorado. Tenía una bolsa de papel de conservas en los brazos, y me los dio casi a fuerzas.

—Toma —me dijo.

—¿Qué es? —le pregunté.

—Dos anteojos para el eclipse y dos cajas reflectoras —me informó—. Pensé que les gustarían a ti y a Joe. Resulta que tenía... —dejó de hablar, y tosió en su puño antes de verme directo a los ojos. Si hay algo que le admiraba, Andy, es que no importaba lo que dijera ni lo difícil que fuera decirlo, siempre te miraba de frente cuando lo hacía—: Resulta que tenía dos pares de más de cada uno —concluyó.

—¿Ah, sí? —la interrogué—. Me apena oír eso.

Hizo un gesto como si lo que dije fuera una mosca que estaba espantando y luego me preguntó si había cambiado de opinión acerca de ir en su excursión en el trasbordador.

—No —le contesté—. Yo creo que me pondré los anteojos en mi propia terraza y lo veré con Joe desde ahí. Si él se porta como un salvaje, me voy a verlo desde Punta Este.

—Hablando de portarse como un salvaje —me comentó, todavía viendo de frente—. Quiero disculparme por lo de esta mañana... y pedirte que llames a Mabel Jolander para decirle que cambié de opinión.

Ella necesitó de todas sus fuerzas para poder decir eso, Andy... tú no la conociste como yo, así que tendrás que creerme, pero le tomó lo que se llama *todas* sus fuerzas. Cuando se trataba de disculparse, Vera Donovan era algo así como un abstemio.

—Claro que sí —afirmé, hablándole suavecito. Casi le toqué la mano, pero al final no lo hice—. Sólo que se llama Karen, no Mabel. Mabel trabajó aquí hace seis o siete años. Dice su mamá que ahora está en New Hampshire, que trabaja para la compañía de teléfonos y que le va muy bien.

—Karen, entonces —expresó—. Dile que regrese. Sólo dile que cambié de parecer, Dolores; ni una palabra más. ¿Entendiste?

—Sí —le digo—. Y gracias por las cosas del eclipse. Yo creo que las voy a necesitar.

—De nada —me responde. Abrí la puerta para salir y ella me llamó—: ¿Dolores?

Miré por encima del hombro, y me hizo un gesto raro, como si supiera de cosas que no tenía por qué saber.

—A veces tienes que ser una cabrona de muchos vuelos para sobrevivir —me advirtió—. A veces ser una cabrona es todo lo que le queda a una mujer —y luego me cerró la puerta en la cara... pero muy suave. No dio un portazo.

Muy bien; viene entonces el día del eclipse, y si les voy a contar lo que pasó, *todo* lo que pasó, no lo voy a decir en seco. Mi reloj me dice que tengo casi dos horas hablando, lo suficiente como para quemarle el aceite al motor de cualquiera, y todavía me falta mucho para terminar. Así que te voy a decir una cosa, Andy: o compartes una medida de la botella de whisky que tienes en el cajón, o lo dejamos por esta noche. ¿Qué dices?

Muy bien... gracias. ¡Vaya, eso sí que cae bien! No, guárdala. Una es suficiente para arrancar la bomba. Con dos se te inunda la tubería.

Muy bien... comenzamos otra vez.

En la noche del diecinueve me acosté a dormir tan preocupada que casi estaba enferma del estómago, porque en el radio dijeron que a lo mejor llovería. Yo había estado tan ocupada planeando lo que iba a hacer y dándome valor que ni siquiera me pasó por la cabeza que podría llover. "Esta noche sólo voy a dar vueltas", pensé cuando me acosté, y luego pensé: "No, Dolores, y te voy a decir por qué: no puedes hacer nada con el clima, y de todos modos no importa. Ya sabes que estás decidida a acabarlo aunque llueva como el carajo todo el día. Ya fuiste muy lejos como para arrepentirte. Y yo *sabía* eso, así que cerré los ojos y me quedé bien dormida.

El sábado, veinte de julio de 1963, amaneció con calor, nublado y bochornoso. En el radio dijeron que después de todo no llovería, a menos que se tratara de unas lloviznas por la tarde, pero que estaría nublado la mayor parte del día y que la posibilidad de que las comunidades de la costa vieran el eclipse era del cincuenta por ciento.

De todos modos fue como si se me hubiera quitado un peso de los hombros, y cuando fui a casa de Vera a ayudarla a servir el buffet que tenía planeado, tenía la cabeza tranquila y sin preocupaciones. Es que no me importaba que estuviera nublado; ni siquiera si lloviznaba. Mientras no hubiera una tormenta, la gente del hotel estaría en el techo y la gente de Vera estaría en el mar, todos ellos esperando a que hubiera aunque fuera un claro en las nubes para poder ver lo que ya no sucedería otra vez en sus vidas... por lo menos no en Maine. Ya saben que la esperanza es una fuerza muy poderosa en la naturaleza humana. Nadie sabe eso mejor que yo.

Recuerdo que al final Vera tuvo unos dieciocho invitados la noche de ese viernes, pero en el buffet del sábado por la mañana había más, unos treinta o cuarenta. El resto de la gente que iría con ella en el barco (y casi todos eran gente de la isla) se empezarían a reunir en el muelle principal a la una de la tarde, y el viejo *Princess* zarparía hacia las dos. Para cuando el eclipse empezara, más o menos a las cuatro y media, seguro que ya estarían vacíos los primeros dos o tres barriles de cerveza.

Yo pensaba que encontraría a Vera con los nervios de punta, pero a veces pienso que ella hizo toda una carrera con todas las sopresas que me dio. Ella tenía puesta una cosa ondulante roja y blanca que parecía más una capa que un vestido, creo que se llama caftán, y se peinó el pelo hacia atrás con una cola de caballo que no se parecía en nada a los peinados de cincuenta dólares que usaba en ese entonces.

Rondó y rondó por la mesa del buffet que se puso en el prado trasero junto a los rosales, hablando y riendo con todos sus amigos, casi todos de Baltimore, a juzgar por la forma en que se veían y oían, pero ese día ella estaba muy distinta de la última semana antes del eclipse. ¿Recuerdan que les dije que volaba de un lado a otro como avión? El día del eclipse parecía mas una mariposa que visitaba a un montón de flores, y su risa no era ni molesta ni fuerte.

Me vio traer una charola de huevos revueltos y se apuró a darme instrucciones, pero ya no caminaba como en los días anteriores, como si de veras quisiera correr, y tenía una sonrisa en los labios. Pensé: "Está feliz, eso es todo. Aceptó que sus hijos ya no van a venir y decidió que de todos modos puede ser feliz." Y eso *era* todo... a menos que la conocieran y supieran lo difícil que era para Vera Donovan ser feliz. Te voy a decir algo, Andy... la conocí otros treinta años, pero creo que no la volví a ver feliz. Contenta, sí, y resignada, pero... ¿Feliz? ¿Radiante y feliz como una mariposa en un campo de flores en una tarde cálida de verano? No creo.

—¡Dolores! —me llamó—. ¡Dolores Claiborne! —sólo hasta mucho después me di cuenta de que me había

167

llamado por ni nombre de soltera, cuando Joe todavía estaba vivito y coleando esa mañana, y nunca lo había hecho antes. Cuando me *di cuenta* comencé a temblar, en la forma en que se dice que lo haces cuando un ganso pasa por el lugar donde estará tu tumba.

—Buenos días, Vera —le contesté—. Lástima que el día esté tan gris.

Ella miró hacia el cielo, que estaba lleno de nubes de verano, bajas y húmedas, y sonrió:

—El sol saldrá a las tres de la tarde —vaticinó.

—Se oye como si lo hubieras ordenado —le advertí.

Claro que yo sólo estaba de broma, pero ella me miró muy seria y me dijo:

—Sí, eso es lo que hice. Ahora corre a la cocina, Dolores, y ve a ver por qué ese estúpido proveedor todavía no ha traído una jarra de café.

Hice lo que me dijo, pero antes de dar cuatro pasos hacia la puerta de la cocina, me llamó de la misma manera que lo hizo dos días antes, cuando me dijo que una mujer debe ser una cabrona para sobrevivir. Me volteé hacia ella pensando que me diría la misma cosa otra vez. Pero no lo hizo. Estaba parada con su bonito vestido de tienda de campaña roja y blanca, con las manos en las caderas y esa cola de caballo sobre un hombro, y con esa luz de la mañana no parecía tener más de veintiún años.

—¡El sol va a salir a las tres, Dolores! —repitió—. ¡Ya verás si no es cierto!

El buffet terminó a las once, y las muchachas y yo tuvimos la cocina para nosotras solas a mediodía. El organizador del banquete y su gente ya se habían ido al *Island Princess* para preparar el segundo acto. Vera salió algo tarde, a las doce y cuarto, y ella misma llevó al muelle a los últimos tres o cuatro de sus invitados en la camioneta Ford que tenía en la isla. Yo me quedé lavando hasta la una, y entonces le dije a Gail Lavesque, quien ese día era más o menos mi segunda de a bordo, que tenía un poco de dolor de cabeza y me sentía mal del estómago, y que me iba a la casa ahora que ya habíamos terminado con lo más difícil. Al salir, Karen Jolander me abrazó y me agradeció. Otra vez estaba llorando. Les juro que en todos los años que tengo de conocerla, a esa muchacha no le dejan de gotear los ojos.

—Yo no sé con quién has estado hablando, Karen —le manifesté—. Pero no hay nada que agradecerme... Yo no hice lo que se llama nada.

—Nadie me dijo nada —me advirtió—. Pero sé que fue usted, seño St. George. Nadie más se atreve a hablarle a la dragona.

Le di un beso en la mejilla y le dije que yo pensaba que no tenía de qué preocuparse mientras no se le cayeran más platos. Luego me fui a la casa.

Recuerdo cada cosa que pasó, Andy... *cada cosa...* pero desde que salí del camino de Vera y entré a la Avenida Central, es como recordar las cosas que pasaron en el sueño más claro y real que hayas tenido en tu vida. Pensaba todo el tiempo: "Voy a la casa a matar a mi marido, Voy a la casa a matar a mi marido", como si quisiera clavarlo en mi cabeza, de la misma forma en que quieres clavar un clavo en una madera muy dura, como caoba o teca, si insistes mucho. Pero ahora que lo recuerdo, creo que ya lo tenía en la cabeza todo el tiempo. Era mi *corazón* el que no quería entenderlo.

Aunque apenas era la una y cuarto o algo así cuando llegué al pueblo y todavía faltaban tres horas para que empezara el eclipse, las calles estaban tan vacías que daba miedo. Me hizo pensar en los pueblos en la parte sur del estado, donde dicen que nadie vive ahí. Luego miré hacia el techo del hotel Harborside, y eso me dio todavía más miedo. Yo creo que ya había ahí más de cien personas, caminando y viendo el cielo como granjeros en temporada de siembra. Miré hacia el muelle y vi ahí el *Princess*, con la plataforma bajada y la cubierta para los coches llena de gente en vez de coches. Se paseaban ahí con bebidas en la mano, como si estuvieran en un coctel al aire libre. El muelle estaba atestado de gente y había unas quinientas lanchas (más de las que nunca había visto hasta entonces) en el mar, ancladas y esperando. Y parecía que todos los que veías, así estuvieran en el techo del hotel o en el muelle principal o en el *Princess*, estaban usando lentes oscuros y deteniendo visores de cristales ahumados o cajas reflectoras. Nunca ha habido un día como ese en la isla, ni antes ni después, y aunque no hubiera tenido en la cabeza lo que *tenía* en la cabeza, creo que de todos modos me hubiera parecido un sueño.

Con eclipse o sin eclipse, el almacén estaba abierto. Yo creo que *ese* tipo va a hacer negocio hasta en la mañana del Apocalipsis. Pasé por ahí, compré una botella de Johnnie Walker etiqueta roja y luego caminé por la avenida Este hacia la casa. Primero que nada le di la botella a Joe: no hice ningún alboroto con eso, sólo se la dejé caer en las piernas. Luego entré a la casa y saqué la bolsa que me dio Vera, donde estaban los visores del eclipse y las cajas reflectoras. Cuando volví a salir al porche trasero, él detenía la botella de whisky muy arriba, para poder ver el color.

—¿La vas a admirar o te la vas a tomar? —le pregunté.

Me miró, como sospechando, y me dijo:

—¿Se puede saber qué carajo *es* esto, Dolores?

—Es un regalo para celebrar el eclipse —le aseguré—. Si no la quieres, la puedo vaciar en el fregadero.

Hice como si la fuera a tomar y él la movió muy rápido.

—De un tiempo acá me das muchos regalos —afirmó—. No podemos estar gastando en cosas como esta, eclipse o no —pero eso no impidió que cortara el sello con su navaja; ni siquiera pareció que tardara más tiempo.

—Pues, para decir la verdad, no es sólo el eclipse —le dije—. Me he sentido tan bien y tan aliviada que quiero que alguien comparta mi felicidad. Y como me di cuenta de que casi todo lo que *te* hace feliz sale de una botella...

Lo vi quitar la tapa y servirse un trago. La mano le temblaba un poco, y no me dio lástima verlo. Mientras más pedo estuviera, mejores oportunidades tenía yo.

—¿Qué es lo que *te* tiene tan contenta? —me preguntó—. ¿Es que alguien inventó una pastilla para curarte lo fea?

—Es horrible decirle eso a alguien que te compró una botella de whisky bueno —le dije—. Tal vez *debería* vaciarlo en el fregadero —traté de tomarla y él la volvió a mover.

—Seguro que sí —advirtió.

—Entonces pórtate bien —le dije—. ¿Qué pasó con toda la gratitud que se supone que te enseñaron en tu Alcohólicos Anónimos?

No le importó eso; sólo se me quedó viendo como si fuera un cajero que está tratando de saber si le dieron un billete falso:

—¿Qué te hace sentir tan jodidamente bien? —me preguntó otra vez—. Son los mocosos, ¿verdad? Que no estén en la casa.

—No. Ya los extraño —le contesté. Y era la verdad.

—Sí. Te creo —me aseguró, y se tomó su trago—. ¿Qué es, entonces?

—Ya lo sabrás —le respondí, y me paré.

Me tomó del brazo y exclamó:

—Dímelo ahora, Dolores. Ya sabes que no me gusta cuando te pones fresca.

Lo miré desde arriba y le dije:

—Será mejor que me quites la mano de encima, o esa botella de whisky caro terminará estrellada en tu cabeza. No quiero pelear contigo, Joe, especialmente hoy. También traje salami, queso suizo y galletas saladas.

—¡Galletas saladas! —me gritó—. ¡Por Dios, mujer!

—No importa —acepté—. Voy a preparar un plato de *hors d'oeuvres* tan buenos como los que van a comer los invitados de Vera en el trasbordador.

—Esa comida tan elegantiosa me da asco —masculló—. No me importa que sea de ovarios de caballo. Sólo hazme un sandwich.

—Está bien. Te lo hago.

Para entonces ya estaba viendo hacia el mar, tal vez se le ocurrió hacerlo cuando le mencioné el trasbordador, con el labio inferior salido en esa forma fea en que lo hacía. Había más lanchas que nunca, y me pareció que el cielo sobre ellas se despejaba un poco.

—¡Míralos! —dijo en su forma burlona, la que su hijo menor tanto trataba de copiar—. No va a pasar nada, sólo como si fueran nubes que pasaran por el sol, y aquéllos se van a emocionar tanto que se mearán en los pantalones. ¡Ojalá llueva! ¡Ojalá llueva tan fuerte que la puta rica con la que trabajas se ahogue, y también sus invitados!

—Ése es mi Joe —exclamé—. Siempre tan alegre y tan generoso.

Se me quedó viendo, agarrado a esa botella de whisky contra su pecho como un oso con un pedazo de panal:

—En nombre de Cristo, ¿se puede saber qué te traes, mujer?

—Nada —le respondí—. Voy adentro a preparar la comida... un sandwich para ti y unas *hors d'oeuvres* para mí. Luego nos sentaremos y nos tomaremos unos tragos y veremos el eclipse. Vera nos mandó a cada uno visores y esas cajas reflectoras o como se llamen. Cuando se termine, te diré qué es lo que me tiene tan contenta. Es una sorpresa.

—No me gustan las putas sorpresas —me dice.

—Ya sé que no —le contesté—. Pero esta te va a encantar, Joe. No te la imaginarías ni en mil años —entonces entré a la cocina para que él bebiera bien de la botella que le traje del almacén. Quería que la disfrutara... de verdad lo quería. Después de todo, era el último licor que tomaría. Ya no necesitaría de Alcohólicos Anónimos para dejar de beber. No en el lugar a donde iría.

Fue la tarde más larga de mi vida, y también la más extraña. Ahí estaba él, sentado en el porche en su mecedora, con el periódico en una mano y un trago en la otra, rezongando junto a la ventana de la cocina sobre algo que los demócratas estaban tratando de hacer en Augusta. Se olvidó de tratar de saber lo que me tenía tan contenta y también del eclipse. Yo estaba en la cocina, haciéndole un sandwich, tarareando una canción, y pensando: "Hazle un buen sandwich, Dolores... pon un poco de la cebolla roja que tanto le gusta y una pizca de mostaza para que quede un poco picante. Hazlo bien, porque es lo último que va a comer en su vida".

Desde donde yo estaba parada, podía ver el contorno del cobertizo, la roca blanca y el borde de los matorrales de zarzamora. Todavía estaba ahí el pañuelo que amarré en uno de los matorrales; también podía ver eso. Se bamboleaba con la brisa. Cada vez que lo hacía, pensaba en el borde esponjoso que estaba justo abajo.

Recuerdo cómo cantaron los pájaros esa tarde, y que podía oír a algunas personas en el mar que se gritaban unas a otras, sus voces muy pequeñas y lejanas: parecían voces en el radio. Incluso recuerdo la canción que tarareaba: *Amazing Grace, how sweet the sound*. La tarareé mientras preparé mis galletas con queso (las quería tanto como una gallina quiere a una bandera, pero no quería que Joe se preguntara por qué yo no comía).

Tal vez eran las dos y cuarto cuando salí al porche con la charola de comida balanceada en una mano, como una mesera, y la bolsa que me dio Vera en la otra. El cielo estaba nublado, pero se notaba que se había despejado un poco.

Resultó ser un buen almuerzo. Joe no era muy bueno para los cumplidos, pero por la forma en que puso a un lado el periódico y miraba el sandwich mientras se lo comía, me di cuenta de que le gustó. Recordé algo que leí en un libro o vi en el cine: "El condenado comió una comida sustanciosa". En cuanto se me metió eso en la cabeza, no me lo pude sacar.

Pero eso no me detuvo de comerme lo que yo me preparé; en cuanto empecé, seguí hasta que me terminé la última de esas galletas con queso, y también me tomé toda una botella de Pepsi. Una o dos veces pensé si los verdugos tienen buen apetito en los días en que tienen que hacer su trabajo. Es chistoso lo que pasa por la mente de una persona que está nerviosa por algo que tiene que hacer, ¿verdad?

El sol salió entre las nubes justo cuando terminamos. Pensé en lo que Vera me dijo esa mañana, miré mi reloj, y sonreí. Eran las tres de la tarde en punto.

Más o menos en ese momento, Dave Pelletier (que en esos tiempos se encargaba de repartir el correo en la isla) manejaba hacia el pueblo, rápido como si el diablo lo persiguiera, y levantando una cola de polvo detrás de él. No volví a ver otro coche en la avenida Este sino hasta mucho después de oscurecer.

Puse los platos y mi botella vacía en la charola, y los ordené ahí. Antes de pararme, Joe hizo algo que no había hecho en años: ponerme una mano en la nuca y darme un beso. No es que haya sido el mejor beso, porque el aliento le olía a alcohol y cebolla y salami y no se había afeitado, pero de todos modos era un beso, y me lo dio sin maldad ni por compromiso. Sólo se trataba de un bonito beso, y yo no podía recordar la última vez que me dio uno. Cerré los ojos y lo dejé besarme. Recuerdo eso... que cerré los ojos y sentí sus labios en los míos y el sol en la frente. Uno era tan tibio y bonito como el otro.

—No estuvo mal, Dolores —me comentó. Viniendo de él, era todo un elogio.

Durante un segundo me sentí indecisa: no voy a decirles que no. Fue durante ese segundo cuando Joe no fue el tipo que manoseaba a Selena, sino el que tenía la frente que me gustaba en la escuela, en 1945... le veía la frente y quería que me besara igual que como me había besado ahora; la forma en que pensaba: "Si me besara, le tocaría la piel de la frente... para ver si la tiene tan suave como parece".

Alcé la mano y se la toqué, igual que como soñaba hacerlo tantos años antes, cuando yo no era más que una chiquilla, y en cuanto lo hice, ese ojo de adentro se abrió más que nunca. Lo que vio fue lo que haría después si se lo permitía: no sólo tomar lo que quería de Selena, o gastar el dinero que robó de las cuentas de ahorros de sus hijos, sino también *lo que haría* de ellos: acomplejar a Joe junior por sus buenas calificaciones y porque le gustaba la historia; darle palmadas en la espalda al pequeño Pete cada vez que le decía "judío" a alguien o decía que uno de sus compañeros de clase era tan flojo como un negro; todo el tiempo sobre ellos, todo el tiempo. Eso es lo que haría de ellos: los acabaría o los consentiría, si se lo permitía, y al final se moriría y nos dejaría sin otra cosa que deudas y un hoyo para enterrarlo.

Pues *yo* tenía un hoyo para él, uno de diez metros de hondo en vez de dos, y revestido con piedras del campo además de sólo tierra. Vaya que tenía un hoyo para él, y no iba a cambiar de opinión porque me diera un beso después de tres años o quizá hasta cinco. Tampoco cambié de opinión por tocarle la frente, que era la causa de mis problemas, más de los que me habían hecho sus cosas de quejas... pero igual se la volví a tocar; le pasé un dedo por la frente y pensé en la forma en que me besó en el baile de graduación mientras la orquesta tocaba *Moonlight Cocktail*, y que cuando lo hizo pude oler en sus cachetes la loción de su padre.

Luego se me endureció el corazón.

—Estoy contenta —le anuncié, y volví a recoger la charola—. ¿Por qué no ves lo que puedes hacer con esos visores y las cajas reflectoras mientras yo lavo los platos?

—Me importa medio carajo lo que te haya dado esa puta rica —me dijo— y también me importa un carajo el eclipse. Ya he visto antes que se ponga oscuro. Eso pasa todas las noches.

—Está bien —acepté—. Como tú quieras.

Cuando llegué a la puerta me dijo:

—Quizá después podemos hacer algo de arrumaco. ¿Qué te parece, Dee?

176

—Quizá —le contesté, pensando todo el tiempo que de verdad habría montones de arrumacos. Antes de que oscureciera por segunda vez ese día, Joe St. George recibiría más arrumacos de los que había soñado en su vida.

No dejé de mirarlo mientras estaba parada junto al fregadero lavando los platos. Durante años no había hecho otra cosa en la cama que dormir, roncar y pedorrearse, y creo que sabía tan bien como yo que la bebida tenía tanto que ver con eso como mi cara fea... tal vez más. Tenía miedo de que la idea de hacer arrumacos después lo haría ponerle el tapón a la botella de Johnnie Walker, pero no tuve tan mala suerte. Para Joe, coger (disculpa mi forma de hablar, Nancy) no era más que un capricho, como lo fue el darme un beso. La botella era más real para él. La botella estaba ahí mismo, para cuando él quisiera. Ya había sacado uno de los visores de la bolsa y lo sostenía por la manija, dándole vueltas, mirando al sol con ellos. Me recordó algo que había visto en la televisión: un chimpancé tratando de sintonizar un radio. Luego puso el visor a un lado y se sirvió otro trago.

Cuando regresé al porche con mi canasta de costura, me di cuenta de que ya tenía esa mirada de lechuza, con los ojos rojos que tenía cuando pasaba de ponerse alegre a tener el tanque lleno. Pero se me quedó viendo directo a los ojos, pensando que lo fastidiaría.

—No te preocupes por mí —le manifesté, más dulce que un pastel—. Yo sólo me voy a sentar aquí, para hacer unos remiendos y esperar a que empiece el eclipse. Qué bueno que salió el sol, ¿verdad?

—Por Dios, Dolores, yo creo que piensas que hoy es mi cumpleaños —me asegura. Ya tenía la voz ronca y pastosa.

—Pues... quizá hay algo de eso —le argumenté, y empecé a remendar un agujero en uno de los pantalones del pequeño Pete.

La siguiente hora y media pasó más lenta que cuando yo era una niña y mi tía Cloris me prometió pasar por mí para llevarme por primera vez al cine en Ellsworth. Terminé el remiendo en los pantalones del pequeño Pete, cosí parches en dos pares de pantalones de algodón de Joe junior (ya desde entonces no había forma de que ese muchacho usara pantalones de mezclilla: yo creo que ya desde entonces le rondaba por la cabeza ser político cuando fuera grande), y cosí dobladillos en dos faldas de Selena. Lo último que hice fue coser una nueva bragueta en uno de los dos o tres pantalones finos de Joe. Estaban viejos pero no muy gastados. Recuerdo que pensé que lo enterrarían con uno de ellos.

Entonces, justo cuando pensé que no pasaría nunca, noté que la luz en mis manos disminuyó.

—¿Dolores? —me dijo Joe—. Creo que esto es lo que tú y el resto de los estúpidos han estado esperando.

—Ajá —exclamé—. Creo que sí —la luz del patio delantero pasó del amarillo fuerte que tiene en la tarde en julio a un rosa pálido, y la sombra de la casa sobre el camino tenía esa forma rara, como *delgada*, que nunca vi antes ni he visto otra vez.

Tomé una de las cajas reflectoras de la bolsa, la sostuve en la forma en que Vera me había enseñado más de cien veces en la última semana, y cuando lo hice pensé en la cosa más rara: esa niña también está haciendo esto. La que está sentada en las piernas de su papá. Ella está haciendo esto mismo.

En ese momento no supe qué quería decir eso, Andy, y tampoco lo sé ahora, pero te lo digo de todos modos, porque me decidí a decirte todo, y porque después he vuelto a pensar en ella. Pero en los siguientes dos o tres segundos no solo *pensé* en ella; la *vi*, como se ve a la gente cuando se sueña, o como yo creo que los profetas del Antiguo Testamento tenían sus visiones; una niña de unos diez años, con su propia caja reflectora en las manos. Tenía puesto un vestido con rayas rojas y amarillas, ya sabes, esos vestidos de verano con tirantes en vez de mangas, y con los labios pintados del color del caramelo de menta. Su pelo era rubio y peinado para atrás, como si quisiera parecer más grande de lo que era. También vi otra cosa, algo que me hizo pensar en Joe: la mano de su papá estaba en su pierna, muy arriba. Más arriba de lo que debía estar. Luego desapareció.

—¿Dolores?, ¿estás bien? —me preguntó Joe.

—¿Qué quieres decir? —le cuestioné de vuelta—. Claro que estoy bien.

—Por un minuto te pusiste rara.

—Es por el eclipse —le dije, y en verdad pienso que fue por eso, Andy, pero también creo que esa niña que vi entonces y después era una niña *real*, y que ella estaba sentada con su papá en alguna otra parte de la ruta del eclipse en el mismo momento en que yo estaba sentada en el porche con Joe.

Miré por la caja y vi un sol pequeñito y blanco, tan brillante que parecía una moneda de cincuenta centavos que se quemaba, con una curva oscura en un lado. La miré un rato, y luego miré a Joe. Miraba por uno de los visores.

—Me lleva... —masculló—. Sí está desapareciendo.

En ese momento los grillos comenzaron a cantar en el pasto; creo que decidieron que ese día anochecía temprano y que era tiempo de ponerse a cantar. Miré hacia el mar, donde estaban las lanchas, y noté que el agua donde flotaban era de un azul más oscuro, había algo en ellas que era hermoso pero que al mismo tiempo daba miedo. Mis sesos trataron de creer que todas esas lanchas que estaban bajo ese cielo de verano oscuro y raro eran sólo una alucinación.

Miré mi reloj: eran diez para las cinco. Eso quería decir que durante la hora siguiente todos en la isla no pensarían en otra cosa ni verían otra cosa. La avenida Este estaba vacía, muerta, nuestros vecinos estaban en el *Island Princess* o en el techo del hotel, y si tenía pensado liquidarlo, entonces había llegado el momento. Sentí como si tuviera las tripas enredadas en un resorte y que no podía sacarme de la cabeza lo que vi, lo de la niña sentada en las piernas de su papá, pero no podía dejar que ninguna de las dos cosas me detuviera o siquiera me distrajera ni por un minuto. Sabía que era ahora o nunca.

Puse la caja reflectora a un lado junto al costurero y dije:

—Joe.

—¿Qué? —me preguntó. Antes rezongaba del eclipse, pero ahora que había comenzado, parecía como si no pudiera quitarle los ojos. Tenía la cabeza echada para atrás y el visor del eclipse por el que estaba viendo le proyectaba una de esas sombras raras y pálidas en la cara.

—Llegó el momento de la sorpresa —le dije.

—¿Qué sorpresa? —me preguntó, y cuando bajó el visor, que tenía una doble capa de vidrio polarizado, para mirarme, me di cuenta de que después de todo no estaba fascinado con el eclipse, o por lo menos no completamente. Estaba a punto de ponerse pesado y estaba tan borracho que me asusté un poco. Si no entendía lo que le decía, mi plan estaba acabado antes de empezar. ¿Qué haría entonces? No sabía. Lo único que *sabía* me espantó: no me iba a echar atrás.

Aunque las cosas anduvieran mal ahora, o pasara algo muy malo después, no me iba a echar atrás.

Entonces estiró el brazo, me agarró el hombro y me sacudió:

—En nombre de Dios, ¿se puede saber de qué estás hablando, mujer? —me dijo.

—¿Te acuerdas del dinero en las cuentas de ahorros de los niños? —le pregunté.

Entrecerró los ojos, y entonces supe que no estaba, ni con mucho, tan borracho como yo pensaba. También entendí otra cosa: que el beso no había cambiado las cosas. Después de todo, cualquiera puede dar un beso; fue con un beso como Judas Iscariote delató a Jesús a los romanos.

—¿Qué con eso? —me dijo.

—Tú lo tomaste.

—¿Ah, sí?

—Sí —le contesté—. Después de que supe que manoseabas a Selena, fui al banco. Quería sacar el dinero para llevarme a los niños lejos de ti.

La boca se le abrió y por unos segundos se quedó así. Luego empezó a reírse: se recargó en su mecedora y soltó la carcajada mientras el cielo se ponía más y más oscuro.

—Pues... Te engañé, ¿eh? —masculló. Luego se sirvió un poco más de whisky y volvió a mirar el cielo con el visor. Ahora apenas si podía ver la sombra en su cara—. ¡Va a la mitad, Dolores! ¡A la mitad, quizá un poco más!

Miré por la caja reflectora y vi que tenía razón; sólo quedaba la mitad de la moneda de cincuenta centavos, y se desaparecía cada vez más:

—Ajá —exclamé—. La mitad, así es. Así que lo del dinero, Joe...

—Olvídate de eso —me dijo—. No preocupes tu cabecita por esas cosas. Ese dinero está bien.

—No, eso no me preocupa —le rebatí—. Ni un tantito. Pero la forma en que me engañaste... eso me pesa.

Asintió, como muy pensativo, como si me quisiera demostrar que lo entendía y que hasta simpatizaba, pero no pudo mantener ese gesto mucho tiempo. Inmediatamente soltó la carcajada otra vez, como un niño al que regaña un maestro al que no le tiene miedo. Se rió tan fuerte que roció una nube plateada de saliva en el aire que estaba frente a su boca.

—Lo siento, Dolores —gimió cuando pudo volver a hablar—. No es que quiera reírme, pero la cosa es que de verdad *fui* más listo que tú, ¿no?

—Oh, sí —yo estaba de acuerdo. Después de todo, ésa era la verdad.

—Te engañé bien y bonito —dijo, riéndose y sacudiendo la cabeza como cuando te cuentan un chiste muy bueno.

—Ajá —yo seguía estando de acuerdo—, pero ya sabes lo que dicen.

—No —negó. Se puso el visor del eclipse en las piernas y se volteó a mirarme. Se había reído tanto que tenía lágrimas en sus ojos sucios y rojos—. Tú eres la que tiene un refrán para cada cosa, Dolores. ¿Qué *es* lo que dicen de los maridos que al final son más listos que sus esposas que se meten en todo?

—"Si me engañas una vez, eres un estúpido. Si me engañas dos veces, yo soy la estúpida" —repliqué—. Me engañaste con lo de Selena y luego me engañaste con lo del dinero, pero creo que a fin de cuentas también te pesqué en ésa.

—Pues tal vez me pescaste y tal vez no —me contestó—, pero si te preocupa que me lo gaste, puedes estar tranquila porque...

Lo interrumpí:

—*No* me preocupa —le rebatí—. Ya te lo dije una vez. No me preocupa ni un *tantito* así.

Me miró de modo duro, Andy, y la sonrisa se le secó poco a poco:

—Otra vez tienes en la jeta esa mirada de lista —exclamó—. La que no me gusta mucho.

—Soy mujer dura —afirmé.

Se me quedó viendo un buen rato, tratando de entender lo que estaba pensando, pero creo que fue un misterio para él. Volvió a sacar su labio inferior y suspiró tan fuerte que se echó para atrás el mechón de pelo que tenía en la frente.

—Casi todas las mujeres no entienden lo más importante del dinero, Dolores, —aseguró—, y tú no eres la excepción de la regla. Puse todo junto en una sola cuenta, eso es todo... para que recibiera más intereses. No te lo dije porque no quería oír tus pendejadas de ignorante. Bueno, pues de todos modos tuve que oír un poco, como siempre tengo que hacerlo, pero ya estoy hasta aquí —luego levantó el visor del eclipse otra vez como queriendo decir que el asunto estaba terminado.

—Una sola cuenta que está a tu nombre —le dije.

—¿Y qué? —para entonces era como si estuviera anocheciendo y los árboles se borraban en el horizonte. Oí cantar a un chotacabras tras la casa y a un atajacamino en otra parte. También se sintió que se hacía fresco. Todo esto me hizo sentir la cosa más extraña... como si viviera un sueño que de repente se hizo realidad—. ¿Por qué *no deberían* estar a mi nombre? Después de todo soy su padre, ¿o no?

—Bueno, ellos tienen de tu sangre. Si eso te hace padre, entonces así es.

Me di cuenta que pensó si valía la pena fastidiarme con esto último que dije, y que a fin de cuentas decidió que no:

—Ya no hables más de eso, Dolores —ordenó—. Te lo advierto.

—Pues... tal vez quisiera hablar un *poquito* más —le contesté, sonriendo—. Es que se te olvidó lo de la sorpresa.

Me miró otra vez con suspicacia:

—¿Se puede saber de qué carajo estás cacareando, Dolores?

—Pues... hablé con el encargado del departamento de cuentas de ahorro en el banco de Jonesport —le dije—. Un buen hombre que se llama Pease. Le expliqué lo que pasó y quedó muy molesto. Especialmente cuando le enseñé que las libretas de ahorros originales no se habían perdido, como tú le habías dicho.

Ahí fue cuando Joe perdió el poco interés que tenía en el eclipse. Sólo se quedó sentado en su mecedora desvencijada, mirándome con los ojos muy abiertos. Tenía un rayo en la frente, y sus labios estaban tan apretados que parecían una línea blanca y fina, como una cicatriz. Dejó caer el visor del eclipse en sus piernas y las manos se le abrían y cerraban, muy despacio.

—Resultó que se supone que no debías hacer eso —agregué—. El señor Pease revisó papeles para ver si el dinero todavía estaba en el banco. Cuando se dio cuenta de que sí estaba, a los dos se nos salió un suspiro de alivio. Me preguntó si quería que llamara a la policía y decirles lo que había pasado. Por la cara que puso me di cuenta de que prefería que le dijera que no. Le pregunté si podía retirar ese dinero y dármelo. Lo buscó en un libro y me dijo que sí podía. Así que le dije: "Entonces eso es lo que haremos." Y él lo hizo. Es por eso por lo que ya no me preocupa el dinero de los niños, Joe: ahora *yo* lo tengo, y tú no. ¿Verdad que es una sorpresa?

—¡Mentiras! —me gritó Joe, y se paró tan rápido que casi se cayó su mecedora. El visor del eclipse se le cayó de las piernas y se hizo pedazos cuando golpeó el piso del porche. Ojalá tuviera una foto de él en ese momento: lo había jodido, se la había metido hasta el mango. La expresión que tenía en la cara ese hijo de puta casi valía todo lo que yo pasé desde ese día en el trasbordador con Selena—. ¡Ellos no pueden hacer eso! —aulló—. No puedes tocar un centavo de ese dinero, ni siquiera puedes ver esa cabrona libreta...

—¿Ah, no? —repliqué—. ¿Entonces cómo es que sé que te gastaste casi trescientos dólares? Doy gracias de que no fue más, pero me pongo furiosa cada vez que lo pienso. ¡Eres un ladrón, Joe St. George, un ladrón tan sucio que robas a tus propios hijos!

Su cara estaba más blanca que un cadáver a oscuras. Sólo sus ojos estaban vivos; ardían de odio. Tenía las manos frente a él, abriéndose y cerrándose. Por un segundo volteé a mirar el sol, que estaba a menos de la mitad, reflejado en los pedazos del vidrio ahumado que estaban junto a los pies de Joe. Luego lo volví a mirar. Con el humor que tenía, más valía no quitarle los ojos de encima por mucho tiempo.

—¿En qué te gastaste ese dinero, Joe? ¿En putas? ¿En póker? ¿En las dos cosas? Sé que no compraste otra carcacha, porque no hay ninguna de más en el patio.

No dijo nada, sólo se quedó parado con las manos abriéndose y cerrándose; detrás de él, en el patio de entrada, aparecieron las primeras luciérnagas. Para entonces las lanchas que estaban en el mar parecían fantasmas, y pensé en Vera. Me imaginé que si para entonces no estaba en el séptimo cielo, por lo menos estaba en el vestíbulo. No es que me importara pensar mucho en Vera; tenía que estar muy atenta con Joe. Quería que se empezara a mover, y decidí que bastaba con un empujón más.

—Creo que de todos modos no me importa como lo gastaste —le dije—. Ya tengo el resto, y eso es suficiente. Por mí, ve a joderte tú solo... si es que logras que se te pare tu fláccido fideo.

Cruzó el porche, aplastando con los zapatos los vidrios del visor del eclipse, y me agarró por los brazos. Me pude haber zafado, pero no quería. No en ese momento.

—Cuídate esa boca sucia —murmuró, echándome a la cara su aliento de whisky—. Si no lo haces tú, lo haré yo.

—El señor Pease quería que volviera a poner el dinero en el banco, pero yo no quise, porque pensé que si te las arreglaste para sacarlo de las cuentas de los niños, entonces te las hubieras arreglado para sacarlo de la mía. Luego Pease quiso darme un cheque, pero tenía miedo de que si te dabas cuenta de lo que estaba pasando antes de que yo *quisiera* que lo supieras, entonces podías detener el pago del cheque. Así que le pedí al señor Pease que me lo diera en efectivo. No le gustó, pero al final lo hizo, y ahora lo tengo yo, hasta el último centavo, y lo puse en un lugar seguro.

Fue entonces cuando me agarró por el cuello. Estaba segura de que lo iba a hacer, y yo estaba asustada, pero también quería que lo hiciera, porque así creería lo último que tenía que decirle, cuando al fin se lo dijera. Pero ni siquiera eso era lo más importante. Que me agarrara por el cuello hacía parecer que todo era en defensa propia... *eso* era lo más importante. Y *era* en defensa propia, aunque la ley diga otra cosa; yo lo sé, porque yo estuve ahí y la ley no. A fin de cuentas me estaba defendiendo y estaba defendiendo a mis hijos.

Me estaba ahorcando, y me sacudía. Gritaba. No recuerdo todo: creo que me golpeó la cabeza contra uno de los postes del porche. Decía que yo era una cabrona, que me mataría si no le devolvía el dinero, que era suyo... estupideces como esas. De pronto tuve miedo de que *me matara* antes de que le dijera lo que él quería oír. El patio delantero estaba muy oscuro, y era como si estuviera *lleno* de luciérnagas, como si en vez de las cien o doscientas que había visto antes hubiera diez mil. Su voz sonaba tan lejana que pensé que algo andaba mal, que era yo la que se había caído al pozo en vez de él.

Al final me soltó. Traté de quedar de pie pero las piernas no me respondieron. Traté de caer en la silla donde estuve sentada, pero él me había jalado muy lejos y mis nalgas sólo rozaron el borde del asiento y me caí. Di el sentón en el piso del porche cerca de los vidrios rotos del visor del eclipse. Había un pedazo grande, donde el cuarto de sol brillaba como una joya. Traté de tomarlo, pero me arrepentí. No se lo clavaría, aunque tuviera la oportunidad. No *podía* clavárselo. Cortarlo con un vidrio era algo que no se veía bien después. Así que pueden ver cómo estaba pensando... no quedan muchas dudas de si era o no asesinato en primer grado, ¿verdad, Andy? En vez del vidrio, tomé la caja reflectora, que estaba hecha de una madera pesada. Les podría decir que pensé en romperle la cabeza con eso si las cosas llegaban a ese punto, pero no sería verdad. En realidad, en ese momento no pensé gran cosa.

Pero yo tosía... tosía tan fuerte que me pareció una maravilla que no me saliera sangre con la saliva. Sentí que tenía fuego en la garganta.

Me agarró y me paró con tanta fuerza que se me rompió una de las tiras de mi enagua. Luego me puso el brazo alrededor de la nuca y me jaló hacia él. Quedé tan cerca de él como para besarlo, aunque él ya no estaba con el ánimo de darme un beso.

—Te dije lo que te podía suceder si no dejabas de pasarte de lista conmigo —gritó. Tenía los ojos mojados, como si estuviera llorando, pero lo que me asustó es que parecía como si me atravesaran, como si Joe ya no me estuviera viendo—. Te lo dije mil veces. ¿Ahora me crees, Dolores?

—Sí —respondí. Me había lastimado tanto la garganta que parecía como si hablara a través de una bocanada de lodo—. Sí, te creo.

—¡Dilo otra vez! —exigió. Todavía me tenía agarrada con el brazo y tan fuerte que me apretó los nervios del cuello. Grité. No pude evitarlo: dolía muchísimo. Eso lo hizo sonreír—: ¡Dilo como si fuera cierto! —me pidió.

—¡*Te creo*! —grité—. ¡En verdad *te creo*! —tenía planeado actuar como si estuviera asustada, pero Joe me ahorró el trabajo: ese día no tuve que actuar, después de todo.

—Muy bien —exclamó—. Me da gusto oír eso. Ahora dime dónde está el dinero, y más vale que no falte ni un centavo.

—Está detrás del cobertizo —le dije. Yo ya no hablaba como si tuviera lodo en la garganta; para entonces tenía la voz como la de Groucho Marx en *Puedes apostar tu vida*, y que además se prestaba para el momento. Entonces le dije que puse el dinero en un frasco y lo escondí en el matorral de zarzamoras.

—¡Justo como una mujer! —se burló, y me empujó hacia las escaleras del porche—. Camina. Vamos por el dinero.

Bajé por las escaleras del porche y rodeé la casa con Joe detrás de mí. Para entonces ya estaba tan oscuro que parecía de noche, y cuando llegamos al cobertizo, vi algo tan extraño que me hizo olvidar todo por unos segundos. Me detuve y señalé hacia el cielo sobre el matorral de zarzamoras:

—¡Mira, Joe! —le grité—. ¡Las estrellas!

Ahí estaban: pude ver la Osa Mayor tan claro como en una noche de invierno. Se me puso la piel de gallina, pero a Joe no le importó. Me dio un empujón tan fuerte que casi me caigo:

—¿Estrellas? —me dijo—. Vas a ver *muchas* si no dejas de atorarte, mujer. Te lo prometo.

Caminé de nuevo. Nuestras sombras ya habían desaparecido, y la piedra blanca donde Selena y yo nos paramos aquella noche del año anterior era tan brillante como un foco: siempre era así en luna llena. La luz no era como la luz de luna, Andy... No puedo describírtela, lo misteriosa y extraña que era... pero dejémoslo así. Estoy segura de que era difícil juzgar la distancia entre las cosas, igual que en luna llena, y que ya no se podían distinguir los matorrales de zarzamoras: parecían una mancha grande con todas esas luciérnagas bailando frente a ellos.

Vera ya me había dicho una y otra vez que era peligroso ver directamente el eclipse; me dijo que te podía quemar la retina y hasta dejarte ciega. Pero no pude resistir la tentación de voltear y dar un vistazo por encima del hombro, como la mujer de Lot que no pudo resistir la tentación de ver Sodoma por última vez. Desde entonces se me quedó en la memoria lo que vi. Pasan semanas, y hasta meses, sin que me acuerde de Joe, pero casi nunca pasa un día sin que piense en lo que vi esa tarde cuando miré al cielo por encima del hombro. La mujer de Lot se convirtió en estatua de sal porque no pudo mantener la vista hacia adelante y se metió en lo que no le importaba, y a veces pienso que es una maravilla el que yo no haya pagado el mismo precio.

El eclipse todavía no era total, pero faltaba poco. El cielo era de un color púrpura imperial, y lo que vi ahí parecía una gran pupila negra con un velo de fuego que se extendía alrededor. A un lado quedaba una línea muy fina del sol, como cuentas de oro fundido en una fragua. Yo sabía que no tenía por qué estar viendo hacia allá, pero en cuanto lo hice, parecía como si no pudiera quitar la vista de ahí. Era como si... bueno, quizá se rían ustedes, pero lo voy a decir de todos modos: era como si ese ojo de adentro se hubiera salido de mí, que había flotado hasta el cielo y ahora veía como saldría de esto. ¡Pero era más grande de lo que imaginé! ¡Y mucho más *negro*!

Tal vez lo habría visto hasta quedarme ciega, pero Joe me dio otro empujón que me lanzó hasta la pared del cobertizo. Eso me despertó y empecé a caminar otra vez. Tenía frente a mis ojos una mancha azul muy grande, como las que se ven después de tomarte una foto con *flash*, y pensé: "Si te quemaste las retinas y desde ahora verás eso por el resto de tu vida, te hará bien, Dolores; no sería peor que la marca que tuvo que llevar Caín".

Pasamos la roca blanca; Joe caminaba detrás de mí, agarrando el cuello de mi vestido. Pude sentir que mi enagua se caía por un lado, donde se había roto la tira. Con la oscuridad y esa manchota azul en todas partes, todo parecía desordenado y fuera de lugar. El final del cobertizo no era más que una forma oscura, como si alguien hubiera tomado un par de tijeras y cortara un agujero en el cielo en forma de techo.

Me empujó hacia el borde del matorral de zarzamoras y, cuando se me clavó en el muslo la primera espina, recordé que esta vez había olvidado ponerme pantalones. Eso me hizo pensar si había olvidado otras cosas, pero claro que ya era demasiado tarde para cambiar las cosas; pude ver ese jirón de tela ondeando con lo último que quedaba de luz, y tuve el tiempo justo para recordar que la tapa del pozo estaba justo abajo. Entonces me zafé de su puño y salté hacia los matorrales, como si me persiguiera el diablo.

—*¡Eso sí que no, cabrona!* —me gritó, y pude oír que los matorrales se quebraban cuando corrió para perseguirme. Sentí que su mano trataba de volverme a agarrar por el cuello del vestido y casi lo lograba. Me zafé y seguí corriendo. Era difícil correr porque se me estaba cayendo la enagua y se enganchaba con los matorrales. Al final le desgarraron una buena tira, y también se quedaron con algo de carne de mis piernas. Sangraba de las rodillas a los tobillos, pero nunca me di cuenta de eso hasta que regresé a la casa, y eso fue mucho tiempo después.

—*¡Ven acá!* —aulló, y esta vez sentí su mano en mi brazo. Me solté y él se agarró de mi enagua, que para entonces flotaba detrás de mí como cola de vestido de novia. Si hubiera resistido, la habría enrollado y me hubiera atrapado como a un pez, pero la enagua estaba vieja y cansada, por lavarla doscientas o trescientas veces. Sentí que el jirón que tomó se desgarró y lo oí maldecir, muy alborotado y sin aliento. Pude oír en el aire el ruido de las ramas que se rompían y astillaban, pero casi no podía ver nada; en cuanto entramos al matorral de zarzamoras, estaba más oscuro que el culo de una marmota y, al final, no me ayudó de mucho el pañuelo que amarré. En vez de eso vi el borde del pozo, que no era más que algo blanco en medio de la oscuridad que estaba adelante de mí, y salté con todas mis fuerzas. Apenas lo pude librar, y como tenía a Joe detrás de mí, no lo vi pisar los tablones. Se oyó que hicieron *¡crraaak!*, y luego él gritó...

No. No fue así.

No *gritó*, y supongo que ustedes lo saben tan bien como yo. Gimió como un conejo con la pata atorada en un alambre de púas. Me volteé y vi un agujero grande en medio de los tablones. La cabeza de Joe salía de ahí, y se estaba deteniendo de uno de los tablones rotos con todas sus fuerzas. Le sangraban las manos y tenía un hilo de sangre corriéndole por la barbilla desde los labios. Sus ojos eran del tamaño de perillas de puerta.

—Dios mío, Dolores —exclamó—. Es el pozo viejo. Ayúdame a salir, rápido, antes de que me caiga.

Me quedé parada, y unos segundos después le cambiaron los ojos. Vi que entendió todo lo que había pasado hasta entonces. Nunca estuve tan espantada como entonces, parada al otro lado del pozo y viendo a Joe con ese sol negro en el cielo, al oeste de nosotros. Se me había olvidado ponerme pantalones y él no se cayó dentro como se supone que debió caerse. Me pareció que todo iba mal.

—Ah —dijo—. Ah, cabrona —entonces comenzó a escalar, agarrándose con las uñas.

Me dije que tenía que correr, pero las piernas no me respondieron. Además, ¿adónde podría correr si él salía? Hay algo que supe el día del eclipse: si vives en una isla y tratas de matar a alguien, es mejor que lo hagas bien. Si no, no hay a dónde correr y esconderse.

Podía oír cómo sus uñas sacaban astillas de esa tabla vieja mientras trataba de salir. Ese sonido es como lo que vi al mirar hacia el eclipse: es algo que era más conocido para mí de lo que yo hubiera querido. A veces lo oigo en mis sueños, sólo que en mis sueños Joe sale y me persigue, y eso no es lo que pasó. Lo que pasó es que la tabla de la que estaba prendido con las uñas de pronto se rompió bajo su peso y él se cayó. Pasó tan rápido que fue casi como si él nunca hubiera estado ahí; de pronto ahí no hubo nada, sólo un cuadrado de madera gris hundida, con un agujero negro y astillado en medio y luciérnagas yendo y viniendo.

Volvió a gritar al caer. Hizo eco en las paredes del pozo. Eso es algo que tampoco había pensado: que gritara al caer. Entonces sonó un golpe y dejó de gritar. Así: dejó de gritar. Como cuando una lámpara deja de alumbrar cuando alguien saca el enchufe.

Me puse de rodillas en el suelo y me agarré los brazos con las manos. Esperé a que pasara algo más. Pasó un rato, no sé cuánto, pero el día se oscureció completamente. El eclipse ya era total y estaba oscuro como si fuera de noche. No salía ningún ruido del pozo, pero salía de él una brisa, y me di cuenta de que podía *olerla*... ¿Conocen el olor del agua en los pozos poco profundos? Huele como a cobre, a húmedo; no huele bien. Olí eso, y me dio escalofrío.

Vi que mi enagua estaba casi sobre mi zapato izquierdo. Estaba desgarrada, hecha jirones. Metí la mano bajo el cuello de mi vestido por el lado derecho y solté esa tira también. Entonces me bajé la enagua. La hice una bola junto a mí y estaba pensando en la mejor manera de librar el pozo cuando de pronto volví a pensar en esa niña, la que les conté antes, y en ese momento la vi claramente, como si fuera de día. También *ella* estaba de rodillas, viendo debajo de su cama, y pensé: "Ella es tan infeliz, y puede oler ese mismo olor. Huele a centavos y a ostiones. Sólo que no viene del pozo; tiene que ver con algo de su padre."

Entonces, de repente, fue como si ella me viera a mí, Andy... Creo que me *vio*. Y cuando lo hizo, entendí por qué estaba tan infeliz; su papá la estaba fastidiando de algún modo, y ella estaba tratando de encubrirlo. Además, ella se dio cuenta de que alguien la estaba viendo, que una mujer Dios sabe a cuántos kilómetros de ahí, pero en la ruta del eclipse

—una mujer que acababa de matar a su marido— la estaba viendo.

Me habló, aunque no oí su voz con los oídos; venía de alguna parte muy dentro de mi cabeza:

—¿Quién *eres* tú? —me preguntó.

No sé si le habría podido contestar, pero antes de que tuviera una oportunidad de hacerlo, salió del pozo un largo grito: *"Do-lo-reeeeees..."*

Sentí que la sangre se me congeló, y *sé* que el corazón se me detuvo un segundo, porque cuando volvió a latir, tuvo que palpitar tres o cuatro veces juntas. Yo había tomado la enagua, pero los dedos se me aflojaron cuando oí el grito y se me cayó de la mano. Se atoró en uno de los matorrales de zarzamora.

"Es sólo tu imaginación que está trabajando horas extra, Dolores", me dije. "Esa niña que buscaba su ropa debajo de la cama y Joe gritando así... te imaginaste las dos cosas. Una fue una alucinación que vino por oler el aire rancio del pozo, y la otra no es más que tu mala conciencia. Joe está en el fondo de ese pozo con la cabeza aplastada. Está muerto, y ya nunca volverá a molestar a los niños o a ti."

Al principio no lo creí, pero pasó un rato más y no oí nada más, excepto una lechuza que cantaba en alguna parte del campo. Recuerdo que pensé que se oía como si la lechuza preguntara por qué este turno había empezado tan temprano. Sopló una brisa por los matorrales y los hizo sonar. Miré hacia las estrellas que brillaban en pleno día, y luego otra vez hacia el pozo. Parecía como si flotara en la oscuridad, y ese agujero por donde cayó me pareció un ojo. Julio 20 de 1963 fue el día en que vi ojos en todas partes.

Entonces su voz volvió a salir del pozo:

—*Ayúdame, Do-lo-reeeees...*

Gruñí y me cubrí la cara con las manos. No servía de nada que tratara de convencerme de que *eso* era sólo mi imaginación o mi mala conciencia o cualquier otra cosa. Era Joe. Me sonó como si estuviera llorando.

—*Ayúúúúdame... por favoooor...* —gemía.

Rodeé el pozo y corrí por el sendero donde aplastamos las ramas. Yo no era presa del pánico, o no mucho, y les diré por qué lo sé: me detuve lo suficiente para recoger la caja reflectora que tenía en la mano cuando empezamos a caminar hacia el matorral. No recordaba que la hubiera tirado al correr, pero cuando la vi colgando de una de las ramas, la agarré. Tal vez hice muy bien, si considero cómo fueron las cosas con ese doctor McAuliffe... pero eso está a una o dos escenas de donde estoy ahora. El caso es que me *detuve* para tomarla, y eso me dice que yo estaba en mis facultades. Pero sentía que el pánico estaba tratando de acabar con ellas, como un gato que trata de meter su zarpa bajo la tapa de una caja, si tiene hambre y huele la comida que hay adentro.

Pensé en Selena, y eso me ayudó a alejar el pánico. Pude imaginarla en la playa del lago Winthrop con Tanya y cuarenta o cincuenta niños del campamento, cada uno con su caja reflectora que habían hecho en la cabaña de trabajos manuales, y a las muchachas que les enseñaban con mucho cuidado cómo ver el eclipse con las cajas. No fue tan claro como la visión que tuve junto al pozo, la de la niña buscando su ropa debajo de la cama, pero oí muy claro a Selena hablándole a los niños con su voz lenta y amable, calmando a los que tenían miedo. Pensé en eso, y en que tenía que estar aquí para ella y sus hermanos cuando regresaran... sólo que si me ganaba el pánico, tal vez ya no podría estar. Ya había ido muy lejos, y ya no podía contar con nadie más que yo.

Entré al cobertizo y encontré en la mesa de trabajo de Joe una linterna de seis baterías. La prendí, pero no pasó nada; dejó que las baterías se acabaran, y eso es de su estilo. Pero siempre pongo baterías nuevas en el cajón de abajo de la mesa, porque en invierno se nos va la luz a cada rato. Tomé media docena y traté de ponerlas en la linterna. En el primer intento las manos me temblaron tanto que se me cayeron las pilas al piso y tuve que agacharme a recogerlas. La segunda vez las pude meter, pero con la prisa puse una o dos al revés, porque la prendí y no hubo luz. Pensé en dejarlo: después de todo, el sol volvería a salir en cualquier momento. Pero el fondo del pozo estaría oscuro aunque *saliera* el sol, y además en un rincón de mi mente había una voz que me decía que tratara de encender la linterna todo el tiempo que pudiera, porque si me tardaba mucho tiempo para hacerlo, para cuando regresara al pozo él ya estaría bien muerto.

Por fin pude encender la linterna. Su luz era muy brillante, y por lo menos pude regresar al pozo sin rasparme las piernas más de lo que ya estaban. No tengo ni la menor idea de cuánto tiempo había pasado, pero todavía estaba oscuro y había estrellas en el cielo, así que supongo que todavía no eran las seis y el sol seguía cubierto.

Antes de medio camino ya sabía que no estaba muerto; lo oía gruñir y llamarme, suplicándome que lo ayudara a salir. No sé si los Jolander o los Langill o los Caron lo habrían oído o no si estuvieran en sus casas. Decidí que lo mejor sería no pensar en eso; suficientes problemas tenía ya sin *eso*. Tenía que pensar en lo que debía hacer con Joe, que era lo principal, pero no podía hacerlo. Cada vez que trataba de pensar en una respuesta, una voz de adentro me gritaba: "No es justo. Así no habíamos quedado. ¡Se supone que debería estar *muerto*, carajo, *muerto*!"

—¡Ayúúúúdame, Do-lo-reeees! —decía su voz desde adentro. Tenía un sonido plano y con eco, como si gritara desde una cueva. Prendí la linterna y traté de mirar hacia abajo, pero no pude. El agujero en los tablones estaba demasiado en el medio, y lo único que pude ver con la linterna fue la entrada del pozo, rocas de granito llenas de musgo. El musgo se veía negro y venenoso con la luz de la linterna.

Joe vio la luz:

—¿Dolores? —me llamó—. ¡Ayúdame, por amor de Dios! ¡Estoy todo roto!

Ahora *él* se oía como si tuviera lodo en la garganta. No pude contestarle. Sentí que si le hablaba me volvería loca. En vez de eso, puse la linterna a un lado, me estiré lo más que pude y conseguí agarrar uno de los tablones rotos. Lo jalé y lo partí tan fácil como un diente podrido.

—¡Dolores! —gritó cuando oyó eso—. ¡Oh, Dios! ¡Gracias a Dios!

No le contesté. Sólo rompí otro tablón, y otro, y otro. Para entonces pude ver que el día volvía a clarear, y los pájaros cantaban igual que cuando sale el sol en verano. Pero el cielo estaba mucho más oscuro de lo que debía estar a esa hora. Ya no había estrellas, pero todavía volaban las luciérnagas. Mientras tanto, yo seguí rompiendo tablones, haciendo un agujero hacia el lado del pozo donde yo estaba arrodillada.

—¡Dolores! —volví a oír su voz—. ¡Puedes quedarte con el dinero! ¡Todo! Nunca volveré a tocar a Selena, ¡te lo juro por Dios Todopoderoso y por todos los ángeles! ¡Por favor, mi amor, ayúdame a salir de este agujero!

Alcé el último tablón: tuve que zafarlo de las enredaderas de zarzamora, y lo aventé lejos de mí. Entonces alumbré dentro del pozo con la linterna.

Lo primero que alumbré fue su cara, y grité. Era un pequeño círculo blanco con dos grandes agujeros negros en él. Durante un segundo o dos pensé que por alguna razón se había puesto piedras en los ojos. Luego parpadeó y resultó que ésos eran sus ojos, viendo directo hacia mí. Pensé en lo que debían estar viendo: sólo la sombra de la cabeza de una mujer tras un círculo brillante de luz.

Estaba de rodillas, y tenía sangre en la barbilla y el cuello y la camisa. Cuando abrió la boca y gritó mi nombre, le salió más sangre de la boca. Se le habían roto todas las costillas al caer, y seguro que se le clavaban en los pulmones como espinas de puercoespín.

No sabía qué hacer. Me quedé ahí, arrodillada, sintiendo que volvía el calor del día, sintiéndolo en mi cuello, en los brazos y en las piernas, y alumbrando hacia él. Entonces alzó los brazos y como que los movió, como si se estuviera ahogando, y ya no pude soportarlo. Apagué la luz y me eché hacia atrás. Me quedé sentada en el borde del pozo, hecha un ovillo, agarrándome las rodillas con sangre y temblando.

¡Por favor! —volvía a llamar—. *¡Por favor!* —y— *¡por favooor!* —y finalmente—, *¡por favooooor, Do-lo-reeeees!*

Fue horrible, más horrible de lo que cualquiera puede imaginar, y así siguió durante mucho tiempo. Siguió y siguió hasta que pensé que me volvería loca. El eclipse terminó y los pájaros dejaron de cantar sus canciones de la mañana y las luciérnagas dejaron de volar (o tal vez era que ya no las veía) y se oía desde el mar las lanchas que sonaban sus sirenas como lo hacen a veces, y él no dejaba de gritar. A veces me suplicaba y me decía mi cielo; me decía todas las cosas que haría si lo sacaba de ahí, que cambiaría, que construiría una nueva casa para nosotros y me compraría el Buick que él pensaba que me gustaba. Luego me insultaba y me decía que me iba a amarrar a la pared y me metería un fierro al rojo vivo por el coño y me vería retorcerme antes de matarme.

En una de esas me pidió que le tirara la botella de whisky. ¿Pueden creerlo? Quería su botella, y me insultó y me dijo que tenía el coño viejo y usado cuando se dio cuenta de que no se la daría.

Por fin comenzó a oscurecer otra vez. Se puso *muy* oscuro. Así que debían ser las ocho y media o las nueve. Empecé a oír coches por la avenida Este, pero no pasó nada. Eso estaba bien, pero sabía que la suerte no me duraría para siempre.

Alcé la cabeza del pecho un rato después y me di cuenta de que me había quedado dormida. No fue por mucho tiempo, porque en el cielo todavía estaba la línea del crepúsculo, pero las luciérnagas volvieron, haciendo lo de siempre, y la lechuza comenzó a ulular. Esta segunda vez se oyó un poco menos extrañada.

Cambié de posición y tuve que apretar los dientes por el hormigueo que sentí tan pronto me moví; tenía tanto tiempo de estar arrodillada que las piernas se me habían quedado dormidas hasta las rodillas. Pero del pozo no se oyó nada, y me volvió la esperanza de que finalmente estuviera muerto, que se había ido mientras me dormí. Entonces oí ruidos de algo que se movía, y gruñidos, y el sonido de que él estaba llorando. Eso fue lo peor: oír que lloraba porque le dolía tanto moverse.

Me abracé con la mano izquierda y volví a alumbrar hacia el pozo. Me fue muy difícil hacer eso, especialmente ahora que estaba casi completamente oscuro. Él se las arregló de algún modo para pararse, y con la linterna pude ver el reflejo de tres o cuatro lugares mojados en las botas que tenía puestas. Me hizo pensar en la forma en que había visto el eclipse en los pedazos rotos del vidrio ahumado cuando él se cansó de ahorcarme y me caí en el porche.

Mirando hacia abajo pude entender qué había pasado: cómo se las arregló para que después de caer diez o doce metros sólo se hubiera herido en vez de matarse: el pozo no estaba completamente seco. No se había vuelto a llenar, porque si hubiera sido eso, entonces él se hubiera ahogado como una rata en una cisterna. Pero el fondo estaba mojado y lodoso. Eso le amortiguó un poco la caída, y a lo mejor le ayudó un poco que estuviera borracho.

Él estaba parado con la cabeza hacia abajo, moviéndose de un lado al otro con las manos recargadas en las paredes del pozo para no volverse a caer. Entonces miró hacia arriba y me vio y sonrió. Esa sonrisa me dio escalofrío, Andy, porque era la sonrisa de un muerto, un muerto con sangre en la cara y la camisa, un muerto con lo que parecían piedras puestas en los ojos.

Entonces comenzó a escalar la pared.

Lo estaba viendo frente a mí y de todos modos no podía creerlo. Metió los dedos entre dos de las piedras grandes que salían de los lados y se alzó hasta que pudo recargar los pies entre otras dos piedras. Ahí descansó un minuto, y luego vi una de sus manos que se alzó sobre su cabeza. Parecía un bicho blanco y gordo. Encontró otra piedra, se agarró y alzó la otra mano para sostenerse. Entonces se volvió a alzar. Cuando se detuvo a descansar otra vez, volteó su cara con sangre hacia la luz de la linterna y vi que le cayeron a los cachetes y los hombros pedacitos de musgo de la roca que estaba agarrando.

Todavía tenía la sonrisa.

¿Puedo beber algo más, Andy? No, no del whisky. Ya no quiero tomar más esta noche. Con agua estará bien.

Gracias. Muchas gracias.

De cualquier modo, estaba agarrándose para volver a alzarse cuando se le resbalaron los pies. Se oyó un chapoteo en el lodo cuando cayó al fondo. Gritó y se agarró el pecho como lo hacen en la televisión cuando les da un ataque al corazón. Luego su cabeza cayó sobre el pecho.

Ya no podía soportarlo. Salí del matorral de zarzamoras y corrí hacia la casa. Entré al baño y vomité todo. Luego entre a la recámara y me acosté. Me temblaba todo el cuerpo, y pensé todo el tiempo: "¿Y si *todavía* no está muerto? ¿Y si sigue vivo toda la noche, o *días* enteros, tomando del agua que se filtra entre las piedras o por el lodo? ¿Y si sigue gritando hasta que alguien de los Caron o los Langill o los Jolander lo oye y llama a Garrett Thibodeau? ¿Y qué si alguien llega a la casa mañana, uno de sus amigos del bar o alguien que lo necesita para que tripule su lancha o para arreglar un motor, y oye sus gritos que vienen de los matorrales? ¿Qué vas a hacer entonces, Dolores?"

Había otra voz que contestaba todas esas preguntas. Creo que eran del ojo de adentro, pero se parecía más a lo que decía Vera Donovan que a lo que decía Dolores Claiborne; sonaba claro y seco y muy bésame-las-nalgas-si-no-te-gusta. "Claro que está muerto", decía la voz, "y si no lo está, entonces lo estará pronto. Se va a morir de la impresión y de frío y de pulmones agujerados. Tal vez haya quienes no creerían que un hombre se puede morir de frío en una noche de julio, pero son gente que nunca ha pasado unas horas a diez metros bajo tierra, parados sobre el fondo húmedo de la isla. Ya sé que no es bonito pensar en eso, Dolores, pero por lo menos significa que puedes dejar de preocuparte. Duérmete un rato, y ya verás cuando regreses al pozo."

No sabía si lo que decía la voz era razonable, pero en ese momento me *pareció* razonable, y traté de dormir. Pero no pude. Cada vez que me ganaba el sueño, pensaba que había oído los pasos de Joe viniendo desde el cobertizo hacia la puerta trasera, y cada vez que algo crujía en la casa, brincaba.

Al final ya no pude aguantar más. Me quité el vestido, me puse unos pantalones y un suéter (ya sé que van a decir que eso fue tapar el pozo después del niño ahogado), y tomé la linterna, que estaba en el piso del baño junto al excusado, donde se me cayó cuando me agaché a vomitar. Luego salí.

Estaba más oscuro que nunca. No sé si había luna esa noche, pero no importaba que hubiera, porque había muchas nubes. Mientras más me acercaba al matorral de zarzamoras, más pesados se me hacían los pies. Para cuando pude ver otra vez el borde del pozo con la luz de la linterna, me pareció que ya no podría volverlos a mover.

Pero lo hice... Me obligué a caminar hasta ahí. Me quedé parada, oyendo durante casi cinco minutos, y no oí otra cosa que los grillos y el viento moviendo las ramas del matorral y el ulular de la lechuza... tal vez la misma que oí antes. Ah, y muy al este pude oír las olas que rompían en el promontorio, sólo que ése es un sonido al que te acostumbras tanto en la isla que ya no lo oyes. Me quedé parada con la linterna de Joe en la mano, con el rayo de luz apuntando hacia el hoyo en el pozo, sintiendo que un sudor sucio y pegajoso me corría por todo el cuerpo, que me ardía en las cortadas y raspones que me hice con las espinas, y me dije a mí misma que me arrodillara y mirara dentro del pozo. Después de todo, ¿no era eso a lo que había venido?

Sí era eso, pero en cuanto llegué ahí no pude hacerlo. Todo lo que hacía era temblar y hacer un gemido con la garganta. Mi corazón no estaba latiendo, sino que me batía en el pecho como las alas de un colibrí.

Entonces una mano blanca, manchada de lodo y sangre y musgo salió como una serpiente del pozo y me agarró el tobillo.

Se me cayó la linterna. Cayó en el matorral, justo en el borde del pozo, lo que fue bueno para mí; si se hubiera caído *dentro* del pozo, me habría jodido. Pero no estaba pensando en la linterna o en mi buena suerte, porque en ese momento estaba muy jodida, y en lo único que pensé fue en la mano en mi tobillo, la mano que me estaba jalando hacia el pozo. En eso, y en una frase de la Biblia. Sonó en mi cabeza como una campana de hierro: *Cavé una fosa para mis enemigos, y yo mismo caí en ella.*

Grité y traté de zafarme, pero Joe me agarró tan fuerte que sentí como si hubiera cubierto sus manos con cemento. Mis ojos se acostumbraron a la oscuridad lo suficiente como para verlo incluso con la linterna apuntando en la otra dirección. Casi consiguió salir del pozo. Sólo Dios sabe cuántas veces se volvió a caer, pero al final casi pudo salir. Creo que hubiera salido si yo no hubiera vuelto.

Su cabeza estaba a medio metro de lo que quedaba del borde del pozo. Seguía sonriendo. Su dentadura postiza de abajo salía un poco de su boca (todavía puedo ver eso tan claramente como te puedo ver sentado a ti, Andy) y parecían los dientes de un caballo cuando te sonríe. Tenía algunos dientes negros por la sangre.

—¡Do-lo-recees!— jadeó, y me siguió jalando. Grité y me caí de espaldas y me seguí deslizando hacia ese maldito hoyo en el suelo. Podía oír las espinas de zarzamora crujiendo cuando mis pantalones pasaban encima de ellas—. *Do-lo-reeees, cabrona* —me decía, pero para entonces ya era como si me cantara. Recuerdo que pensé: "Dentro de poco comenzará con 'Coctel de medianoche'".

Me agarré de los matorrales y las manos se me llenaron de espinas y sangre fresca. Le pateé la cabeza con el pie que tenía libre, pero la tenía muy baja como para pegarle; un par de veces le rocé el pelo con el tacón de mi zapato, pero eso fue todo.

—¡Ven, *Do-lo-reeeees!* —me dijo, como si me estuviera invitando a tomar un helado o a bailar al salón de Fudgy.

Se me atoraron las nalgas en uno de los tablones que todavía quedaban sobre el pozo, y supe que si no hacía algo inmediatamente, nos caeríamos los dos juntos, y ahí nos quedaríamos, tal vez abrazados uno al otro. Y cuando nos encontraran, habría gente como la tarada de Yvette Anderson que dirían que eso demostraba lo mucho que nos queríamos Joe y yo.

Eso fue suficiente. Cobré un poco de fuerza y di un último tirón hacia atrás. Joe casi pudo resistir, pero en ese momento la mano se le resbaló. Creo que le pegué en la cara con el zapato. Gritó, me pegó con la mano en la punta del pie un par de veces y luego se terminó. Esperé a oír cómo se caía hasta el fondo, pero no cayó. Ese hijo de puta *nunca* se daba por vencido; si hubiera vivido como murió, no creo que hubiéramos tenido ningún problema, ni él ni yo.

Me levanté hasta quedar de rodillas y lo vi cayendo de espaldas por el hoyo... pero se sostuvo de algún modo. Miró hacia mí, se quitó de los ojos un mechón de pelo con sangre y sonrió. Entonces su mano salió otra vez del pozo y se agarró del suelo.

—*Dol-ooo-reees* —gruñó—. *¡Dol-ooo-reeeees, Dolo-reeeeeees, Dol-ooooooooo-resssss!* —y empezó a escalar otra vez.

—Pártele la cabeza, estúpida —dijo entonces Vera Donovan. No en mi cabeza, como la voz de la niña que vi antes. ¿Entienden lo que les digo? Oí esa voz igual que como me oyen ustedes a mí, y si hubiera estado ahí la grabadora de Nancy Bannister, podrían oír esa voz las veces que quisieran. Sé eso tan bien como sé mi propio nombre.

Pero el caso es que tomé una de las piedras que estaba en el piso junto al borde del pozo. Me tomó la muñeca, pero pude sacar la piedra antes de que pudiera agarrarme. Era una piedra grande, envuelta en musgo seco. La levanté por sobre mi cabeza. Él la vio. Para entonces ya tenía la cabeza fuera del pozo, y sus ojos parecían como si estuvieran puestos sobre tallos. Le tiré la piedra encima con todas mis fuerzas. Oí que se le quebró la dentadura postiza. Sonó como cuando tiras un plato de porcelana sobre una chimenea de ladrillo. Y entonces se fue, cayendo por el pozo, y la piedra se fue con él.

Entonces me desmayé. No *recuerdo* que me desmayé, sino que estaba de espaldas y miraba hacia el cielo. No había mucho para ver, porque estaban las nubes, así que cerré los ojos... sólo que cuando los volví a abrir, el cielo estaba otra vez lleno de estrellas. Me tomó un rato darme cuenta de lo que había pasado, de que me desmayé y el cielo se despejó mientras estuve sin sentido.

La linterna todavía estaba en las ramas junto al pozo, y todavía alumbraba bien. La recogí y alumbré hacia el fondo del pozo. Joe estaba en el fondo, con la cabeza caída sobre un hombro, las manos en las piernas, las piernas estiradas. Entre ellas estaba la piedra con la que le partí la cabeza.

Lo alumbré durante cinco minutos, esperando a que se moviera, pero no lo hizo. Entonces me paré y regresé a la casa. Tuve que detenerme dos veces cuando el mundo se me hizo confuso, pero al final lo conseguí. Llegué hasta la recámara, y en el camino me fui quitando la ropa y la dejé donde cayó. Me metí a la regadera y me quedé bajo el agua, tan caliente como pude, durante unos diez minutos, sin enjabonarme, sin lavarme el pelo, sin hacer nada más que quedarme parada con la cara hacia el chorro de agua. Creo que me habría quedado dormida ahí mismo, si no es que el agua empieza a enfriarse. Me lavé rápido el pelo antes de que el agua se helara, y salí. Tenía los brazos y las piernas raspadas, y la garganta me ardía, pero pensé que no me moriría por eso. Nunca se me ocurrió lo que los demás pensarían de esos raspones, para no mencionar las marcas en mi cuello, en cuanto encontraran a Joe en el fondo del pozo. Por lo menos no en ese momento.

Me puse el camisón y me desplomé en la cama y me dormí con la luz prendida. Menos de una hora después me desperté gritando, con la mano de Joe en mi tobillo. Tuve un momento de alivio cuando me di cuenta de que sólo fue un sueño, pero luego pensé: "¿No estará escalando el pozo otra vez? Sabía que no, porque acabé con él cuando le pegué con esa piedra y se cayó por segunda vez, pero una parte de mí estaba segura de que estaba escalando, y que saldría en cosa de un minuto. En cuanto saliera, vendría por mí.

Traté de quedarme en la cama y esperar, pero no pude... esa imagen de él escalando por el pozo se hacía cada vez más clara, y mi corazón latía tan fuerte que pensé que iba a explotar. Al final me puse los zapatos, volví a tomar la linterna y salí corriendo en camisón. Esta vez me *arrastré* hasta el borde del pozo; no podía caminar por nada del mundo. Tenía demasiado miedo de que su mano blanca saliera serpenteando de la oscuridad y me agarrara.

Por fin pude alumbrar el fondo del pozo. Él estaba ahí tal y como lo había dejado, con las manos entre las piernas y la cabeza de lado. La piedra estaba en el mismo lugar, entre sus piernas estiradas. Vi durante mucho tiempo, y cuando empecé a regresar a la casa, comencé a saber que ya estaba muerto.

Me metí en la cama, apagué la luz y me quedé dormida. Lo último que recuerdo que pensé fue "Voy a estar bien", pero no lo estaba. Me desperté unas dos horas después, segura de que oí a alguien en la cocina. Había oído a *Joe* en la cocina. Traté de saltar de la cama, las piernas se me enredaron en las cobijas y caí al piso. Me paré y busqué a tientas la lámpara, segura de que sentiría sus manos en la garganta antes de que la pudiera encontrar.

Claro que no pasó eso. Prendí la luz y recorrí toda la casa. Estaba vacía. Entonces me puse los zapatos y tomé la linterna y volví a correr al pozo.

Joe seguía en el fondo con las manos entre las piernas y la cabeza en el hombro. Pero tuve que verlo durante mucho tiempo antes de convencerme de que tenía la cabeza en el *mismo* hombro. De pronto pensé que lo vi mover un pie, aunque creo que sólo era una sombra moviéndose. Hubo muchas de esas, porque créanme que la mano con la que sostenía la linterna no estaba muy firme.

Mientras estuve ahí con el cabello hacia atrás y seguramente pareciendo un esperpento, se me ocurrió la cosa más chistosa: sentí que debía agacharme hasta que cayera al pozo. Me encontrarían con él (no que fuera la forma ideal de terminar, en lo que se refiere a mí) pero por lo menos no me encontrarían con sus brazos alrededor de mí... y no tendría que despertarme a cada rato con la idea de que estaba en la recámara conmigo, o sintiendo que tenía que volver al pozo con la linterna para estar segura de que seguía muerto.

Entonces volví a oír la voz de Vera, sólo que esta vez sí estaba dentro de mi cabeza. Yo sé eso, igual que sé que la primera vez me habló al oído. "El único lugar donde caerás es en la cama", me dijo esa voz. "Ve a dormir, y cuando te despiertes el eclipse ya habrá pasado del todo. Te sorprenderás de lo bien que se ven las cosas cuando salga el sol."

Eso sonó como un buen consejo, y lo obedecí. Pero de todos modos cerré las dos puertas de la casa, y antes de meterme a la cama, hice algo por única vez en mi vida: puse una silla contra la puerta, debajo de la perilla. Me da vergüenza admitirlo (siento los cachetes calientes, así que creo que me puse colorada), pero me ayudó, porque me quedé dormida en cuanto puse la cabeza en la almohada. Cuando volví a abrir los ojos, ya era de día. Vera me dio el día libre, porque me dijo que Gail Lavesque y otras muchachas se podían encargar de poner en orden la casa después de la fiesta que tenía planeada para la noche del día veinte. Eso me venía bien.

Me levanté, me volví a bañar y me vestí. Me tomó media hora hacer todo eso porque yo no tenía fuerzas. Más que nada, era mi espalda; siempre ha sido mi punto débil desde la noche en que Joe me pegó en los riñones con el tronco, y estoy muy segura de que me la lastimé otra vez por sacar la piedra de la tierra y por alzarla sobre mi cabeza. Como fuera, les puedo decir que me dolía como el carajo.

En cuanto me vestí, me senté a la mesa de la cocina con la luz del sol y tomé una taza de café negro y pensé en lo que tenía que hacer. No era mucho, a pesar de que nada había marchado como yo pensaba, pero había que hacerlo bien; si olvidaba algo o se me pasaba algo, yo me iba a la cárcel. Joe St. George no era muy querido en Little Tall, y no eran muchos los que me habrían reprochado lo que hice, pero no te ponen una medalla y te hacen un desfile por matar a un hombre, aunque se tratara de una mierda de tipo.

Me serví otra taza de café y salí al porche a tomármelo... y ver alrededor. Las dos cajas reflectoras y uno de los visores ya estaban otra vez en la bolsa que me dio Vera. Los pedazos del otro visor estaban donde habían quedado desde que Joe brincó y se le cayó de la piernas, y se rompió en el piso del porche. Pensé durante un buen rato en esos pedazos de vidrio. Al final volví a entrar a la casa, tomé la escoba y el recogedor, y los barrí. Decidí que como yo soy como soy, y que mucha gente en la isla sabe cómo soy, se vería más sospechoso si dejaba los vidrios ahí.

Empecé a tener la idea de decir que no vi a Joe en toda la tarde. Pensé que le diría a los demás que no estaba en la casa cuando regresé de trabajar con Vera, sin dejar ni siquiera una nota diciendo a dónde se había largado, y que me tomé esa botella de whisky caro en el porche porque estaba enojada con él. Si hacían pruebas que demostraran que él estaba borracho cuando se cayó al pozo, no me molestaría; Joe conseguía bebida en muchas partes, incluyendo el cajón de debajo del fregadero de su propia cocina.

De sólo verme al espejo me convencí de que eso no serviría: si Joe no hubiera estado en la casa para dejarme esas marcas en la garganta, entonces querrían saber *quién* me las hizo. ¿Qué les diría? ¿Que lo hizo Santa Claus? Por suerte, yo misma me dejé una salida: le había dicho a Vera que si Joe actuaba otra vez como un salvaje, tal vez lo dejaría para cocinar su propia comida y me iría al promontorio a ver el eclipse. No tenía ningún plan cuando dije esas palabras, pero ahora las bendecía.

No serviría de nada decir que estuve en el promontorio, porque ahí hubo gente, y me habrían visto, pero el Prado Ruso sí servía: estaba en el camino hacia el promontorio, tenía buena vista hacia el oeste, y ahí no estaba nadie. Estaba segura de eso porque lo vi cuando estaba sentada en el porche, y lo volví a ver cuando lavaba los platos. Lo único era que...

¿Qué, Frank?

No. No me preocupaba que su camioneta estuviera en la casa. En el año 59 tuvo una racha de tres o cuatro infracciones seguidas por manejar borracho, y al final le quitaron su licencia por un mes, Edgar Sherrick, que por entonces era nuestro alguacil, vino una vez y le dijo que podía tomar hasta que reventara, si eso es lo que quería, pero la próxima vez que lo pescaran manejando borracho, Edgar lo llevaría hasta el tribunal del distrito y haría lo que pudiera para que le quitaran la licencia un año. Edgar y su esposa perdieron una niña en 1948 o 49 por alguien que manejaba borracho, y aunque era un hombre que se tomaba otras cosas a la ligera, era muy duro con los borrachos en el volante. Joe lo sabía, y desde que Edgar habló con él en el porche no manejaba si se tomaba más de dos tragos. No, cuando regresé del Prado Ruso y no encontré a Joe, pensé que uno de sus amigos vino por él para celebrar el día del eclipse... Ésa es la historia que contaría.

Lo que estaba diciendo era que la cuestión importante era qué hacer con la botella de whisky. La gente sabía que últimamente yo le compraba bebida, pero eso estaba bien, porque yo sabía que pensaban que lo hacía para que no me pegara. ¿Pero dónde habría terminado esa botella si la historia que estaba inventando era lo que pasó? Tal vez no importaba, pero tal vez sí. Cuando has cometido un asesinato, nunca sabes qué es lo que puede salir para atraparte. Ésa es la mejor razón que conozco para no hacerlo. Poniéndome en lugar de Joe (no fue tan difícil como ustedes lo pensarían) supe ahí mismo que Joe no se iría con nadie a ninguna parte si quedara una sola gota de whisky en esa botella. Tenía que irse al pozo con él, y ahí es donde se fue *realmente*... sin el tapón. El tapón lo tiré a la basura encima del montón de vidrios ahumados rotos.

Caminé hasta el pozo con lo último que quedaba del whisky moviéndose dentro de la botella, pensando: "Se tomó la bebida y eso estaba bien, eso era algo que yo me esperaba, pero luego pensó que mi garganta era una bomba de mano, y eso *no estuvo* bien, así que tomé mi caja reflectora y me fui sola al Prado Ruso, maldiciendo la hora en que se me ocurrió comprarle esa botella de Johnnie Walker. Cuando regresé, él ya no estaba. No sé a dónde fue ni con quién, y tampoco me importó. Lo único que hice fue limpiar el desorden que dejó y esperar a que regresara de mejor humor." Pensé que eso sonaba muy sufrido y que convencería a todos.

Creo que lo que menos me gustaba de esa botella era que para deshacerme de ella tenía que volver al pozo y ver a Joe otra vez. Pero en ese momento no importaba mucho lo que me gustara y lo que no.

Me preocupaba el estado en que podían estar los matorrales de zarzamora, pero no estaban tan pisoteados como yo me temía, y algunos ya se volvían a enderezar. Supuse que para cuando reportara a Joe perdido, ya se verían como siempre.

Yo esperaba que el pozo no me diera tanto miedo en el día, pero sí me asustó. El agujero a la mitad de la tapa se veía todavía más horrible. No parecía un ojo desde que le quité algunos de los tablones, pero ni siquiera eso ayudaba en mucho. En vez de un ojo, parecía un hueco vacío donde algo se había podrido tanto que se había caído. Y pude aspirar ese olor a cobre y a rancio. Me hizo pensar en la niña que vi en mi mente, y me pregunté qué estaría haciendo ella esa mañana.

Quise dar media vuelta y regresar a la casa, pero en vez de eso me fui directamente al pozo, arrastrando los pies. Quería acabar con la parte siguiente tan rápido como fuera... y no saber más de ella. A partir de ese momento, Andy, lo que tenía que hacer era pensar en mis hijos y mantenerme tranquila, pasara lo que pasara.

Me asomé y miré hacia abajo. Joe seguía ahí, con las manos entre las piernas y la cabeza sobre un hombro. Los bichos corrían por su cara, y al verlos fue cuando supe de una vez por todas que de veras estaba muerto. Yo tenía agarrada la botella por el cuello con un pañuelo (no era por la cuestión de dejar mis huellas digitales, sino porque no quería tocarla) y la tiré. Cayó en el lodo, junto a él, pero no se rompió. Pero los bichos salieron corriendo por su cuello y dentro de su camisa. Nunca olvidaré eso.

Estaba a punto de irme, porque al ver esos bichos escondiéndose me dieron ganas de vomitar otra vez, cuando me fijé en los tablones que jalé para poder verlo la primera vez. No era bueno dejarlos ahí, porque me harían toda clase de preguntas si lo hacía.

Durante un rato pensé qué hacer con los tablones, y luego, cuando me di cuenta de que la mañana se me estaba yendo y alguien podría llegar a la casa en cualquier momento para platicar del eclipse o las aventuras de Vera, dije al carajo con los tablones y los tiré dentro del pozo. Regresé a la casa, o debería decir *trabajé* mientras regresé, porque había pedazos de mi vestido y mi enagua en las espinas, y recogí todos los que pude. Más tarde, ese mismo día, regresé a recoger los dos o tres pedazos que quedaron. También había pedacitos de la camisa de franela de Joe, pero los dejé donde estaban. "Que Garrett Thibodeau haga con ellos lo que pueda", pensé. "Que *cualquiera* haga con ellos lo que pueda. Pase lo que pase, va a parecer como si estuviera borracho y se hubiera caído en el pozo, y con la reputación que tiene Joe, casi seguro que lo que decidan será a mi favor."

Pero esos pedazos de tela no fueron a la basura con el vidrio roto y el tapón de la botella de Johnnie Walker; ese mismo día, pero más tarde, los tiré al mar. Estaba cruzando la puerta del patio y a punto de subir las escaleras del porche cuando algo me pasó por la cabeza: Joe había tomado un pedazo de mi enagua que yo arrastraba. ¿Y si *todavía* tenía un jirón? ¿Y si lo tenía en una de las manos, entre sus piernas, en el fondo del pozo?

Eso me dejó fría... y quiero decir fría de verdad. Me quedé parada en el patio bajo el sol fuerte de julio, sintiendo gotitas en la espalda y sintiendo en los huesos como si nevara, como en un poema que leí en la preparatoria. Entonces Vera volvió a hablar dentro de mi cabeza: "Como no puedes hacer nada al respecto, Dolores", me dijo, "te aconsejo que lo dejes como está". Me pareció un buen consejo, así que subí las escaleras y entré a la casa.

Pasé casi toda la mañana caminando por la casa y el porche, buscando... no sé qué. No sé qué es lo que estaba buscando exactamente. Tal vez estaba esperando a que ese ojo de adentro encontrara algo de lo que había que hacerse cargo, como lo hizo con los tablones. Si era así, no vi nada.

A las once de la mañana di el siguiente paso, que fue llamar a Pinewood y hablar con Gail Lavesque. Le pregunté del eclipse y de todo eso, y luego le pregunté cómo fue todo con Su Majestad.

—Pues... —me dijo—. No me puedo quejar porque no he visto a nadie, además de ese tipo viejo y calvo con bigote de cepillo de dientes... ¿Sabes de quién estoy hablando?

Dije que sí.

—Bajó por las escaleras a las nueve y media, salió al jardín, caminando despacito y como si se detuviera la cabeza, pero por lo menos *se levantó*, que es más de lo que se puede decir de los demás. Cuando Karen Jolander le preguntó si quería un vaso de jugo de naranja, corrió hasta el porche y vomitó sobre las petunias. Debías haberlo oído, Dolores: *¡Bliiiiajjj!*

Me reí hasta que casi lloré. Nunca antes la risa me hizo tanto bien.

—Parece que tuvieron toda una fiesta cuando regresaron del trasbordador —opinó Gail—. Si me dieran diez centavos por cada colilla de cigarrillo que tiré esta mañana (sólo diez centavos), me podría comprar un Chevrolet nuevo. Pero el lugar va a quedar reluciente para cuando seño Donovan baje por las escaleras con su cruda. Puedes estar segura de eso.

—Yo sé que sí —afirmé—. Si necesitas ayuda, ya sabes que me puedes llamar.

Gail soltó la carcajada:

—No te preocupes —dijo—. La semana pasada te partiste el lomo, y la señora Donovan sabe eso tan bien como yo. Ella no quiere verte antes de mañana por la mañana, y yo tampoco.

—Muy bien —le dije, y luego hice una pausa. Ella esperaba que yo le dijera adiós, y si dijera otra cosa, ella le pondría mucha atención... y eso era lo que quería—: ¿Joe no se apareció por ahí? —le pregunté.

—¿Joe? —contestó—. ¿*Tu* Joe?

—Ajá.

—No, no lo vi por acá. ¿Por qué lo preguntas?

—Anoche no vino a la casa.

—¡Oh, Dolores! —exclamó, sonando horrorizada pero también interesada al mismo tiempo—. ¿Bebiendo?

—Seguro —le dije—. No es que me preocupe mucho. No es la primera vez que se queda toda la noche aullándole a la luna. Ya va a aparecer: hierba mala nunca muere.

Luego colgué, sintiendo que hice muy buen trabajo al plantar la primera semilla.

Me preparé un sandwich tostado de queso para el almuerzo, pero no pude comérmelo. El olor del queso y el pan frito me dejaron el estómago caliente y sudoroso. En vez de eso me tomé dos aspirinas y me acosté. No creí que me dormiría, pero así fue. Cuando me desperté eran casi las cuatro de la tarde y ya era tiempo de plantar más semillas. Llamé a los amigos de Joe, a los pocos que tenían teléfono, y le pregunté a cada uno si lo habían visto. Les dije que anoche no llegó a la casa y que *todavía* no llegaba, y ya estaba preocupada. Claro que todos me dijeron que no, y cada uno de ellos quería oír los detalles del asunto, pero al único que le dije algo fue a Tommy Anderson, tal vez porque yo sabía que Joe le presumía de como mantenía a su mujer en cintura, y el pobre de Tommy, tan simple, siempre se lo creía. Pero ni siquiera ahí exageré lo que pasaba: sólo dije que Joe y yo discutimos y que creía que Joe salió muy enojado. Esa tarde hice unas llamadas más, incluyendo a algunos a los que ya les había hablado, y me sentí muy contenta de que el rumor ya hubiera corrido.

Esa noche no dormí muy bien: tuve pesadillas horribles. Una era con Joe. Estaba en el fondo del pozo, mirándome con su cara blanca y esos círculos negros sobre su nariz que parecían como si alguien le hubiera puesto carbones en los ojos. Me decía que se sentía solo, y me suplicaba que saltara al pozo para hacerle compañía.

La otra fue peor, porque fue con Selena. Ella tenía unos cuatro años, y tenía puesto el vestido rosa que le trajo su abuela Trisha justo antes de morir. Selena llegó conmigo en el patio de entrada y vi que tenía mis tijeras en la mano. Levanté mi mano para quitárselas, pero elle negó con la cabeza. "Es mi culpa y yo soy la que debe pagar por eso", me dijo. Luego alzó las tijeras hasta su cara y se cortó la nariz. Cayó a la tierra entre sus zapatitos de cuero y me desperté gritando. Apenas eran las cuatro de la madrugada, pero era todo lo que podía dormir, y yo no era tan estúpida como para no saberlo.

A las siete volvía a llamar a casa de Vera. Esta vez contestó Kenopensky. Le dije que yo sabía que Vera me esperaba esa mañana, pero que no podía llegar, por lo menos hasta que no supiera dónde estaba mi marido. Le dije que desde hacía dos noches no sabía nada de él, y hasta ahora su límite cuando se emborrachaba era estar una noche fuera.

Casi al final de la llamada Vera tomó la extensión y me preguntó qué estaba pasando:

—Parece ser que perdí a mi marido —masculló.

No dijo nada por unos segundos, y hubiera dado cualquier cosa por saber en qué estaba pensando. Luego volvió a hablar y me dijo que si estuviera en mi lugar, no le habría molestado en lo mas mínimo perder a Joe St. George.

—Bueno —le dije—, tuvimos tres hijos y me acostumbré a él. Iré más tarde para allá, si aparece.

—Está bien —asintió, y luego—: ¿Todavía estás ahí, Ted?

—Sí, Vera —le contestó.

—Pues dedícate a hacer cosas de hombres —ordenó—. Clava algo o empuja otra cosa. No me importa qué.

—Sí, Vera —repitió, y sonó algo en la línea cuando colgó.

De todos modos Vera se quedó callada unos segundos más. Luego dijo:

—Tal vez tuvo un accidente, Dolores.

—Sí —afirmé—. No sería extraño que pasara eso. Las últimas semanas ha tomado mucho, y cuando traté de hablar con él del dinero de los niños el día del eclipse, casi me ahorca.

—¿Ah, sí? —dijo. Pasaron unos segundos más sin que hablara, y luego me dijo—: Buena suerte, Dolores.

—Gracias —respondí—. La necesito.

—Hazme saber si necesitas algo.

—Muy amable —agradecí.

—No es nada —me contestó—. Es que detestaría perderte. En estos tiempos es difícil encontrar a alguien que no esconda la basura debajo de la alfombra.

"Para no hablar de alguien que recuerde poner los tapetes en su lugar", pensé, pero no lo dije. Le di las gracias y colgué. Esperé otra media hora y llamé a Garrett Thibodeau. En esos tiempos no había algo tan interesante ni tan moderno como un jefe de policía en Little Tall. Garrett era el alguacil del pueblo. Él tomó el puesto cuando le dio la embolia a Edgar Sherrick en 1960.

Le dije que no sabía nada de Joe desde hacía dos noches, y que ya estaba preocupada. Garrett sonaba muy mareado, no creo que estuviera tan despierto como para haberse tomado ya su primera taza de café, pero me dijo que hablaría a la policía del estado en el continente y hablaría con algunas personas de la isla. Yo sabía que era la misma gente con la que yo había hablado (en algunos casos hasta dos veces), pero no se lo dije. Garrett se despidió diciendo que estaba seguro de que vería a Joe antes del almuerzo. "Claro que sí, pendejo", pensé al colgar, "y los cerdos silban". Creo que ese hombre *tenía* suficientes sesos como para cantar *Yankee Doodle* mientras cagaba, pero no creo que pudiera recordar toda la letra.

Pasó toda una semana hasta que lo encontraron, y yo ya estaba casi loca. Selena regresó el miércoles. La llamé por la tarde del martes para decirle que su papá estaba perdido y que el asunto parecía muy serio. Le pregunté si quería venir a la casa y me dijo que sí. Melissa Caron (la mamá de Tanya, ya saben) fue por ella. Dejé a los niños donde estaban, porque tratar el asunto con Selena ya era suficiente. Me puso un susto el jueves, cuando yo estaba en mi huerto, cuando todavía faltaban dos días para que encontraran a Joe. Me dijo:

—Mamá, dime una cosa.

—Sí, mi amor —asentí. Creo que soné muy calmada, pero tenía una idea de lo que estaba por venir. Claro que la tenía.

—¿Tú le hiciste algo? —me preguntó.

De pronto recordé el sueño, el de Selena a los cuatro años con su vestidito rosa, con las tijeras y cortándose la nariz. Pensé, y recé: "Dios mío, por favor ayúdame a mentirle a mi hija. Por favor, Dios mío. Nunca te pediré otra cosa si Tú me ayudas a mentirle a mi hija para que me crea y nunca dude".

—No —le dije. Tenía puestos mis guantes de jardinería, pero me los quité para ponerle las manos en los hombros. La miré directo a los ojos—: No, Selena

—repetí—. Él estaba muy borracho y me ahorcó tan fuerte que me dejó estas marcas en el cuello, pero yo no le hice nada. Todo lo que hice fue irme, y lo hice porque estaba muy asustada para quedarme. ¿Verdad que lo entiendes? ¿Verdad que no me echas la culpa? Ya sabes lo que es estar asustada de él, ¿verdad?

Dijo que sí con la cabeza, pero no dejó de mirarme. Sus ojos eran más azules que nunca, del color del mar después de una tormenta. Con el ojo de mi mente vi el brillo de las hojas de la tijera, y su botoncito de nariz cayendo en la tierra. Les voy a decir lo que pienso: creo que Dios me concedió ese día la mitad de mi plegaria. Me doy cuenta de que casi siempre las contesta así. En esa tarde de julio, entre los frijoles y los pepinos, le dije a Selena la mejor mentira que le haya contado acerca de Joe... ¿Me creyó? ¿Nunca dudó de mí? Por más que quisiera que la respuesta fuera sí, no puedo. Fue la duda lo que le oscureció tanto los ojos desde entonces.

—Lo peor de lo que soy culpable —agregué— fue comprarle una botella, para sobornarlo y que fuera bueno. Debí suponer que pasaría esto.

Me miró un minuto más, y se agachó para tomar la bolsa de pepinos que corté:

—Muy bien —apuntó—. Voy a llevar esta bolsa a la casa.

Eso fue todo. Nunca volvimos a hablar del asunto, ni antes ni después de que lo encontraran. Yo creo que oyó mucho de lo que se decía de mí, en la isla y en la escuela, pero no volvimos a hablar de eso. Pero desde esa tarde en el huerto, fue cuando comenzó la frialdad. Y cuando apareció entre nosotras la primera grieta en la pared que ponen las familias entre ellas y el resto del mundo. Desde entonces se ha hecho más y más grande. Selena me llama y me escribe como un reloj,

ella es muy buena con eso, pero igual estamos aleja-
das. Estamos desavenidas. Lo que hice fue casi todo
por Selena, no por los niños ni por el dinero que trató
de robarles su papá. Si lo maté fue más bien por
Selena, y el precio de protegerla de él fue lo más
profundo del amor que ella me tenía. Una vez oí que
mi papá dijo que Dios puso a una puta cuando Él creó
el mundo, y con los años he ido entendendiendo lo que
quiso decir. ¿Saben qué es lo peor del asunto? Que a
veces es chistoso. A veces es tan chistoso que no
puedes dejar de reírte ni siquiera cuando el mundo se
cae a pedazos.

Mientras tanto, Garrett Thibodeau y sus amigotes de
la barbería estaban muy ocupados en no encontrar a
Joe. Llegué al punto de pensar que tendría que ser yo
misma la que lo encontrara, y la idea no me gustaba
nada. Si no fuera por el dinero, me hubiera ido y lo
hubiera dejado ahí hasta el día del Juicio Final. Pero el
dinero estaba en Jonesport, en una cuenta de banco a
su nombre, y no tenía ganas de esperar siete años para
que lo declararan legalmente muerto para que me lo
dieran. Selena comenzaría la universidad en unos dos
años y necesitaría algo de ese dinero para empezar.

Por fin corrió la idea de que Joe se fue con la botella
al bosque que estaba detrás de la casa, y que pisó una
trampa o se cayó cuando regresó borracho a la casa.
Garrett dijo que era *su* idea, pero me parece muy difícil
creerle eso, porque lo conozco desde la escuela. No
importa. El jueves por la tarde puso un anuncio en el
salón municipal, y la mañana del sábado, una semana
después del eclipse, salió de búsqueda con un grupo
de cuarenta o cincuenta hombres.

Formaron una línea desde el bosque Highgate, en
el lado que da al promontorio, y avanzaron hacia la
casa, primero por el bosque y luego por el Prado Ruso.

A la una de la tarde los vi cruzar el prado, riéndose y haciendo chistes, pero se terminaron los chistes y empezaron las maldiciones cuando llegaron a nuestro terreno y al matorral de zarzamoras.

Yo me quedé en la puerta de entrada, viéndolos llegar con el corazón en la garganta. Recuerdo que pensé que por lo menos Selena no estaba en la casa, que era una bendición que se había ido a ver a Laurie Langill. Luego empecé a pensar que las espinas harían que mandaran todo al carajo y terminaran la búsqueda antes de que llegaran al pozo. Pero siguieron. De pronto oí que Sonny Benoit gritó:

"¡Oye, Garrett! ¡Aquí! *¡Ven aquí!*" Supe que, para bien o para mal, habían encontrado a Joe.

Claro que le hicieron la autopsia. Se la hicieron el mismo día que lo encontraron, y creo que la seguían haciendo cuando Jack y Alicia Forbert trajeron a los niños en la tarde. Pete lloraba, pero se veía confundido: creo que no entendía bien lo que le había pasado a su papá. Pero Joe junior sí lo entendió, y cuando me pidió hablar conmigo, pensé que me preguntaría lo mismo que Selena, y me preparé para contestarle la misma mentira. Pero me preguntó algo muy distinto.

—Mamá —me dijo—, ¿si me da gusto que esté muerto, Dios me mandará al infierno?

—Joey, la gente a veces siente esas cosas, y creo que Dios sabe eso —le contesté.

Entonces empezó a llorar, y dijo algo que me partió el alma:

—*Traté* de quererlo —eso es lo que me afirmó—. *Siempre* traté, pero él nunca me dejó.

Lo abracé lo más fuerte que pude. Creo que ésa es la vez en que casi lloré durante todo el asunto... pero claro que tienen que recordar que no podía dormir muy bien y todavía no tenía idea de cómo terminaría todo.

Se citó el martes a una averiguación, y Lucien Mercier, que era el dueño de la única funeraria de Little Tall en ese entonces, me dijo que el miércoles podríamos enterrar a Joe. Pero el lunes, un día antes de la averiguación, Garrett me llamó por teléfono y me preguntó si podía ir a su oficina un rato. Ésa era la maldita llamada que estaba esperando y temiendo, pero no podía hacer otra cosa que ir, así que le pedí a Selena que le diera de comer a los niños y me fui. Garrett no estaba solo. El doctor John McAuliffe estaba con él. También esperaba que pasara eso, pero de todos modos sentí que el corazón se me hundió un poco.

Por entonces McAuliffe era el médico forense del condado. Murió tres años después cuando una barredora de nieve chocó contra su Volkswagen. Henry Briarton tomó el puesto cuando murió McAuliffe. Si Briarton hubiera sido el médico forense en el año 63, me habría sentido más tranquila por nuestra plática de aquel día. Briarton es más listo de lo que era el pobre de Garrett Thibodeau, pero sólo un poco. Pero John McAuliffe... tenía una cabeza como la luz del faro de Battiscan.

Él era un escocés embotellado de origen que apareció por estos lugares después de la Segunda Guerra Mundial, con todo y su acento de muchas "erres". Creo que era ciudadano de los Estados Unidos, porque era doctor y tenía un puesto en el condado, pero no era como la gente de este lugar. No es que eso me importara mucho; sabía que tenía que enfrentarlo, aunque fuera de los Estados Unidos o de Escocia o de China.

Tenía el pelo blanco como la nieve aunque no tenía más de cuarenta y cinco, y ojos azules tan brillantes y filosos que parecían taladros. Cuando te miraba, sentías que estaba viendo directo a tu mente y que ordenaba alfabéticamente los pensamientos que te veía. Ni bien lo vi sentado junto al escritorio de Garrett y oí que la puerta de su oficina se cerró detrás de mí, supe que lo que pasaría al día siguiente en tierra firme no importaba un pito. La verdadera averiguación se haría ahí mismo, en la oficina tan chica del alguacil, con un calendario de la compañía de aceite colgado en una pared y una foto de la mamá de Garrett colgada en la otra.

—Siento molestarla en este momento tan doloroso, Dolores —dijo Garrett. Se frotaba las manos, nervioso, y me recordó al señor Pease, del banco. Pero Garrett tenía unos callos más en las manos, porque el sonido que hacían era como la lija en una tabla seca—. Pero el doctor McAuliffe quiere hacerle unas preguntas.

Por la forma confundida en que Garrett miró al doctor, me di cuenta de que él tampoco sabía qué preguntas eran, y eso me asustó todavía más. No me gustó la idea de que ese escocés astuto pensara que las cosas eran tan serias como para seguir sus propios consejos y no darle al pobre de Garrett Thibodeau la oportunidad de joder las cosas.

—Mis más sincerras simpatías, señorra St. George —masculló McAuliffe con su acento escocés. Era un hombre bajito, pero muy fuerte. Tenía un bigotito bien recortado, tan blanco como el pelo de su cabeza, tenía puesto un traje y chaleco de lana, y se veía extranjero tanto como se oía. Esos ojos azules me perforaron la frente, y me di cuenta de que no sentía hacia mí ninguna simpatía, aunque lo dijera. Tal vez no sentía simpatía por nadie... ni por él mismo—: Siento mucho su dolorrrr y desgrrracia.

"Claro, y si te lo creo, me vas a contar otro cuento", pensé. La última vez que sentiste algo fue cuando tuviste que pagar por usar el excusado y se rompió la

223

cadena donde ponías tu moneda de la suerte.* Pero decidí ahí mismo que no se diera cuenta de lo asustada que estaba. Quizá me tenía atrapada y quizá no. Tienen que recordar que, según yo, me iba a decir que cuando pusieron a Joe en la plancha en el sótano del hospital y le abrieron las manos, se cayó un pedacito de nylon blanco, un jirón de enagua de mujer. Podía tratarse de eso, pero de todos modos yo no quería darle el gusto de retorcerme de miedo enfrente de él. Y él estaba acostumbrado a que la gente le tuviera miedo cuando los miraba; él lo consideraba como su deber, y le gustaba.

—Muchas gracias —le dije.

—¿Gusta sentarrrse, señora? —me preguntó, como si la oficina fuera suya y no del pobre de Garrett, que estaba tan confundido.

Me senté y me preguntó si tendría la amabilidad de permitirle fumar. Le dije que de todos modos ya tenía prendido el encendedor. Sonrió como si yo hubiera dicho algo chistoso, pero sus *ojos* no sonrieron. Sacó una pipa negra, grande y vieja, del bolsillo de su abrigo y la llenó. No dejó de verme mientras lo hacía. Ni siquiera cuando se la puso entre los dientes y subió humo de la pipa dejó de verme. Me dio escalofrío, con él viéndome a través del humo, y me recordó otra vez el faro de Battiscan: dicen que se puede ver a tres kilómetros hasta en las noches en que la niebla es tan espesa que puedes escarbar en ella.

Empecé a retorcerme con esa mirada a pesar de mis buenas intenciones, y entonces pensé en Vera Donovan que decía: "Tonterías, los maridos mueren todos los días, Dolores." Se me ocurrió que McAuliffe podría mirar a Vera hasta que se le cayeran los ojos y no lograr otra cosa que hacer que cambiara la forma de cruzar las piernas. Cuando pensé eso me sentí un poco más cómoda, y me sentí más tranquila; sólo doblé las manos sobre mi bolsa y esperé a que siguiera.

Por fin, cuando se dio cuenta de que yo no iba a caer de rodillas al piso para confesar que maté a mi marido (supongo que también le gustaría que lo hiciera bañada en lágrimas), se sacó la pipa de la boca y dijo:

—Usted le informó al alguacil que fue su marido el que le hizo esas marcas en la garganta, señora St. George.

—Ajá —le dije.

—Que usted se sentó con él en el porche parrra ver el eclipse y que entonces se entabló una discusión.

—Ajá.

—¿Y podría saber acerrrca de qué fue la discusión?

—Primero de dinero, después de bebida —le contesté.

—¡Pero fue usted quien le compró el licor con el que se emborrrachó ese día, señora St. George! ¿No es así?

—Ajá —exclamé. Sentí que quería decir algo más, justificarme, pero no lo hice, aun cuando podía hacerlo. Es que eso era lo que quería McAuliffe, que corriera a justificarme. Que lo hiciera hasta que quedara dentro de una cárcel.

Por fin se cansó de esperar. Jugueteó con los dedos como si estuviera molesto, luego volvió a atravesarme con sus ojos de faro:

—Tras el incidente en que trató de ahorcarla usted dejó a su marido; fue al Prado Ruso, camino hacia el promontorio, para ver el eclipse sola.

—Ajá.

De repente se inclinó hacia adelante, con sus manos chicas en sus rodillas chicas, y me dijo:

—Señora St. George, ¿sabe usted cuál era la dirección del viento ese día?

Era como el día en noviembre del año 62, cuando casi encontré el pozo cayéndome dentro de él. Parecía como si volviera a oír el mismo sonido de algo que se quebraba, y pensé: "Ten mucho cuidado, Dolores Claiborne. Ten muchísimo cuidado. Hoy hay pozos en todas partes, y este hombre sabe dónde está cada uno de ellos.

—No —le respondí—. No sé. Y cuando no sé de dónde sopla el viento, casi siempre quiere decir que el día está tranquilo.

—En verdad, ese día no sopló más que una brisa... —comenzó a decir Garrett, pero McAuliffe alzó la mano y lo cortó como un cuchillo.

—Soplaba del oeste —dijo—. Un viento del oeste, o una *brisa* del oeste si usted quiere, de once a quince kilómetros por hora, con rachas de hasta veinticuatro. Me parece extraño, señora St. George, que ese viento no le haya llevado los gritos de su marido mientras usted estaba parada en el Prado Ruso, que está a poco más de medio kilómetro de distancia.

No dije nada durante por lo menos tres segundos. Había decidido contar hasta tres antes de contestar a *cualquiera* de sus preguntas. Hacer eso evitaría que me apurara demasiado y que por eso cayera en una de las trampas que él había escarbado. Pero creo que McAuliffe pensó que me tenía confundida desde el principio, porque se inclinó hacia adelante en su silla, y juro que por uno o dos segundos sus ojos pasaron del azul al rojo blanco.

—No me sorprende —asenté—. Primero que nada, once kilómetros por hora no es más que un soplo en un día de calor. Segundo, había como mil lanchas en el mar, sonando las sirenas. ¿Y cómo sabe usted que gritó? *Seguro* que usted no lo oyó.

Se echó para atrás. Parecía decepcionado:

—Ésa es una deducción rrrazonable —dijo—. Sabemos que no lo mató la caída en sí, y la evidencia forense sugiere fuertemente que tuvo por lo menos un período prolongado de conciencia. Señora St. George, si usted hubiera caído en un pozo abandonado y se encontrara con una pierna rota, un tobillo fracturado, cuatro costillas rotas y una muñeca torcida, ¿no *gritaría* para que la salvaran?

Conté otros tres segundos antes de contestar, y luego dije:

—*Yo* no me caí en el pozo, doctor McAuliffe. Fue Joe, y estaba borracho.

—Sí —embistió otra vez el doctor McAuliffe—. Usted le compró una botella de whisky escocés, aun cuando todas las personas con las que hablé me comentaron que usted odiaba que él bebiera, y aun cuando él discutía y era desagradable cuando bebía; usted le compró una botella de whisky, y no sólo bebió, sino que estaba borracho. Estaba muy borrrracho. Su boca estaba llena de fluido, y su camisa estaba salpicada de fluido hasta la cintura. Cuando usted combina el hecho de este fluido con el conocimiento de las costillas fracturadas y los daños en el pulmón concomitantes que sufrió, ¿sabe usted qué sugiere eso?

Uno... dos... tres...:

—No —le dije.

—Varias costillas rotas le perforaron los pulmones. Tales heridas siempre producen hemorragia, pero rara vez el sangrado es tan abundante como en este caso. Una hemorragia como ésta fue probablemente causada, deduzco yo, por los repetidos gritos de oxilio del difunto —así es como lo dijo, Andy: oxilio.

No era una pregunta, pero de todos modos volví a contar hasta tres antes de decir:

—Usted piensa que estaba ahí abajo gritando que lo sacaran. Eso es todo lo que puede decirse, ¿o no?

—No, señora —aseguró. —No sólo lo *pienso*; tengo la cerrrteza morrral.

Esta vez no esperé para contestar:

—Doctor McAuliffe —le dije—, ¿usted piensa que yo empujé a mi marido al pozo?

Eso lo sacudió un poco. Sus ojos de faro no sólo parpadearon: por unos segundos también se apagaron un poco. Jugó un poco con su pipa, luego se la volvió a poner en la boca y fumó, todo el tiempo tratando de decidir cómo podría lidiar con *eso*.

Antes de que lo hiciera, Garrett habló. Tenía la cara más roja que un rábano:

—Dolores, estoy seguro de que nadie piensa... es decir, que ni siquiera alguien ha *considerado* la idea de que...

—Cierto —McAuliffe entró otra vez. Le descarrilé su tren de pensamientos por unos cuantos segundos, pero vi que regresó a la vía sin ningún problema—. *Yo* sí lo consideré. Usted comprenderá, señora St. George, que eso es parte de mi trabajo...

—No me importa eso de señora St. George —le dije—. Si me va a acusar de empujar a mi marido al pozo y luego quedarme parada mientras que él gritaba que lo ayudaran, entonces no hay problema si usted me dice Dolores.

Esta vez no *traté* de sorprenderlo, Andy, pero seré maldita si de todos modos no lo hice... segunda vez en dos minutos. No creo que le haya ido tan mal desde la escuela de medicina.

—Nadie la está *acusando* de nada, señora St. George —me dijo todo tieso, y lo que vi en sus ojos fue: "Al menos, todavía no."

—Pues eso está muy bien —le comenté—. Porque la idea de que yo empujé a Joe al pozo es muy tonta.

Pesaba unos veinte kilos más que yo, o más. Se puso muy gordo en los últimos años. Además, a él no le daba miedo usar los puños si alguien le estorbaba el camino. Se lo dice la que fue su esposa durante dieciséis años, y se topará con mucha gente que le dirá lo mismo.

Claro que Joe no me pegaba desde hacía mucho, pero nunca traté de corregir la impresión general que corría por la isla de que lo hacía a cada rato, y en ese momento, con los ojos azules de McAuliffe tratando de perforarme la frente, seguro que me dio mucho gusto.

—Nadie está diciendo que usted lo empujó al pozo —dijo el escocés. Estaba echándose para atrás. Pude verle en la cara que él sabía que era así, pero que no tenía idea de cómo pasó. Su cara decía que era yo la que debía estar echándose para atrás—. Pero debió gritar. Lo tuvo que hacer durante mucho tiempo, tal vez durante horas, y con todas sus fuerzas.

Uno... dos... tres...:

—Creo que ahora entiendo —le dije—. Quizá usted cree que cayó por accidente en el pozo, y que lo oí gritar y me hice la sorda. ¿Es eso lo que quiere decirme?

De sólo verle la cara me di cuenta de que *eso* era lo que quería decirme. También supe que estaba enojado de que las cosas no estaban saliendo como él quería, en la forma en que siempre le salían antes cuando tenía estas entrevistas. En sus carrillos aparecieron círculos de color rojo brillante. Me gustó verlos, porque quería hacerlo enojar. Un hombre como McAuliffe es más fácil de manejar cuando está enojado, porque la gente como él está acostumbrada a mantener la compostura mientras que los demás la pierden.

—Señora St. George, serrrá muy difícil conseguir algo de valor si usted insiste en responder a mis preguntas con sus propias preguntas.

—Pero si usted no me preguntó nada, doctor McAuliffe —le dije, poniendo ojos de inocente—. Usted me dijo que Joe estaba gritando... "pidiendo auxilio" fue lo que usted dijo... así que yo sólo pregunto si...

—Muy bien, muy bien —me dijo, y puso su pipa en el cenicero de bronce de Garrett con tanta fuerza que lo hizo sonar. Ahora sus ojos ardían, y tenía en la frente una raya roja que hacía juego con los círculos de los cachetes—. ¿*Lo oyó* pedir ayuda, señora St. George?

Uno... dos... tres...

—John, creo que no hay ninguna necesidad de *importunar* a esta mujer —opinó Garrett. Se oyó más incómodo que nunca, y vaya que volvió a romper lo poco de concentración que le quedaba al escocés. Casi se me salió la risa. Ya sé que no habría estado bien que me riera, pero igual casi se me salió.

McAuliffe giró y le dijo a Garrett:

—Estuviste de acuerdo en que yo me encargara de esto.

El pobre Garrett se echó para atrás en su silla tan rápido que casi la tira, y estoy segura de que él solo se dio un latigazo:

—Está bien, está bien, no hay por qué ponerse de mal humor.

McAuliffe me volvió a mirar, listo para repetir la pregunta, pero no lo dejé. Para entonces ya había tenido tiempo de contar hasta diez, o casi.

—No —exclamé—. No oí nada, más que gente en el mar, haciendo sonar las sirenas de sus lanchas y gritándose uno al otro en cuanto vieron que el eclipse estaba empezando.

Esperó a que dijera otra cosa, su viejo truco de quedarse callado para que la gente se fuera corriendo a su trampa, y se hizo el silencio. Yo seguía teniendo las manos en la bolsa y la hacía girar. Él me veía y yo lo veía a él.

"Vas a decirme todo, mujer", me decían sus ojos. "Me vas a decir todo lo que quiero oír... lo vas a decir dos veces, si yo quiero."

Y mis ojos le contestaban: "No, amiguito. Puedes sentarte y taladrarme con tus ojitos azules de diamante de aquí a la eternidad y no me vas a sacar ni una sola palabra a menos que abras la boca y me lo pidas".

Siguió así durante casi un minuto: podrían decir que fue todo un duelo entre nuestros ojos, y al final del duelo podía sentir que me estaba ganando, que quería decirle algo, aunque fuera: "¿Es que tu mamá no te enseñó que no es de buena educación mirar así a la gente?" Entonces Garrett habló, o más bien su estómago: hizo *goiiiinnnnggg*.

McAuliffe se le quedó viendo, enojado como el carajo, y Garrett sacó su navaja para limpiarse debajo de las uñas. McAuliffe sacó una libreta del bolsillo de su abrigo de lana (¡*De lana*! ¡En *julio*!), buscó algo y la volvió a guardar.

—Trató de salir del pozo —dijo al fin, tan tranquilo como si alguien dijera "Tengo una cita para comer".

Lo sentí como si alguien me hubiera clavado un tenedor en los riñones, en el mismo lugar donde Joe me pegó con el leño esa vez, pero traté de no demostrarlo:

—¿Ah, sí? —le pregunté.

—Sí —respondió McAuliffe—. Las paredes del pozo están recubierrrtas con piedrrras grandes, y encontramos en ellas huellas hechas con sangre. Parece ser que se pudo poner de pie, luego empezó a escalar poco a poco, mano sobre mano. Debió ser un esfuerzo hercúleo, a pesar de la agonía de dolor más grande que pueda imaginarme.

—Siento mucho oír que haya sufrido —apunté. Mi voz era tan calmada como siempre, o al menos creo que era así, pero sentí que los sobacos se me empaparon de sudor, y recuerdo que me dio miedo que empezara a sudar en la frente o en las sienes, donde él podría notarlo—. Pobre Joe.

—Así es, por cierto —comentó McAuliffe, con sus ojos de faro prendiéndose y apagándose—. Pobre... Joe. Creo que pudo haber salido. Probablemente hubiera muerto poco después, pero sí; creo que pudo haber salido. Sin embargo, algo evitó que lo lograra.

—¿Qué fue eso? —le pregunté.

—Sufrió una fractura en el crrráneo —aseguró McAuliffe. Sus ojos estaban más brillantes que nunca, pero su voz ya era más suave que la de un gatito—. Encontramos una roca entre sus piernas. Estaba cubierta con la sangre de su marido, señora St. George. Y en esa sangre encontramos unos cuantos fragmentos de porcelana. ¿Sabe usted qué se puede deducir de eso?

Uno... dos... tres...

—Suena como si esta piedra le hubiera reventado la dentadura postiza además de la cabeza —le dije—. Que lástima. Joe la quería mucho, y yo no sé qué va a hacer Lucien Mercier para que se vean bien a la hora de velar el cuerpo.

McAuliffe estiró los labios cuando dije eso y pude ver bien *sus* dientes. No tenía dentadura postiza. Creo que él quería que eso pareciera una sonrisa, pero no fue así. Ni un poquito.

—Sí —asintió, enseñándome sus dos hileras de dientes limpios, hasta las encías—. Sí, también ésa es mi conclusión: esas astillas de porcelana provienen de su dentadura postiza inferior. Ahora, señora St. George, ¿tiene usted una idea de cómo una roca pudo golpear a su marido justo cuando estaba a punto de escapar del pozo?

Uno... dos... tres...

—No —le respondí—. ¿Y usted?

—Sí —me aseguró—. Yo más bien sospecho que alguien sacó la piedra de la tierra y la incrustó, con crueldad, premeditación y malicia, en su cara suplicante.

Nadie diría nada después de eso. Dios sabe que *quise decir* algo; quise saltar para decir: "No fui yo. Quizá alguien lo hizo, pero no fui yo." Pero no podía hacerlo, porque estaba de vuelta en el matorral de zarzamoras y esta vez había pozos por todas partes.

En vez de hablar me quedé sentada, viéndolo, pero pude sentir el sudor que quería volver a salir y podía sentir que mis manos estaban esperando a agarrarse la una a la otra. Las uñas se me pondrían blancas si hiciera eso... y él lo notaría. McAuliffe era un hombre *hecho* para notar esas cosas; sería otro trofeo para su versión del faro de Battiscan. Traté de pensar en Vera, y en como ella lo habría mirado, como si él fuera un mojón de caca de perro en sus zapatos, pero con sus ojos taladrándome como en ese momento, no me habría ayudado de mucho hacerlo. Hasta ahora, casi era como si ella estuviera en ese cuarto conmigo, pero ya no era así. Ahora era como si sólo estuviéramos yo y ese elegante doctorcito escocés, quien quizá se sentía como uno de esos detectives aficionados de las revistas (y también alguien cuyo testimonio había mandado a más de doce personas a la cárcel, pero eso lo supe después) y yo podía sentir que cada vez estaba más y más cerca de abrir la boca y decir algo. Y lo peor de todo, Andy, era que no tenía ni idea de qué pasaría al final. Podía oír el tic-tac del reloj que tenía Garrett en su escritorio: tenía un gran sonido hueco.

Y ya *iba* a decir algo cuando la persona que olvidé, Garrett Thibodeau, habló. Habló rápido, con voz preocupada, y me di cuenta de que *él* tampoco podía aguantar ese silencio. Quizá pensó que seguiría así hasta que alguien tuviera que gritar para aliviar la tensión.

—John —dijo—. Pensé que acordamos que si Joe hubiera jalado esa piedra del modo adecuado se habría salido y...

—*¡Cállate la boca!* —le gritó McAuliffe con una voz aguda y frustrada, y yo me calmé. Ya todo había acabado. Yo lo sabía, y creo que ese escocés también lo sabía. Es como si los dos estuviéramos en un cuarto oscuro, y él me hiciera cosquillas en la cara con una navaja de afeitar... y entonces el bruto del alguacil Thibodeau le pisara el pie, se cayera contra la ventana y la persiana se abriera haciendo mucho ruido, y dejara entrar la luz del día, y yo me diera cuenta de que después de todo sólo me había tocado con una pluma.

Garrett murmuró algo de que McAuliffe no tenía derecho a hablarle así, pero el doctor no lo oyó. Se volvió hacia mí y dijo:

—¿Y bien, señora St. George? —de un modo duro, como si me tuviera arrinconada, pero para entonces los dos sabíamos de qué se trataba. Todo lo que podía hacer él era esperar a que yo cometiera un error... pero yo tenía tres niños en quienes pensar, y tener niños te hace cuidadoso.

—Ya le dije todo lo que sé —le contesté—. Se emborrachó mientras esperábamos el eclipse. Le hice un sandwich, pensando que eso le bajaría un poco la borrachera, pero no fue así. Empezó a gritar y a pegarme, y me agarró por el cuello, así que yo me fui al Prado Ruso. Cuando regresé, él ya no estaba. Pensé que se había ido con uno de sus amigos, pero estuvo dentro del pozo todo el tiempo. Supongo que estaba tratando de cortar camino para llegar a la carretera. Tal vez estaba buscándome para disculparse. Eso es algo que ya nunca sabré... y quizá sea mejor así —le lancé una mirada dura—. Debería probar un poco de esa medicina, doctor McAuliffe.

—Guárrrdese sus consejos, señora —dijo McAuliffe. Los círculos en los cachetes ya eran más rojos y calientes que nunca—. ¿Está usted contenta de que esté muerto? ¡Dígame eso!

—¿Se puede saber qué tiene que ver eso con lo que le pasó? —le pregunté—. ¡Por Dios! ¿*Qué* le pasa?

No contestó: sólo tomó su pipa con una mano que le temblaba un poquito y se dedicó a prenderla. Ya no volvió a preguntar nada; la última pregunta que me hicieron ese día fue hecha por Garrett Thibodeau. McAuliffe no la preguntó porque no importaba, o por lo menos no a él. Pero a Garrett sí le importaba, y a mí todavía más, porque nada estaba terminando cuando yo saliera del edificio municipal; de algún modo, que saliera de ahí era sólo el principio. Esa pregunta, y la forma en que la contesté, fue muy importante, porque se trata de las cosas que no significan nada en los tribunales, pero de las que todos hablan: en los traspatios cuando las mujeres tienden la ropa o en las lanchas langosteras cuando los hombres se sientan junto a la cabina para comerse su almuerzo. Esas cosas no son las que te mandan a la cárcel, pero te pueden condenar a muerte ante la gente del pueblo.

—En nombre de Dios, ¿por qué se te ocurrió comprarle una botella? —parecía como si Garrett gimiera—. ¿Qué es lo que se te metió en la cabeza, Dolores?

—Pensé que me dejaría en paz si tomaba algo —le contesté—. Pensé que nos podríamos sentar juntos y en paz para ver el eclipse y que él no me molestaría.

No es que llorara, pero sentí que una lágrima me corrió por el cachete. A veces pienso que ésa es la razón por la que pude seguir viviendo en Little Tall durante los siguientes treinta años: por una sola lágrima. Si no fuera por eso, me habrían expulsado con sus murmullos y sus chismes y por estar apuntando hacia mí. Al final, me habrían expulsado. Yo soy fuerte, pero no sé si hay alguien tan fuerte como para soportar treinta años de chismes y notas anónimas que digan cosas como: "Te saliste con la tuya, pero asesinaste." De todos modos me llegaron unas cuantas (también sé muy bien quiénes me las mandaron, aunque a estas alturas ya no importa) pero dejaron de llegarme en el otoño, cuando terminaron las vacaciones de la escuela. Así que ustedes pueden decir que le debo el resto de mi vida, incluyendo esta parte, a esa lágrima... y a que Garrett corrió la voz de que al final yo no fui tan dura de corazón como para no llorar por Joe. Tampoco hubo nada calculado en eso, y no quiero que lo piensen. Estaba pensando en lo mucho que sentía que Joe haya sufrido tanto como dijo ese escocés. A pesar de todo lo que hizo, y lo mucho que lo odié desde la primera vez que supe lo que estaba tratando de hacer con Selena, nunca tuve la intención de que sufriera. Andy, yo pensé que la caída lo mataría... Juro en nombre de Dios que pensé que la caída lo mataría en el acto.

El pobre de Garrett Thibodeau se puso más rojo que un semáforo. Sacó unos Kleenex de la caja y me los dio sin verme (supongo que al principio pensó que esa primera lágrima se convertiría en un chorro) y se disculpó por hacerme pasar "por un interrogatorio tan agotador". Apuesto a que ésas son las palabras más difíciles que sabía.

McAuliffe hizo un *¡Umf!* cuando oyó eso, dijo algo de que estaría en la averiguación para oír mi declaración y salió. Dio un portazo tan fuerte que hizo temblar el vidrio. Garrett le dio tiempo para alejarse y me acompañó hasta la puerta, tomándome del brazo, pero todavía sin mirarme (en realidad era más bien cómico), y murmurando todo el tiempo. No estoy segura de *qué* era lo que murmuraba, pero sea lo que sea, supongo que ésa fue la forma que tuvo Garrett de disculparse. Puedo decir en su favor que ese hombre era de buen corazón y no podía soportar que alguien sufriera... y diré otra cosa en favor de Little Tall: ¿en qué otro lugar podría un hombre como él ser alguacil durante veinte años? Y no sólo eso: ¿en qué otro lugar le habrían ofrecido una cena en su honor con todo y una ovación cuando se jubiló? Les voy a decir lo que pienso: un lugar donde un hombre de buen corazón tiene éxito como policía no puede ser un mal lugar para vivir. Para nada. Pero de todos modos nunca estuve más contenta de oír cerrar una puerta que cuando lo hizo Garrett.

Así que eso fue lo difícil, y la averiguación del día siguiente no fue nada en comparación con el interrogatorio. McAuliffe me volvió a hacer las mismas preguntas, y fueron difíciles, pero ya no tuvieron ningún poder sobre mí, y los dos lo sabíamos. Lo de mi única lágrima estuvo muy bien, pero las preguntas de McAuliffe, y el hecho de que todos se dieron cuenta de que él estaba más enojado que un oso conmigo, pusieron de su parte para iniciar todo lo que se habla en la isla desde entonces. De todos modos se habrían puesto a hablar, pasara lo que pasara, ¿o no?

El veredicto fue muerte por accidente. A McAuliffe no le gustó, y al final leyó sus conclusiones en voz muy baja, sin mirar al frente ni una sola vez, pero lo que dijo era suficientemente oficial: Joe cayó al pozo estando borracho, probablemente pidió ayuda durante un buen rato sin tener respuesta, y luego trató de trepar con sus propias fuerzas. Casi llegó hasta la boca del pozo, pero entonces se recargó en una piedra suelta. Ésta se zafó, le pegó tan fuerte en la cabeza que le fracturó el cráneo (para no hablar de su dentadura) y lo hizo caer de vuelta al fondo, donde murió.

Tal vez lo más importante, y nunca me di cuenta de eso sino hasta mucho después, es que no pudieron encontrar ningún motivo para tomarla contra mí. Claro que la gente del pueblo pensó (y no dudo que también el doctor McAuliffe) que si lo *hice*, fue porque me cansé de que me pegara, pero eso no tenía mucho peso por sí mismo. Sólo Selena y el señor Pease supieron cuáles fueron mis verdaderos motivos, y nadie, ni siquiera el inteligente doctor McAuliffe, pensó en interrogar al señor Pease. Él tampoco declaró nada. Si lo hubiera hecho, habría salido a relucir nuestra plática en la cafetería, y lo más seguro es que él se habría metido en problemas con el banco. Porque, después de todo, yo lo convencí de que rompiera las reglas.

Lo de Selena... creo que Selena me juzgó en su propio tribunal. De vez en cuando veo sus ojos puestos en mí, oscuros y atormentados, y en mi mente la oigo preguntar: "¿Le hiciste algo? ¿Fuiste tú, mamá? ¿Es por mi culpa? ¿Soy yo la que tiene que pagar por eso?"

Lo peor de todo es que creo que ella *pagó*. La pequeña niña isleña que nunca puso un pie fuera del estado de Maine hasta el día en que se fue a Boston a una competencia de natación cuando tenía dieciocho años, ahora es toda una mujer profesionista en la ciudad de Nueva York... ¿Sabían ustedes que hace dos años salió un artículo acerca de ella en el *New York Times*? Ella escribe para todas esas revistas y todavía tiene tiempo para mandarme una carta una vez a la semana... pero son cartas escritas por obligación, y las llamadas que me hace dos veces al mes también siento que las hace por obligación. Pienso que las llamadas y las cartas son la forma en que se tranquiliza el alma porque ya no viene a la isla y cortó todos sus lazos conmigo. Vaya que pagó; pienso que la persona que menos culpa tuvo pagó el mayor precio, y todavía lo sigue pagando.

Tiene cuarenta y cuatro años, nunca se casó, está muy delgada (lo noto en las fotos que me manda a veces) y creo que bebe: se lo he notado a veces en la voz, cuando me habla. Tengo la idea de que ésa es una de las razones por las que ya no viene a visitarme: no quiere que sepa que ella bebe como su padre. O quizá tiene miedo de lo que me podría decir si se tomara una copa de más y yo estuviera cerca. Miedo de lo que me podría preguntar.

Pero ya no importa; ésa es agua que ya corrió. Lo importante es que me salí con la mía. Si hubiera de por medio un seguro de vida, o Pease hubiera abierto la boca, no creo que me fuera bien. De las dos cosas, la peor hubiera sido un buen seguro de vida. Lo último que hubiera necesitado en el mundo sería un investigador de seguros muy listo que hiciera mancuerna con ese doctorcito escocés tan inteligente que de por sí estaba muy enojado porque le ganó una isleña ignorante. Si hubieran sido dos en vez de uno, me habrían pescado.

¿Qué pasó entonces? Pues, lo que imagino que pasa *siempre* en esos casos, cuando hay un crimen y no se descubre nada. La vida siguió como siempre. Eso es todo. Nadie salió con información de último minuto, como en las películas. Yo no traté de matar a nadie más, y Dios no me fulminó con un rayo. Tal vez Él creyó que fulminarme con rayos por matar a alguien de la calaña de Joe St. George hubiera sido un desperdicio de electricidad.

La vida siguió como siempre. Regresé a Pinewood y a Vera. Selena regresó a sus amigas de siempre cuando volvió a la escuela en el otoño, y a veces la oí que se reía cuando hablaba por teléfono. Cuando el asunto quedó olvidado, el pequeño Pete lo tomó mal... y también Joe junior. En realidad, Joey lo tomó peor de lo que pensé. Perdió algo de peso y tuvo algunas pesadillas, pero al siguiente verano ya estaba casi bien. Lo único que cambió durante el resto de 1963 es que llamé a Seth Reed para que pusiera una tapa de cemento en el pozo viejo.

Seis meses después de morir Joe, sus propiedades fueron legalizadas en el tribunal del condado. Yo ni siquiera estuve ahí. Más o menos una semana después recibí un papel donde me decían que todo era mío: podía venderlo o cambiarlo o tirarlo en el azul del mar. Cuando terminé de revisar lo que me dejó, pensé que lo mejor era decidir eso último. Pero descubrí algo que me sorprendió: si tu marido muere de pronto, te puede servir de algo que todos sus amigos sean unos idiotas, como en el caso de Joe. A Norris Pinette le vendí por veinticinco dólares el radio de onda corta con el que Joe jugó durante diez años, y las tres carcachas que tenía en el patio se las vendí a Tommy Anderson. Ese tarado estaba feliz de tenerlas, y usé el dinero para comprar un Chevy 59 que tenía mal las válvulas pero que funcionaba bien. También me dieron la libreta de ahorros de Joe, y volví a abrir la cuenta de los niños para su universidad.

Ah, y otra cosa: en enero de 1964, empecé a usar otra vez mi apellido de soltera. No hice ningún escándalo por eso, pero yo no iba a cargar con el St. George toda mi vida, como una lata amarrada a la cola de un perro. Creo que podríamos decir que corté la cuerda con la que estaba amarrada la lata... pero les puedo decir que no me deshice de *él* tan fácil como me deshice de su apellido.

No es que me hiciera ilusiones de que fuera fácil; tengo sesenta y cinco años, y desde hace cincuenta sé que el asunto de vivir es hacer elecciones y pagar las cuentas después. Algunas de las elecciones son una cosa del carajo, pero eso no quiere decir que la gente puede olvidarse de ellas, especialmente si esa persona tiene a otros que dependen de ella para hacer cosas que ellos no pueden hacer solos. En esos casos, sólo queda hacer la mejor elección que se pueda y luego pagar los platos rotos. Para mí, el precio fue muchas noches en que me desperté sudando frío por las pesadillas y más cuando no podía dormir; eso, y el sonido de la piedra cuando se la estrellé en la cara, rompiéndole el cráneo y la dentadura postiza, ese sonido como de plato de porcelana quebrándose en ladrillos. Lo oigo desde hace treinta años. A veces me despierta, a veces ni siquiera me deja dormir, y a veces me asusta en pleno día. Puedo estar barriendo el porche en la casa o puliendo plata en la casa de Vera o sentarme a almorzar con la televisión encendida y de pronto lo oigo. Ese sonido. O el golpe que sonó cuando se volvió a caer al fondo. O su voz, que salía del pozo: "*Do-lo-reeeeessss...*"

No creo que esos sonidos que a veces oigo sean muy diferentes de lo que veía Vera cuando gritaba de los alambres en los rincones o los conejitos de polvo debajo de la cama. Hubo veces, especialmente cuando Vera se empezó a poner grave, en que me metía en la cama con ella y la abrazaba y pensaba en el ruido que hizo la piedra, y cerraba los ojos y veía un plato de porcelana que caía en ladrillos y se hacía pedazos. Cuando veía eso, abrazaba a Vera como si fuera mi hermana, o como si ella fuera yo. Estábamos en esa

241

cama, cada una con sus propios miedos, y al final nos adormilábamos juntas, ella conmigo para alejar a los conejitos de polvo, y yo con ella para alejar el ruido del plato de porcelana, y a veces, antes de dormirme, pensaba: "Así es. Así es como se paga haber sido una cabrona. Y no sirve de nada decir que no tendrías que pagar nada si no hubieras sido una cabrona, porque a veces es la *vida* la que *te hace* ser una cabrona. Cuando afuera está oscuro y está mal, y sólo tú estás adentro para prender una luz y cuidarla, *tienes* que ser una cabrona. Ah, pero el precio. El terrible precio."

Andy, ¿no crees que podría tomar sólo un traguito más de tu botella? No se lo voy a decir a nadie.

Gracias. Y gracias a ti, Nancy Bannister, por mantener el paso de esta vieja a la que le gusta hablar tanto. ¿No te duelen los dedos?

¿Ah, no? Muy bien. No pierdas las fuerzas ahora; yo sé que hasta ahora me fui por las ramas, pero creo que finalmente llegué a la parte que ustedes quieren oír. Eso está bien, porque es tarde y estoy muy cansada. Trabajé toda mi vida, pero no recuerdo estar tan cansada como lo estoy ahora.

Ayer por la mañana estaba tendiendo la ropa lavada (parece como si fuera hace seis años, pero apenas fue ayer) y Vera tenía uno de sus días lúcidos. Es por eso que todo fue tan inesperado, y también por eso me aturdí tanto. A veces era muy molesta en sus días lúcidos, pero ésta fue la primera y última vez que se volvió *loca*.

Así que estaba junto al tendedero y ella estaba arriba en su silla de ruedas, supervisando la operación como a ella le gustaba hacerlo. De vez en cuando ella gritaba:

—¡Seis pinzas, Dolores! ¡Seis pinzas en todas y cada una de esas sábanas! ¡Ni sueñes con poner sólo cuatro, porque te estoy vigilando!

242

—Sí, ya sé —asentí—. Y estoy segura de que quisiera que hiciera veinte grados menos y que soplara una tormenta de veinte nudos.

—¿*Qué*? —me cacareó de vuelta—. ¿*Qué* fue lo que dijiste, Dolores Claiborne?

—Dije que alguien debe estar abonando su huerto, porque huele a mierda más que de costumbre —le contesté.

—¿Te estás pasando de lista, Dolores? —me gritó con su voz quebrada y maltrecha.

Sonó como en los días en que le llegaban al desván más rayos de sol que de costumbre. Sabía que después se volvería a poner mal, pero no me importó mucho: en ese momento estaba contenta de oír que decía cosas con sentido. A decir verdad, parecía como en los viejos tiempos. Durante los últimos tres o cuatro meses había estado más atontada que un clavo en una tabla, y de algún modo era bueno que estuviera de regreso... o por lo menos lo que podía estar de regreso de la Vera de antes, si entienden lo que digo.

—No, Vera —le grité de regreso—. Si de veras fuera lista, hace mucho tiempo que ya no habría trabajado para ti.

Esperé a que me gritara algo, pero no lo hizo. Así que seguí colgando sus sábanas y pañales y sus trapos y todo lo demás. Entonces, cuando todavía me quedaba media canasta por tender, paré en seco. Tuve un mal presentimiento. No les sé decir por qué, ni siquiera dónde empezó. De pronto estaba ahí. Y por un segundo pensé la cosa más extraña: "A esa niña le está pasando algo... a la que vi el día del eclipse, la que me vio a mí. Ya es una mujer, casi de la edad de Selena, pero está metida en un lío horrible."

Me volteé para mirar hacia arriba, casi esperando a ver la versión adulta de esa niña, con un vestido de rayas y lápiz labial rosa, pero no vi a nadie, y eso estaba mal. Estaba mal porque ahí debía estar *Vera*, casi colgada del tejado para asegurarse de que pusiera las seis pinzas. Pero ella no estaba ahí, y no podía entender cómo había pasado eso, porque yo misma la puse en su silla de ruedas y le puse el freno en cuanto la coloqué junto a la ventana como a ella le gustaba.

Entonces la oí gritar.

¡Do-lo-reeeessss!

¡Qué escalofrío sentí cuando oí eso, Andy! Como si Joe se hubiera parado de la tumba. Por un momento me quedé helada. Entonces volvió a gritar, y la segunda vez reconocí que era ella.

—*¡Do-lo-reeeeessss! ¡Los conejitos de polvo! ¡Están en todas partes! ¡Dios mío! ¡Aaahh, Dios mío! ¡Ayúdame, Dolores! ¡Ayúdame!*

Giré para correr hacia la casa, salté encima de la condenada canasta de la lavandería y pasé por debajo de las sábanas que acababa de tender. Me enredé con ellas y tuve que abrirme camino. Por un minuto pareció como si a las sábanas les hubieran salido manos que trataban de ahorcarme, o detenerme. Y mientras tanto, Vera seguía gritando, y pensé en el sueño que tuve esa vez, el sueño de la cabeza de polvo con los dientes de polvo largos y filosos. Sólo que en mi mente vi la cara de Joe en esa cabeza, y sus ojos estaban oscuros y vacíos, como si alguien hubiera puesto dos carbones en una nube de polvo, y ahí se quedaran flotando.

—*¡Dolores, ven rápido! ¡Te lo suplico, ven rápido! ¡Los conejitos de polvo!* ¡LOS CONEJITOS DE POLVO ESTÁN EN TODAS PARTES!

Luego sólo dio alaridos. Era horrible. Nunca me hubiera imaginado que una puta gorda y vieja como Vera Donovan pudiera gritar tan fuerte. Era como un incendio y una inundación y el fin del mundo, todos juntos.

Me las arreglé para zafarme de las sábanas, y en cuanto me paré se tronó una de las cintas de mi enagua, justo como en el día del eclipse, cuando Joe casi me mató antes de que yo lo liquidara. ¿Conocen ustedes esa sensación de que ya han estado antes en un lugar, y que ya saben lo que va a decir la gente antes de que lo digan? Tuve esa sensación con tanta fuerza que era como si estuviera rodeada de fantasmas, que me hacían cosquillas con unos dedos que no podía ver.

¿Saben una cosa? La sensación era de fantasmas de *polvo*.

Abrí la puerta de la cocina y subí por las escaleras traseras tan rápido como me lo permitieron mis piernas, y todo el tiempo ella estaba gritando, gritando, gritando. La enagua se me estaba cayendo, y cuando llegué al descanso de las escaleras miré alrededor, segura de que iba a ver a Joe detrás de mí, alcanzándome y agarrando mi enagua.

Entonces miré hacia el otro lado, y vi a Vera. Había recorrido tres cuartas partes del camino del pasillo hacia las escaleras delanteras, tambaleándose, dándome la espalda y gritando todo el tiempo. En el asiento de su camisón había una mancha café grande. Se había hecho encima, pero esta última vez no fue por ser mala, sino por puro terror.

Su silla de ruedas estaba atravesada en la puerta de su recámara. Ella soltó el freno cuando vio aquello que tanto la había asustado. Antes, siempre que ella tenía un ataque de terror, lo único que podía hacer era quedarse sentada o acostada donde estaba, y pedía ayuda a gritos. Hay mucha gente que te puede decir que ella *no podía* moverse con sus propias fuerzas, pero eso hizo ayer; juro que fue así. Soltó el freno de la silla, la giró, anduvo en ella hasta la puerta del cuarto y luego se las ingenió para pararse de ella cuando se atoró en la puerta y se fue tambaleando por el pasillo.

Me quedé tiesa durante un segundo o dos, viéndola caminar y pensando qué era lo que había visto, tan horrible como para que ella hiciera lo que estaba haciendo, caminar cuando se supone que ya no caminaría más, qué era esa cosa de que ella sólo podía pensar en llamar conejitos de polvo.

Pero me di cuenta hacia dónde iba: directo hacia las escaleras.

—¡Vera! —le grité—. ¡Vera, deja de hacer estupideces! ¡Te vas a caer! *¡Quédate quieta!*

Luego corrí tan rápido como pude. Otra vez volví a tener la sensación de que todo esto me estaba pasando por segunda vez, sólo que esta vez sentí que yo era como Joe, que yo era la que estaba tratando de alcanzar y de escalar.

No sé si ella no me oyó, o si me oyó y pensó en su pobre cerebro descompuesto que yo estaba frente a ella y no detrás. Lo que sí sé es que siguió gritando:

—*¡Dolores, ayúdame! ¡Los conejitos de polvo!* —y se tambaleó un poco más de prisa.

Ya casi había recorrido todo el pasillo. Corrí y pasé por la puerta de su recámara y se me trabó el tobillo en uno de los descansos de los pies de su silla de ruedas: aquí pueden ver el raspón. Corrí lo más rápido que pude, gritando "*¡Quieta, Vera, no corras!*" hasta quedarme ronca.

Pasó por el primer escalón y puso un pie en el aire. Pasara lo que pasara, ya no hubiera podido salvarla: lo único que podía hacer era agarrarla y rodar con ella, pero en una situación como ésa, no tienes tiempo para pensar en lo que te puede pasar. Salté hacia ella justo cuando su pie estaba en el aire y ella se inclinó hacia adelante. Le vi la cara por última vez. No creo que supiera lo que estaba pasando; no tenía otra cosa en la cara que pánico en los ojos saltones. Ya había visto antes esa mirada, aunque no tan intensa, y yo les digo que no tenía nada que ver con el miedo a caerse. Ella estaba pensando en lo que estaba detrás de ella y no en lo que estaba adelante.

Traté de agarrarla y lo único que pude tomar fue un doblez de su camisón entre dos dedos de mi mano izquierda. Se resbaló entre los dedos como un murmullo.

—¡*Do-lo-reee...*! —gritó, y entonces oí un golpe sólido y carnoso. Se me hiela la sangre de sólo recordar ese sonido; era igual al que hizo Joe cuando cayó al fondo del pozo. Vi que Vera dio una voltereta y luego oí que algo se quebró. El sonido fue tan claro y seco como cuando partes una rama en la rodilla. Vi sangre que chorreaba de un lado de su cabeza y eso es lo que *quería* ver. Me volteé tan rápido que se me enredaron los pies y caí de rodillas. Estaba viendo su recámara desde el pasillo, y lo que vi me hizo gritar. Era Joe. Por unos segundos lo vi tan claro como te estoy viendo a ti, Andy; vi su cara polvosa y sonriente, mirándome desde debajo de la silla de ruedas, mirando a través de los rayos de alambre de la rueda que quedó atorada en la puerta.

Luego desapareció, y oí que Vera se quejaba y lloraba.

No podía creer que no murió con la caída; todavía no puedo creerlo. Claro que Joe tampoco murió al instante, pero *él era* un hombre joven y fuerte, y ella era una anciana gorda que tuvo más de cinco embolias leves y tres graves. Además, aquí no había lodo que le amortiguara la caída como amortiguó la de Joe.

No quise bajar adonde estaba ella, no quería ver donde estaba herida y sangrando, pero no había de otra; yo era la única que estaba ahí, y eso quería decir que yo era la elegida. Cuando me pude parar (me tuve que recargar en el poste del pasamano de las escaleras, porque tenía las rodillas como si fueran de gelatina), puse un pie sobre mi enagua. La otra tira también se reventó y me subí el vestido un poco para quitarme la enagua... *eso* también fue como antes. Recuerdo que me vi las piernas para ver si estaban rasguñadas y sangrando por las espinas del matorral de zarzamora, pero claro que no tenía nada.

Me sentí afiebrada. Si se han sentido muy enfermos, con muchísima fiebre, sabrán de qué estoy hablando; no es que se sientan como si estuvieran fuera del mundo, pero tampoco se sienten como si estuvieran *adentro*. Es como si todo se hubiera convertido en vidrio, y no hay nada de donde se puedan agarrar; todo es resbaloso. Así es como me sentía yo estando en la escalera, detenida del pasamano como si fuera lo último que hacía en mi vida, y mirando hacia donde estaba ella.

Estaba tirada a la mitad de las escaleras con las piernas tan encogidas debajo de ella que casi no podías verlas. Le corría sangre por un lado de su pobre y vieja cara. Cuando bajé hasta donde estaba ella, todavía muy agarrada del pasamano, uno de sus ojos giró en la cuenca hasta donde estaba yo. Era la mirada de un animal atrapado en una trampa.

—Dolores —murmuró—. Ese hijo de puta me ha perseguido todos estos años.

—Shh —le dije—. No trates de hablar.

—Sí, me persigue —insistió, como si yo la hubiera contradicho—. Oh, ese cabrón. Ese cabrón lujurioso.

—Tengo que bajar —le dije—. Tengo que llamar al doctor.

—No —me contestó. Alzó un brazo y me tomó por la muñeca—. No quiero doctores. No quiero hospital. Conejitos de polvo... también ahí. *En todas partes*.

—Te vas a aliviar, Vera —le aseguré, zafándome de su mano—. Quédate quieta donde estás, y vas a estar bien.

—¡Según Dolores Claiborne voy a estar *bien*! —gritó con esa voz seca y feroz que tenía antes de que le dieran las embolias y se le confundiera la cabeza—. ¡Qué alivio es oír una opinión profesional!

Oír esa voz por primera vez en tantos años fue como si me hubieran abofeteado. Me sacó del pánico, y la miré directo a los ojos por primera vez, en la forma en que ves a una persona que sabe exactamente lo que está diciendo, palabra por palabra.

—Ya estoy casi muerta —me dijo—. Y tú lo sabes tan bien como yo. Tengo la espalda rota, creo.

—Eso no lo sabes tú, Vera —le dije, pero ya no estaba tan ansiosa como antes de correr al teléfono. Creo que sabía lo que iba a pasar, y si ella me pedía lo que yo pensaba que me iba a pedir, no podría decirle que no. Yo tenía una deuda con ella desde ese día de lluvia del otoño de 1962 cuando me senté en su cama y lloré a chorros con el delantal en la cara, y los Claiborne somos gente que siempre paga sus deudas.

Cuando me volvió a hablar, estaba tan lúcida como hacía treinta años, cuando Joe estaba vivo y los niños vivían en la casa:

—Sé que sólo queda una cosa que vale la pena decidir— me dijo— y eso es si voy a morir en mi momento o en un hospital. En un hospital va a tomar demasiado. Mi momento es ahora, Dolores. Estoy cansada de ver la cara de mi esposo en los rincones cuando estoy débil y confundida. Estoy cansada de verlos alzar ese Corvette de la cantera a la luz de la luna, de ver el agua que corre por la ventana abierta del lado del pasajero...

—Vera, no sé de qué estás hablando —le dije.

Alzó la mano y la movió enfrente de mí por unos segundos, con ese modo impaciente que tenía ella; luego la dejó caer de nuevo junto a ella: —Estoy cansada de mearme en las piernas y olvidarme de quién vino a verme media hora después de que se van. Quiero terminar. ¿Me ayudas?

Me arrodillé junto a ella, tomé la mano que estaba caída en la escalera y la detuve junto a mi pecho. Pensé en el sonido que hizo la piedra cuando se la estrellé a Joe en la cara, ese sonido como de plato de porcelana haciéndose pedazos sobre el piso de ladrillos. Pensé si podría volver a oír otra vez ese sonido sin volverme loca. Y supe que *volvería* a sonar igual, porque ella habló como él cuando me llamó, ella sonó como él cuando se cayó por las escaleras, quebrándose en pedazos de la misma manera en que ella tenía miedo que las criadas rompieran la cristalería fina que guardaba en la sala, y mi enagua estaba en el descanso de las escaleras, hecha una bola de nylon blanco con las dos tiras reventadas, y eso también era como pasó entonces. Si la liquidaba, sonaría del mismo modo en que sonó con él, y yo lo sabía. Ajá. Lo sabía igual que como sé que la avenida Este termina en esas escaleras desvencijadas que suben por un costado de la Punta Este.

Le tomaba la mano y pensaba en la forma en que es el mundo, cómo a veces los hombres malos tienen accidentes y las mujeres buenas se hacen unas cabronas. Miré la forma horrible y desamparada en que ella movía los ojos para verme a la cara y noté cómo la sangre de la cortada en la cabeza corría por las arrugas, muy hondas, en su mejilla, igual que la lluvia de primavera corre cuesta abajo por los surcos del arado.

Le dije:

—Si eso es lo que quieres, Vera, te voy a ayudar.

Entonces ella empezó a llorar. Fue la única vez que lo hizo cuando no estaba débil y loca:

—Sí —me correspondió—. *Eso* es lo que quiero. Que Dios te bendiga, Dolores.

—No te agites —le rogué. Alcé su mano vieja y arrugada hasta mis labios y se la besé.

—Apúrate, Dolores —gritó—. Si en verdad me quieres ayudar, por favor apúrate.

"Antes de que las dos perdamos el valor", pareció decirme con los ojos.

Le besé la mano otra vez, luego se la puse sobre el estómago y me paré. Ahora ya fue fácil hacerlo, porque la fuerza me había vuelto a las piernas. Bajé por la escalera y entré a la cocina. Había sacado los trastos para hornear antes de salir a tender la ropa; pensé que era un buen día para hornear pan. Ella tenía un rodillo de pastelería, una cosa grande y pesada de mármol gris veteado de negro. Estaba en la repisa, junto a la lata amarilla de harina. Lo tomé, todavía sintiendo que todo era un sueño o que yo tenía mucha fiebre, y regresé por el comedor hacia la sala. Mientras pasaba por ahí, con todas las cosas bonitas que había ahí, pensé en todas las veces que usé con Vera el truco de la aspiradora, y cómo ella fue más lista que yo por un tiempo. Al final, ella siempre era más lista y se salía con la suya... ¿No es por eso que estoy aquí?

Salí de la sala hacia las escaleras, subí hacia ella, sosteniendo el rodillo por una de las manijas de madera. Cuando llegué donde estaba ella, con la cabeza hacia abajo y las piernas torcidas debajo de ella, no quise detenerme; sabía que si me detenía, no podría hacerlo nunca. Ya no hablaríamos más. Cuando llegué hasta ella, tenía pensado arrodillarme y romperle la cabeza con el rodillo tan fuerte y tan rápido como pudiera. Tal vez parecería algo que le pasó al caer y tal vez no, pero yo estaba decidida a hacerlo.

Cuando me arrodillé junto a ella, vi que no había necesidad; después de todo lo hizo sola, como casi todo lo que hizo en su vida. Mientras fui a la cocina por el rodillo, o quizá mientras regresaba por la sala, ella cerró los ojos y se fue.

Me senté junto a ella, puse el rodillo en las escaleras, le tomé la mano y la apreté contra mi pecho. Hay veces en la vida de una persona en que no pasan minutos de verdad, así que no puedes contarlos. Todo lo que sé es que me senté y me quedé con ella un rato. No sé si le dije algo o no. Creo que sí... creo que le agradecí que se haya ido, que no tuviera que hacerlo *yo*, que no tuviera que pasar otra vez por todo eso. O tal vez sólo lo pensé. Recuerdo que puse su mano contra mi cachete, que luego la volteé y le besé la palma. Recuerdo que la miré y pensé lo rosada y limpia que la tenía. Ya casi se le habían borrado las líneas, y parecían las manos de un bebé. Supe que tenía que ir hasta el teléfono y llamar a alguien, decirles lo que había pasado, pero estaba cansada... muy cansada. Me pareció más fácil quedarme sentada y sostener su mano.

Entonces sonó el timbre. Si no hubiera sonado, me habría quedado ahí más tiempo. Pero ya saben ustedes cómo es esto de los timbres: sientes que tienes que contestar, pase lo que pase. Me paré y bajé los escalones uno por uno, como una mujer diez años mayor de lo que soy (la verdad es que me *sentí* diez años mayor), deteniéndome todo el tiempo del pasamano. Recuerdo que pensé que todavía sentía que el mundo era de vidrio, y tenía que tener mucho cuidado para no resbalarme y cortarme para cuando terminara con el pasamano y caminara hacia la puerta principal.

Era Sammy Marchant, con su sombrero de cartero puesto hacia atrás, de ese modo tonto en que lo hace... creo que piensa que ponérselo así lo hace parecerse a una estrella de rock. Tenía la correspondencia en una mano y en la otra uno de esos sobres de correo certificado que venían de Nueva York una vez por semana, con noticias de los asuntos financieros de Vera. ¿Ya les había dicho que un tipo llamado Greenbush se encargaba de su dinero?

¿Sí lo dije? Muy bien... gracias. Ya hablé tanto que apenas si me acuerdo de lo que les dije y de lo que no.

A veces, en esos sobres de correo certificado había papeles que tenían que firmarse, y casi siempre Vera lo podía hacer si yo le detenía el brazo, pero algunas veces pasó que ella estaba muy confundida y yo firmaba esos papeles con su nombre. No había nada de malo en eso, y nunca me hicieron ninguna pregunta. De todos modos, en los últimos tres o cuatro años, su firma no era más que un garabato. Así que ésa es otra cosa de la que ustedes me pueden acusar, si quieren: falsificación.

Sammy ya me estaba dando el sobre en cuanto la puerta se abrió, esperando a que firmara, como siempre hacía yo con el correo certificado, pero en cuanto me miró, abrió mucho los ojos y se echó hacia atrás. En realidad fue más un brinco que un paso, y considerando que fue Sammy Marchant el que lo hizo, parece ser la palabra adecuada:

—¡Dolores! —gritó—. ¿Estás bien? ¡Tienes sangre!

—No es mía —le rebatí, y tenía la voz tan calmada como si me hubiera preguntado si estaba viendo la televisión. —Es de Vera. Se cayó por las escaleras. Está muerta.

—Cristo santo —exclamó, y corrió dentro de la casa con su bolsa de correo rebotando en la cadera. Nunca me pasó por la cabeza no dejarlo entrar, y ustedes se pueden preguntar: ¿de qué habría servido no dejarlo entrar?

Lo seguí sin apurarme. Se me estaba pasando esa sensación de que todo era de vidrio, pero parecía como si a mis zapatos les hubieran salido suelas de plomo. Cuando llegué al pie de las escaleras Sammy ya estaba arriba, arrodillado al lado de Vera. Se había quitado la bolsa de correo antes de arrodillarse, la cual rodó por las escaleras, dejando caer cartas y cuentas y catálogos.

Subí hasta él, jalando con mis pies de un escalón al otro. Nunca me he sentido tan cansada. Ni siquiera después de matar a Joe me sentí tan cansada como ayer por la mañana.

—Está lo que se llama muerta —afirmó, viendo alrededor.

—Ajá —le contesté—. Te lo dije.

—Yo creía que no podía caminar —aseguró—. Siempre me dijiste que no podía caminar, Dolores.

—Pues... —balbucée—. Creo que me equivoqué —me sentí como una estúpida cuando dije eso, con ella ahí tirada, pero ¿qué otra cosa podía decir? De alguna forma era más fácil hablar con John McAuliffe que con el pobre tonto de Sammy Marchant, porque yo hice casi todo lo que John McAuliffe sospechaba de mí. El problema de ser inocente es que estás atorado con la verdad.

—¿Qué es *eso*? —me preguntó entonces, y señaló hacia el rodillo. Lo dejé en la escalera cuando sonó el timbre.

—¿Qué *crees* que es? ¿La jaula del loro? —le contesté.

—Parece un rodillo —manifestó.

—Muy inteligente —dije. Parecía como si oyera mi voz de muy lejos, como si sonara en una parte y yo en otra—. Quizá nos des la sorpresa a todos y termines siendo un universitario, Sammy.

—Sí, pero... ¿qué está haciendo un *rodillo* en las *escaleras*? —preguntó, y de repente noté la forma en que me estaba mirando. Sammy no tiene más de veinticinco años, pero su papá estaba en el grupo que encontró a Joe, y en ese momento me di cuenta de que Duke Marchant crió a Sammy y al resto de sus lumbreras con la idea de que Dolores Claiborne St. George liquidó a su marido. ¿Recuerdan que les dije que cuando eres inocente estás más o menos atorada con la verdad? Pues cuando vi la forma en que Sammy me estaba mirando, decidí ahí mismo que en esta ocasión lo menos sería más seguro que lo más.

—Yo estaba en la cocina preparando las cosas para hacer pan cuando ella se cayó —dije. Otra de las cosas de ser inocente: cualquier mentira que *decides* contar es casi siempre una mentira que no planeaste; la gente inocente no pasa horas planeando sus historias, como yo lo hice con la mía de que me fui al Prado Ruso para ver el eclipse y que nunca vi de nuevo a mi esposo hasta que llegó a la funeraria Mercier. En el momento en que esa mentira de hacer pan se me salió de la boca supe que tendría sus consecuencias, pero si hubieras visto la mirada que me echó, Andy, oscura y sospechosa y asustada, todo al mismo tiempo, tú también habrías mentido.

Se paró, comenzó a voltearse, luego se quedó tieso en su lugar, viendo hacia arriba. Le seguí la mirada. Lo que vi fue mi enagua, hecha una bola en el descanso de las escaleras.

—Supongo que se quitó las enaguas antes de caerse —titubeó, mirándome otra vez—. O saltó. O lo que haya hecho. ¿Fue así, Dolores?

—No —le dije—. Es mía.

—Si estabas haciendo pan en la cocina —razonó, hablando muy despacito, como un niño que no es muy listo y que trata de resolver un problema de aritmética en el pizarrón—, ¿qué hace tu ropa interior en la escalera?

No se me ocurrió nada. Sammy bajó un peldaño de las escaleras y luego otro, moviéndose tan despacio como hablaba, deteniéndose del pasamanos, sin quitarme los ojos de encima, y ahí mismo me di cuenta de lo que estaba haciendo: se estaba alejando de mí. Lo hacía porque tenía miedo de que se me ocurriera empujarlo a *él* como pensaba que lo hice con ella. Fue ahí cuando supe que estaría donde estoy ahora antes de que pasara mucho tiempo, contando lo que les estoy contando. Era como si sus ojos hablaran en voz alta, y dijeran: "Te saliste con la tuya una vez, Dolores Claiborne, y considerando lo que me contó mi papá de la clase de hombre que era Joe St. George, tal vez estuvo bien que lo hicieras. Pero, ¿qué te hizo esta mujer además de alimentarte y poner un techo sobre tu cabeza y pagarte un sueldo decente?" Y más que nada, sus ojos decían que si una mujer empuja una vez y se sale con la suya, puede volver a empujar; y que si se da el momento adecuado, lo *hace*. Y si el empujón no basta para conseguir lo que quería, entonces no va a pensar dos veces antes de terminar el asunto de otro modo. Con un rodillo de mármol, por ejemplo.

—Todo esto no te importa a ti, Sam Marchant —apunté—. Será mejor que sigas en lo tuyo. Tengo que llamar a la ambulancia. Antes de irte recoge el correo, o las compañías de tarjetas de crédito se te van a echar encima.

—La señora Donovan no necesita una ambulancia —me dijo, bajando otros dos escalones sin quitarme los ojos de encima—, y yo no me voy a ninguna parte. Creo que en vez de la ambulancia, será mejor que hables primero con Andy Bissette.

A ti te consta que eso fue lo que hice. Sammy Marchant me vio mientras lo hacía. Luego de que colgué el teléfono recogió el correo que regó (de vez en cuando echaba un vistazo por encima del hombro, tal vez para asegurarse de que no lo acechaba con ese rodillo de mármol en la mano) y luego se quedó parado al pie de la escalera, como un perro guardián que acorrala a un ladrón. No habló, y yo tampoco. Me pasó por la cabeza que podía pasar por el comedor y la cocina hacia las escaleras traseras y tomar mi enagua. ¿Pero de qué habría servido? De todos modos él ya la había visto. Y el rodillo estaba en las escaleras, ¿verdad?

Entonces llegaste tú, Andy, con Frank, y un poco después vine a nuestra nueva estación de policía para hacer la declaración. Eso fue apenas ayer por la tarde, así que supongo que no hay necesidad de recalentar ese guiso, ¿verdad? Tú sabes que yo no dije nada de la enagua, y cuando me preguntaste del rodillo, dije que en realidad no estaba muy segura de *cómo* llegó ahí. Fue todo lo que se me pudo ocurrir, por lo menos hasta que alguien llegó y me quitó el letrero de DES-COMPUESTO de los sesos.

Luego de firmar la declaración me subí a mi coche y regresé a la casa. Todo fue tan rápido y tan tranquilo (es decir, lo de la declaración y todo eso) que casi me convencí de que ya no tenía nada de qué preocuparme. Después de todo, yo *no* la maté; ella se *cayó*. Yo me decía eso todo el tiempo, y para cuando llegué al camino de mi casa, ya casi me convencía de que todo iba a estar bien.

Esa sensación duró apenas el tiempo que me tomó salir del coche y llegar a la puerta trasera. Ahí habían puesto una nota. Una hoja de una libreta cualquiera. Tenía una mancha de grasa, como si la hubieran arrancado de una libreta que carga un hombre en su bolsillo de atrás. La nota decía NO TE SALDRÁS CON LA TUYA OTRA VEZ. Eso era todo. Carajo, ya es suficiente. ¿No habrían dicho lo mismo?

Entré y abrí las ventanas de la cocina para que saliera el olor de encierro. Odio ese olor, y a últimas fechas la casa parece tenerlo todo el tiempo, aunque la ventile. No sólo es porque ahora vivo en casa de Vera, o vivía, aunque claro que en parte es por eso; pero principalmente es porque la casa está muerta... tan muerta como Joe y el pequeño Pete.

Las casas *tienen* su propia vida, que toman de la gente que vive en ellas; yo creo en eso. Nuestra casita de un solo piso vivió después de que Joe murió y que los dos niños mayores se fueron a la universidad, Selena a Vassar* con beca completa (su dinero de la universidad que tanto me preocupaba se fue todo en comprarle ropa y libros de texto), y Joe junior se fue cerca, a la universidad de Maine en Orono. Incluso sobrevivió a la noticia de que el pequeño Pete se mató en una explosión de barracas en Saigón. Pasó un poco después de que llegó ahí, y menos de dos meses después de que terminara toda la guerra. Vi salir al último helicóptero que despegó del techo de la embajada en la televisión de la sala de Vera y lloré y lloré. Pude hacer eso sin tener miedo de lo que ella me podría decir, porque se fue de compras a Boston.

La vida de la casa se acabó después del entierro del pequeño Pete; después de que el último de los asistentes se fue y nosotros tres (Selena, Joe junior y yo) nos

---

*Universidad femenina de carácter exclusivo y elitista en el estado de Nueva York.

quedamos solos. Joe junior hablaba de entrar a la política. Recién le habían dado el trabajo de administrador municipal de Machias, que no estaba nada mal para un muchacho con un título en que la tinta todavía estaba fresca, y pensaba en elegirse para la legislatura del estado en un año o dos.

Selena habló un poco de los cursos que estaba enseñando en la secundaria de Albany; eso fue un poco antes de que se fuera a Nueva York y escribiera de tiempo completo. Luego se quedó muy callada. Ella y yo estábamos desocupando la mesa, y de pronto sentí algo. Me volteé rápido y la vi mirándome con esos ojos oscuros. Les podría decir que le leí la mente (ya saben que los padres a veces podemos hacer eso con los hijos) pero la verdad es que no tuve necesidad, porque yo ya sabía en qué estaba pensando, y que eso nunca se le fue de la cabeza. Vi en sus ojos las mismas preguntas que vi doce años antes, cuando habló conmigo en el jardín, entre los pepinos y los frijoles: "¿Le hiciste algo?" y "¿Fue por mi culpa?" y "¿Cuánto tiempo tendré que pagar por eso?"

Me le acerqué, Andy, y la abracé. Ella también me abrazó, pero le sentí el cuerpo más tieso que una tabla de planchar, y ahí fue cuando sentí que se le fue la vida a la casa. Se fue como el último suspiro de un moribundo. Creo que también Selena lo sintió. Joe junior no; él pone en algunos volantes de su campaña la foto de su casa (lo hace parecer persona sencilla, y me di cuenta de que a los votantes les gusta eso) pero él nunca sintió que murió porque en realidad nunca la amó de veras. ¿Y por qué debería hacerlo, a fin de cuentas? Para Joe junior, esa casa no era más que el lugar a donde regresaba después de la escuela, el lugar donde su papá lo fastidiaba y le decía que era un maricón metido en los libros. El salón Cumberland, que era la casa de estudiantes donde vivió cuando estudiaba en la universidad, fue para Joe junior más hogar que lo que fue la casa de la avenida Este.

Pero fue un hogar para mí, y también fue un hogar para Selena. Creo que mi niña siguió viviendo aquí mucho después de que ella se sacudió de los pies la tierra de la isla Little Tall; creo que ella vivió aquí en sus recuerdos... en su alma... en sus sueños. En sus pesadillas.

Ese olor a encierro... no te lo puedes quitar de encima una vez que entra a la casa.

Me senté junto a una de las ventanas abiertas para respirar un rato la brisa del mar, pero luego sentí algo raro y decidí cerrar las puertas. Fue fácil cerrar la puerta principal, pero el seguro de la trasera estaba tan atorado que no pude moverlo hasta que le puse aceite Tres en Uno. Al final lo pude mover, y cuando lo hice me di cuenta de por qué era tan terco: estaba oxidado. A veces pasaba hasta cinco o seis días seguidos con Vera, pero todavía no podía recordar la última vez que me tome la molestia de cerrar la casa.

De sólo pensar en eso se me fueron las fuerzas. Fui a la recámara y me acosté y me puse la almohada sobre la cabeza como lo hacía cuando yo era una niña y me mandaban a la cama temprano por portarme mal. Lloré y lloré y lloré. Nunca pensé que tuviera tantas lágrimas adentro. Lloré por Vera y Selena y el pequeño Pete; creo que incluso lloré por Joe. Pero creo que más bien lloré por mí. Lloré hasta que se me tapó la nariz y me dolió el estómago. Al final me quedé dormida.

Cuando me desperté estaba oscuro y el teléfono estaba sonando. Me paré y caminé a tientas hasta la sala para contestarlo. Tan pronto dije "¿Bueno?", alguien, una mujer, dijo:

—No puedes matarla. Más te vale que sepas eso. Si la ley no te agarra, lo vamos a hacer nosotros. No eres tan lista como tú crees. No queremos vivir con asesinos, Dolores Claiborne; no mientras queden en la isla algunos cristianos decentes que puedan evitarlo.

Todavía estaba tan mareada del sueño que al principio pensé que estaba soñando. Para cuando me di cuenta de que estaba despierta, ella colgó. Comencé a caminar hacia la cocina, para poner la cafetera o tomar una cerveza del refrigerador, cuando sonó otra vez el teléfono. Era una mujer otra vez, pero no la misma. Empezó a escupir basura de la boca y colgué rápido. Sentí otra vez ganas de llorar, pero maldita si lo volvía a hacer. En vez de eso desenchufé el teléfono. Fui a la cocina por una cerveza, pero no me supo bien y al final la vacié en el fregadero. Creo que lo que quería en verdad era un poco de whisky, pero yo no había tomado una gota de alcohol desde que murió Joe.

Llené un vaso con agua y noté que no podía soportar el olor, como de centavos que estuvieron todo el día en el puño sudado de un niño. Me hizo recordar la noche del matorral de zarzamoras, en cómo ese mismo olor subió hasta mí en un soplo de brisa, y *eso* me hizo pensar en esa niña con el lápiz labial rosa y el vestido a rayas. Pensé en cómo me pasó por la cabeza que la mujer en que se había convertido estaba en problemas. Pensé en cómo estaba y dónde estaba, pero nunca pensé *si* estaba, si saben de qué estoy hablando; *sabía* que estaba. *Es.* Nunca lo dudé.

Pero eso no importa; la mente se me pierde y mi boca va detrás de ella. Todo lo que estaba diciendo era que el agua del fregadero de mi cocina no fue mejor que lo mejor que me pudo ofrecer el señor Budweiser (ni siquiera dos cubos de hielo le pudieron quitar el sabor a cobre) y terminé viendo una comedia estúpida en la televisión y tomando uno de los ponches hawaianos que tengo detrás del refrigerador para los hijos gemelos de Joe junior. Calenté comida congelada pero no tuve ganas de comérmela cuando quedó lista y terminé tirándola a la basura. Me conformé con otro ponche hawaiano: lo llevé a la sala y me quedé sentada frente a la televisión. Terminó una comedia y empezó otra, pero no vi ninguna diferencia. Creo que fue porque no puse mucha atención.

No traté de pensar en lo que iba a hacer; hay algunas cosas que no se deben pensar de noche, porque ése es el momento en que la mente puede hacerte algo malo. Todo lo que piensas después de oscurecer, nueve de cada diez veces lo tienes que volver a pensar en la mañana. Así que me quedé sentada, y un rato después de que terminaron las noticias locales y empezó una revista, me quedé dormida otra vez.

Tuve un sueño. Era de Vera y yo, sólo que Vera era como cuando la conocí, cuando Joe todavía vivía y nuestros hijos, los suyos y los míos, estaban con nosotros y casi todo el tiempo descalzos. En mi sueño estábamos lavando platos: ella lavaba y yo secaba. Sólo que no lo hacíamos en la cocina; estábamos frente a la estufa en la sala de mi casa. Y era raro, porque Vera nunca entró a mi casa, ni una sola vez en su vida.

Pero en el sueño sí estaba ahí. Tenía los platos en una palangana de plástico sobre la estufa. No eran mis platos viejos sino su vajilla de porcelana fina. Lavaba un plato y luego me lo daba, y cada uno de ellos se me resbalaba y se rompía en los soportes de la estufa. Vera decía:

—Tienes que ser más cuidadosa con eso, Dolores; cuando ocurren accidentes y no eres cuidadosa, siempre se convierten en un desastre.

Le prometía tener más cuidado, y yo *trataba*, pero el siguiente plato se me caía de las manos, y el siguiente, y el siguiente, y el siguiente.

—Esto no va bien para nada —me decía Vera al final—. ¡Mira el desastre que estás haciendo!

Yo miraba al piso, y en vez de platos rotos, los ladrillos estaban llenos de pedazos de la dentadura de Joe y piedras rotas:

—Ya no me los des, Vera —le decía, y empezaba a llorar—. Creo que hoy no estoy para lavar platos. No sé, quizá ya estoy muy vieja, pero *sí sé* que no quiero romperlos todos.

Pero ella me los seguía pasando, y a mí se me seguían cayendo, y el sonido que hacían al chocar contra los ladrillos era cada vez más fuerte y profundo, hasta que se convirtió en el *trueno* que hacen cuando la porcelana fina pega contra algo duro y se truena. De pronto supe que estaba soñando y que esos truenos no eran parte de él. Me desperté con tanta fuerza que casi me caigo del sillón. Oí otro de esos truenos, y esta vez supe qué eran: tiros de escopeta.

Me levanté y corrí a la ventana. Por el camino pasaron dos camionetas. Había gente en la parte de atrás: una sola en la primera y dos (creo) en la segunda. Parecía como si todos tuvieran escopetas, y cada dos segundos uno de ellos disparaba hacia el cielo. Se veía un fogonazo y luego se oía un trueno. Por la forma en que los hombres (*creo* que eran hombres, aunque no estoy segura) iban de un lado al otro, y por la forma en que se *tambaleaban* de un lado al otro, yo diría que todos estaban bien borrachos. También reconocí una de las camionetas.

¿Qué?

No, *no* les voy a decir. Ya tengo bastantes problemas ahora. No quiero joder a nadie por unos cuantos borrachos que dispararon por la noche. Creo que a fin de cuentas no reconocí la camioneta.

De todos modos, abrí la ventana cuando supe que sólo estaban haciendo agujeros en las nubes bajas. Pensé que darían vuelta en la parte amplia de nuestra colina, y eso hicieron. También uno de ellos casi se atascó, y *eso* sí que hubiera sido chistoso.

Regresaron, tocando la bocina y gritando. Me puse las manos en la boca para gritar *"¡Fuera de aquí! ¡Hay gente que quiere dormir!"* lo más fuerte que pude. Una de las camionetas dio la vuelta más amplia y casi se cae en la zanja, así que creo que los asusté un poco. El tipo que estaba en la parte de atrás de esa camioneta (era la que creía que reconocí) se cayó de nalgas. Siempre he dicho que tengo puestos unos buenos pulmones, y puedo gritar muy bien cuando quiero.

—*¡Lárgate de Little Tall, puta asesina!* —me gritó uno de ellos, y disparó unos tiros al aire. Pero eso sólo fue para enseñarme lo grandes que tenían los huevos, porque no volvieron a pasar. Los pude oír rugiendo hacia el pueblo, y hacia el nuevo bar que abrió el año antepasado, con los mofles como sonajas y los tubos de escape escupiendo fuego mientras metían la velocidad. Ya saben cómo son los hombres cuando están borrachos y manejan sus camionetas.

Pues eso me alivió lo peor del ánimo. Ya no estaba asustada y ya no tenía ganas de llorar. Estaba muy enojada, pero no tanto como para no poder pensar, o como para no entender por qué la gente hacía lo que estaba haciendo. Cuando la rabia quiso que dejara de entender, la paré pensando en Sammy Marchant, en como tenía los ojos cuando se arrodilló en las escaleras y miró primero el rodillo y luego a mí: los tenía oscuros como el mar en tormenta, como los de Selena aquel día en el jardín.

Yo ya sabía que tenía que venir aquí, Andy, pero sólo después de que esos tipos se fueron dejé de engañarme de que podía escoger qué era lo que te iba a decir y qué no. Vi que tendría que contar todo de cabo a rabo. Regresé a la cama y dormí muy tranquila hasta el cuarto para las nueve de la mañana. Es lo más tarde que me he levantado desde que me casé. Creo que descansé para que pudiera hablar toda la puta noche.

En cuanto me paré, decidí hacerlo lo más pronto que pudiera (es mejor tomar la medicina amarga en el momento) pero algo me desvió antes de salir de la casa. De no ser por eso, les hubiera contado esto mucho antes.

Me bañé, y antes de vestirme volví a enchufar el teléfono. Ya no era de noche, y yo ya no estaba medio en sueños. Pensé que si alguien me llamaba para insultarme, yo les contestaría igual, empezando por "cobarde" y "asqueroso acusador sin nombre". Claro, ni bien me puse las medias el teléfono *empezó* a sonar. Contesté, lista para dar y repartir al que me estuviera llamando, cuando una voz de mujer dijo:

—¿Bueno? ¿Me comunica con la zeñora Dolores Claiborne?

Supe ahí mismo que era una llamada de larga distancia, y no sólo por el eco que se oye cuando la llamada viene de lejos. Lo supe porque nadie en la isla le dice "zeñora" a las mujeres. Puede ser señora o seño, pero zeñora no nos ha llegado desde la costa, más que una vez al mes, y escrito en las revistas que llegan a la farmacia.

—Soy yo —le dije.

—Habla Alan Greenbush —me informó ella.

—Qué raro —le contesté—. Usted no *suena* como Alan Greenbush.

—Llamo de su *oficina* —me contestó, como si yo fuera la cosa más estúpida que hubiera oído—. ¿Puede esperar a que la comunique con el señor Greenbush?

Me tomó tan de sorpresa que al principio no capté el nombre. Sabía que ya lo había oído, pero no sabía dónde.

—¿De qué se trata? —le pregunté.

Hubo una pausa, como si ella no debiera soltar esa clase de información, y luego dijo:

—Creo que se trata de la señora Vera Donovan. ¿Puede esperar, zeñora Claiborne?

Entonces capté: Greenbush, el que le mandaba todos esos sobres por correo certificado.

—Ajá —exclamé.

—¿Cómo? —me dijo.

—Espero —le aseguré.

—Gracias —me contestó. Sonó un clic y me quedé un rato ahí parada, esperando en ropa interior. No pasó mucho tiempo pero *pareció* mucho tiempo. Justo antes de que él entrara a la línea, se me ocurrió que se trataba de las veces que firmé a nombre de Vera: me habían atrapado. Me parecía que eso era; ¿nunca se dieron cuenta de que cuando una cosa anda mal, entonces todo lo demás comienza a andar mal?

Luego él entró a la línea:

—¿Zeñora Claiborne? —me dijo.

—Sí, yo soy Dolores Claiborne —le contesté.

—El oficial de policía local de isla Little Tall me llamó ayer por la tarde y me informó que Vera Donovan falleció —me informó—. Ya era muy tarde cuando recibí la llamada, así que decidí esperar hasta hoy para telefonearle.

Pensé en decirle que había gente en la isla a la que no le importaba mucho la hora en la que me llamaban, pero claro que no se lo dije.

Se aclaró la garganta y luego dijo:

—La señora Donovan me envió una carta hace cinco años, en la que se me impartieron instrucciones específicas de darle a usted cierta información concerniente a sus bienes y propiedades en un lapso de veinticuatro horas después de su defunción —se volvió a aclarar la garganta y me dijo—. Aunque desde entonces hablé con ella frecuentemente por teléfono, ésa fue la última *carta* que recibí de ella —tenía una voz seca, irritada. La clase de voz que cuando te dice algo, es imposible no oírla.

—¿De qué está usted hablando? —le pregunté—. ¡Deje de andarse por las ramas y *hable*!

Me dice:

—Me complace informarle que, aparte de una pequeña donación al Albergue de Menores de Nueva Inglaterra, usted es la única beneficiaria del testamento de la señora Donovan.

La lengua se me pegó al paladar y lo único que pude pensar es en cómo ella descubrió el truco de la aspiradora después de un tiempo.

—Posteriormente, en el transcurso de este día, usted recibirá un telegrama de confirmación —abundó—, pero me complace haber hablado con usted antes de que lo recibiera. La señora Donovan puso mucho énfasis acerca de sus deseos al respecto.

—Ajá —exclamé—. Vaya que podía ser enfática.

—Estoy seguro de que usted lamenta el fallecimiento de la señora Donovan, como todos nosotros, pero permítame decirle que usted será una mujer muy rica, y si puedo hacer algo para ayudarla en su nueva circunstancia, lo haría con el mismo gusto con el que ayudé a la señora Donovan. Claro que la llamaré para ponerla el tanto del progreso del testamento durante los juicios, pero en realidad no espero que haya ningún problema o tardanza. De hecho...

—Un momento, amiguito —le dije; sonó como si estuviera croando, como si yo fuera un sapo en un charco seco—. ¿De cuánto dinero estamos hablando?

Claro que yo *sabía* que ella tenía mucho, Andy; el hecho de que en los últimos años no se puso otra cosa que camisones de franela y comía una dieta de sopa Campbell's y comida de bebé Gerber no cambiaba eso. Vi su casa, vi sus coches, y a veces veía en los papeles que le llegaban por correo certificado un poquito más que la línea para firmar. Algunos eran documentos de transferencia de acciones, y hasta yo sé que si vendes dos mil acciones de Upjohn para comprar cuatro mil de la compañía de Luz y Fuerza del Valle del Mississippi, no es que estés como para vivir en el asilo de pobres.

Tampoco se lo preguntaba para ir corriendo a solicitar tarjetas de crédito o para ordenar cosas del catálogo de Sears... no quiero que se lleven esa impresión. Tenía un motivo mejor que eso. Sabía que la cantidad de gente que pensaba que yo la maté aumentaría por cada dólar que ella me hubiera dejado, y yo quería saber qué tanto daño me haría todo esto. Pensé que serían, a lo más, unos sesenta o setenta mil dólares... aunque él dijo que *había* donado algo a un orfanato, y supuse que eso era un buen mordisco.

También me molestaba otra cosa: me punzaba como un jején en junio al que se le ocurre posarse en tu nuca. Que algo andaba muy mal con toda la proposición. Pero no sabía bien qué era, igual que no supe al principio quién era Greenbush cuando su secretaria me dijo su nombre la primera vez.

Dijo algo que no pude entender bien. Sonó algo así como *blub-dub-glub-damente-treinta-millones-de-dólares.*

—¿Qué dijo usted, señor? —le pregunté.

—Que después de los juicios, honorarios legales y otras deducciones menores, el total es de aproximadamente treinta millones de dólares.

Sentí que la mano con la que agarraba la bocina del teléfono estaba como cuando me despierto y me doy cuenta de que me dormí sobre ella... no la sentía en el medio, y los bordes me picaban. También los pies me picaban, y otra vez volví a sentir que el mundo era de vidrio.

—Discúlpeme —expresé. Podía oír que mi boca hablaba bien y claro, pero parecía como si yo no tuviera que ver con las palabras que salían de ella. Sólo se movía, como una persiana cuando hace viento—. La línea no está muy bien. Pensé que usted dijo algo con la palabra *millones* —luego me reí, sólo para demostrar lo tonto que era eso que dije, pero creo que una parte de mí pensaba que no era tonto para nada, porque fue la risa más falsa que se me ha salido: sonó algo así como *Yar-yar-yar.*

—Dije *millones* —me contestó—. De hecho, dije *treinta* millones —y la verdad es que él se hubiera reído si no fuera que ese dinero me estaba llegando sobre el cadáver de Vera Donovan. Creo que estaba *emocionado*, que debajo de esa voz seca y remilgosa estaba lo que se llama emocionado. Creo que se sentía como John Bearsford Tipton, ese tipo millonario que regalaba millones así como así en ese viejo programa de la televisión. Claro que parte de todo esto era que él quería entrar en mi asunto: siento que el dinero es, para esa gente, como un trenecito eléctrico, y él no quería que una fortuna como la de Vera se le fuera de las manos. Pero creo que lo que más divertido lo tenía era oírme toda atontada como estaba yo.

—No entiendo —argüí, y ahora mi voz era tan débil que apenas podía oírla yo.

—Creo que entiendo cómo se siente usted —me dijo—. Es una suma cuantiosa, y por supuesto toma un tiempo acostumbrarse a eso.

—¿Cuánto es *en verdad*? —le pregunté, y ahora sí se rió. Si él hubiera estado cerca de mí, Andy, creo que le hubiera dado una patada en el asiento de los pantalones.

Me lo dijo otra vez, *treinta millones de dólares*, y yo pensé que si mi mano se hacía más estúpida, se me caería el teléfono. Y empecé a sentir pánico. Era como si alguien estuviera dentro de mi cabeza, dando vueltas a un cable de acero. Pensaba *treinta millones de dólares*, pero ésas eran sólo palabras. Cuando traté de saber qué quería decir eso, lo único que se me ocurría era lo de las historietas de Rico MacPato que Joe junior le leía al pequeño Pete cuando éste tenía cuatro o cinco años. Vi una arca muy grande, llena de monedas y billetes, sólo que en vez de que Rico MacPato caminara encima de todo ese dinero con sus polainas y esos lentes puestos en el pico, me veía *a mí* con mis pantuflas. Luego esa imagen se esfumó y pensé en cómo me miraron los ojos de Sammy Marchant cuando iban de mí al rodillo y del rodillo a mí. Eran como los ojos de Selena en ese día del jardín, oscuros y llenos de preguntas. Luego pensé en la mujer que me habló por teléfono y me dijo que en la isla todavía quedaban cristianos decentes a los que no les gustaba vivir con asesinos. No sabía lo que pensaría esa mujer y sus amigos cuando se enteraran de que Vera me dejó al morir treinta millones de dólares... y el sólo pensar en eso me llenó de pánico.

—¡No pueden hacerlo! —grité, como si estuviera loca—. ¿Me oye? ¡No pueden obligarme a tomarlo!

Entonces fue *su* turno de decirme que no me oía bien, que parecía que algo andaba mal con la línea.

Eso no me sorprendió. Cuando una persona como Greenbush oye que alguien dice que no quiere treinta millones de dólares, seguro piensa que el equipo *tiene* que estar mal. Estaba abriendo la boca para decirle otra vez que se lo daba de vuelta, que podía dar hasta el último centavo al Albergue de Menores de Nueva Inglaterra, cuando de pronto entendí qué es lo que andaba mal en todo esto. No es que se me ocuriera: me cayó en la cabeza como una carga de ladrillos.

—¡Donald y Helga! —dije. Seguro que soné como una participante en un concurso de la televisión que tiene la respuesta correcta en el último segundo del premio mayor.

—¿Disculpe usted? —me preguntó, cauteloso.

—¡Sus *hijos*! —le dije—. ¡Su hijo y su hija! ¡Ese dinero es de ellos, no mío! ¡Son de su sangre! ¡Yo no soy más que una ama de llaves!

Hubo una pausa tan larga que estuve segura de que el teléfono se desconectó, y a mí no me molestó. A decir verdad, sentí que me desmayaba. Estaba a punto de colgar cuando me dijo con su voz plana, muy rara:

—Usted no lo sabe.

—¿No sé *qué*? —le grité—. ¡Yo sé que ella tiene un hijo que se llama Donald y una hija que se llama Helga! Ya sé que ellos eran demasiado buenos para venir a visitarla a la isla, aunque ella siempre les cuidó sus cuartos. ¡Pero no creo que sean tan buenos como para no dividirse todo ese montón de dinero, ahora que ya está muerta!

—Usted no sabe —me dijo otra vez. Y entonces, como si se estuviera haciendo la pregunta a él y no a mí, me dijo—: ¿*Podría* usted no saber, después de tanto tiempo que trabajó para ella? ¿*Podría*? ¿Es que Kenopensky no se lo habría dicho? —y antes de que le pudiera decir nada, empezó a contestarse solo—. Claro que es posible. A excepción de una nota en la página interior del periódico local al día siguiente, ella mantuvo todo encubierto. Hace treinta años podía hacerse eso, si estabas dispuesto a pagar por el privilegio. Ni siquiera estoy seguro si hubo notas necrológicas —se detuvo, y luego dijo, como una persona que recién descubre algo nuevo, algo *enorme*, acerca de alguien que conoció toda su vida: —Es que ella hablaba de ellos como si estuvieran *vivos*, ¿no es así? ¡Durante todos estos años!

—¿De qué carajo está usted hablando? —le grité. Sentí como si un elevador me bajara por el estómago, y en ese momento toda clase de cosas, pequeñas cosas, empezaron a armarse en mi cabeza. No quería que lo hicieran, pero ocurrió igual—. ¡*Claro* que ella hablaba de ellos como si estuvieran vivos! ¡*Están* vivos! ¡Él tiene una compañía constructora en Arizona, la Golden West y Asociados! ¡Ella diseña ropa en San Francisco... Gaylord Fashions!

Excepto que ella siempre leía esas gruesas novelas históricas de mujeres con vestidos cortos que besaban a hombres sin camisa, y la marca de esos libros era Golden West... así decía en una etiqueta en la parte de arriba de los libros. Y se me ocurrió de pronto que ella había nacido en un pueblo que se llamaba Gaylord, Missouri. Quería pensar que fue en otra parte, Galen, o quizá Galesburg, pero yo sabía que no era así. De todos modos, su hija pudo bautizar su negocio de ropa con el nombre del pueblo donde nació su mamá... o por lo menos eso pensé.

—Zeñora Claiborne —dijo Greenbush, con una voz bajita y ansiosa—. El esposo de la señora Donovan murió en un desafortunado accidente cuando Donald tenía quince años y Helga trece...

—¡Ya sé! —exclamé, como si quisiera que él creyera que si yo sabía eso, entonces sabía todo.

—...y consecuentemente la relación entre la señora Donovan y sus hijos fue tirante.

También sabía eso. Recuerdo que la gente hablaba de lo callados que estaban los niños cuando aparecieron en la isla en las vacaciones del Día del Soldado Caído en 1961, y de que mucha gente dijo que los tres ya no estaban juntos, lo que era especialmente extraño, considerando la muerte repentina del señor Donovan un año antes; generalmente esta clase de cosas une más a la gente... aunque supongo que la gente de la ciudad tal vez sea un poco distinta en esas cosas. Y entonces recordé algo más, algo que me dijo Jimmy DeWitt en el otoño de ese año.

—Tuvieron una discusión tremenda en un restaurante justo después del Día de la Independencia, en julio del año 61 —le dije—. El muchacho y la niña se fueron al día siguiente. Recuerdo que el inmigrante, perdón, Kenopensky, los llevó a tierra firme en la lancha grande que tenían entonces.

—Sí —asintió Greenbush—. Tan es así, que Ted Kenopensky me hizo saber sobre qué discutieron. Ese mismo verano Donald recibió su licencia de conductor, y la señora Donovan le regaló de cumpleaños un coche. La jovencita, Helga, dijo que también *ella* quería un coche. Vera... la señora Donovan, aparentemente trató de explicarle a la niña que la idea era tonta, porque de nada le serviría un coche sin licencia y que ella no podía obtener una antes de cumplir los quince años. Helga dijo que tal vez eso fuera así en Maryland, pero no en Maine, que ella podía obtener la licencia a los catorce años... y que ella ya tenía esa edad. ¿Pudo ser verdad, zeñora Claiborne, o fue sólo una fantasía adolescente?

—En ese entonces *era* cierto —le respondí—, aunque creo que ahora es a partir de los quince años. Señor Greenbush, ¿el coche que le regaló a su hijo... era un Corvette?

—Sí —dijo—. Así es. ¿Como lo supo, señora Claiborne?

—Creo que vi una foto en alguna parte —dije, pero casi no oí mi propia voz. La voz que oí fue la de Vera: "Estoy cansada de ver que alzan ese Corvette de la zanja a la luz de la luna", me dijo cuando ella estaba moribunda en las escaleras. "Cansada de ver como el agua salía por la ventana abierta, en el lado del pasajero."

—Me sorprende que conservara una foto —aseguró Greenbush—. Es que Donald y Helga Donovan murieron en ese coche. Ocurrió en octubre de 1961, casi un año después de que muriera su padre. Al parecer, era la muchacha la que manejaba.

Siguió hablando, pero casi no lo oí, Andy... Yo estaba muy ocupada en armar el rompecabezas, y lo hacía tan rápido que creo que siempre supe que estaban muertos... muy en el fondo, siempre lo supe. Greenbush dijo que ellos estaban bebiendo y corriendo en ese Corvette a casi doscientos kilómetros por hora cuando la muchacha salió por una curva y cayó en la zanja; dijo que los dos estaban muertos mucho antes de que el coche de lujo se hundiera en el fondo.

También dijo que fue un accidente, pero tal vez yo sabía un poco más de accidentes que él.

Tal vez Vera tuvo que ver también con eso, y quizá ella siempre supo que la discusión de ese verano no tenía nada que ver ni un carajo con que Helga tuviera o no una licencia del estado de Maine; sencillamente eso era lo que más tenían a la mano. Cuando McAuliffe me preguntó sobre qué discutimos Joe y yo antes de que él tratara de ahorcarme, le dije que primero fue de dinero y luego de la bebida. Me doy cuenta de que lo primero que se discute es muy diferente de lo segundo, y podía ser que de lo que en verdad estaban discutiendo ese verano era de lo que le había pasado a Michael Donovan el año anterior.

Ella y el inmigrante lo mataron, Andy... solo faltó que ella me lo dijera en la cara. Nunca la agarraron, pero a veces hay gente en las familias que tienen piezas del rompecabezas que la ley nunca ve. Gente como Selena, por ejemplo... y quizá gente como Donald y Helga Donovan. Me pregunto cómo la miraron ese verano, antes de que discutieran en el restaurante y salieran de Little Tall por última vez. No puedo recordar, por más que trato, cómo eran sus ojos cuando la miraban, si eran como los de Selena cuando me miró. Tal vez lo recuerde algún día, pero créanme que no es algo que me urge saber.

Lo que *sí* sé es que dieciséis años es muy poco para que un demonio como Don Donovan tenga licencia de manejar... muy poco... y cuando agregas a eso un coche rápido, seguro que ocurre un desastre. Vera era bastante lista para saber eso, y seguro que estaba asustada; quizá odiara al padre, pero al hijo lo quería como a la vida misma. Yo sé que sí. Pero de todos modos le regaló el coche. Ella era dura, pero se arriesgó con eso, y a fin de cuentas también arriesgó a Helga, cuando Donald no era más que un muchacho de la preparatoria que recién le salía barba. Creo que era culpa, Andy. Y quizá quiero pensar que *sólo* fue eso porque no me gusta pensar que en eso también había miedo, de que un par de niños ricos como ellos pudieran chantajear a su propia madre por las cosas que ellos querían después de la muerte de su padre. *No creo* que fuera así... pero es posible. Sí, *es* posible. En un mundo donde un hombre puede pasar meses tratando de meterse a la cama con su propia hija, creo que todo es posible.

—Están muertos —le dije a Greenbush—. Es lo que me está diciendo usted.

—Sí —asintió.

—*Están* muertos desde hace más de treinta años —abundé.

—Sí —me volvió a repetir.

—Y todo lo que me dijo acerca de ellos —agregué—, fue una mentira.

Se volvió a aclarar la garganta. (Si mi plática de hoy con él es un ejemplo, ese hombre es uno de los aclaradores de garganta más grandes del mundo.) Cuando volvió a hablar, sonó casi como si fuera humano:

—¿Qué *fue* lo que ella le comentó acerca de sus hijos, zeñora Claiborne? —me preguntó.

Y cuando pensé en eso, Andy, me di cuenta de que ella me había contado un montón de cosas, empezando por el verano del año 62, cuando apareció por la isla representando diez años más y con diez kilos menos que el año anterior. Recuerdo que ella me contó que Donald y Helga tal vez pasarían todo agosto en la casa y yo tenía que encargarme de que hubiera suficiente avena Quaker, que era lo único que desayunaban. Recuerdo que ella volvió a la isla en octubre (ese fue el otoño cuando Kennedy y Krushchev estaban decidiendo si volaban el mundo entero o no) y me dijo que de ahora en adelante la vería más por acá. "Espero que veas más a los niños", me decía, pero había algo en su voz, Andy... y en sus ojos...

Mientras yo estuve ahí, parada, con el teléfono en la mano, lo que más recordé fueron sus ojos. Durante muchos años me dijo toda clase de cosas con su *boca*, de cómo ellos iban a la escuela, de lo que estaban haciendo, de quiénes eran sus amigos (según Vera, Donald se había casado y tenía dos hijos; Helga se había casado y divorciado), pero me di cuenta de que desde el verano de 1962 sus ojos me decían una sola cosa, una y otra vez: que estaban muertos. Ajá... pero tal vez no *completamente* muertos. No mientras hubiera una ama de llaves en una isla de la costa de Maine que creyera que todavía estaban vivos.

De ahí mi mente saltó al verano de 1963, el verano en que maté a Joe, el verano del eclipse. Ella estaba fascinada con el eclipse, pero no sólo porque fuera una cosa que ocurre una vez en la vida. No señor. Ella estaba enamorada de eso porque pensó que traería a Donald y Helga de vuelta a Pinewood. Ella me lo decía una y otra vez. Y esa cosa en sus ojos, la cosa que sabía que estaban muertos, desapareció por un rato en la primavera y principios del verano de ese año.

¿Saben qué estoy pensando? Pienso que entre marzo o abril y mediados de julio de 1963, Vera Donovan estaba loca; pienso que en esos pocos meses ella realmente *creyó* que ellos estaban vivos. Borró de sus recuerdos la imagen de ese Corvette que sacaban de la zanja; creyó que revivió a sus hijos por pura fuerza de voluntad. ¿Creyó que los revivió? No: eso no es lo correcto. Los *eclipsó* hasta revivirlos.

Ella se volvió loca y creo que quiso *quedarse* loca, tal vez para tener a sus hijos con ella otra vez, tal vez para castigarse a sí misma, tal vez las dos cosas al mismo tiempo, pero al final, ella tuvo demasiada cordura dentro de ella y no pudo hacerlo. En la última semana o diez días antes del eclipse, todo comenzó a derrumbarse. Recuerdo esa vez, cuando las que trabajamos para ella nos preparamos para ese eclipse del diablo y la fiesta que siguió, como si fuera ayer. Ella estuvo de muy buen humor durante junio y principios de julio, pero para cuando mandé a mis hijos de vacaciones, todo se fue al carajo. Fue entonces cuando Vera comenzó a actuar como la Reina Roja de *Alicia en el país de las maravillas*, gritándole a la gente sólo con que la miraran feo, y despidiendo a las empleadas de la casa así nomás. Creo que fue entonces cuando se derrumbó su último intento de querer regresarlos a la vida. Entonces supo que estaban muertos, y aún después, pero ella hizo la fiesta tal y como lo planeó. ¿Se imaginan el *valor* que necesitó para eso?

También recuerdo otra cosa que dijo: esto fue después de que me le enfrenté cuando despidió a la muchacha Jolander. Cuando Vera habló conmigo después, yo estaba segura de que también me iba a despedir a mí. En vez de eso me dio una bolsa con cosas para ver el eclipse y eso fue, tratándose de Vera, una disculpa. Me dijo que a veces una mujer tiene que ser una cabrona.

A veces, "ser una cabrona es lo único que le queda a una mujer", me comentó.

"Ajá", pensé. "Cuando ya no queda nada, sólo hay eso. Siempre hay eso."

—¿Zeñora Claiborne? —dijo una voz en mi oído, y entonces recordé que Greenbush seguía en el teléfono; me había olvidado completamente de él—. Zeñora Claiborne, ¿está usted ahí todavía?

—Todavía —contesté. Él me había preguntado qué era lo que ella me dijo de ellos, y eso fue todo lo que necesité para pensar en esos viejos tiempos tan tristes... pero no vi la forma de decirle todo eso, no a un tipo de Nueva York que no sabía nada de cómo es la vida en Little Tall. De cómo vivió *ella* en Little Tall. Para decirlo de otro modo, él sabría mucho de inversiones y acciones, pero no sabía lo que se llama nada de los alambres en los rincones.

O los conejitos de polvo.

Comenzó a decir:

—Pregunté acerca de lo que ella le dijo de...

—Me ordenó que hiciera siempre sus camas y tuviera avena Quaker en la despensa —le contesté—. Me decía que tenía que estar lista porque ellos podrían volver en cualquier momento —y eso, Andy, estaba muy cerca de lo que era la verdad, por lo menos lo suficiente para Greenbush.

—¡Vaya, es sorprendente! —exclamó, y fue como oír a un doctor de lujo diciendo: "¡Vaya, eso es un tumor en el cerebro!"

Después de eso hablamos un poco más, pero no me acuerdo bien de lo que él me dijo. Creo que le volví a decir que no quería ni un centavo del dinero, y por la forma en que él me habló, muy cortés y amable y alegre, creo que cuando habló contigo, Andy, no le dijiste ninguna de las noticias que tal vez te pasó Sammy Marchant a ti, y a todo el que quisiera oírlas en Little Tall. Creo que pensaste que después de todo no era asunto tuyo, o por lo menos no todavía.

Recuerdo que le dije que diera *todo* al albergue de huérfanos, y que él me dijo que no podía hacer eso. Dijo que *yo* sí podía hacerlo, en cuanto el testamento pasara por los juicios (aunque hasta el idiota más grande del mundo podría saber que él no creía que yo haría una cosa así en cuanto terminara de entender lo que había pasado), pero que *él* no podía mover un dedo con el dinero.

Al final le prometí que lo llamaría cuando me sintiera "un poco menos confundida", como él dijo, y colgué. Me quedé parada ahí por mucho tiempo, unos quince minutos o más. Me sentí... tétrica. Sentí que todo ese dinero estaba encima de mí, que lo tenía pegado como los bichos que se pegaban al papel matamoscas que mi papá colgaba en la letrina cuando yo era niña. Me dio miedo que se me pegara más y más si me movía, que me envolviera hasta que no tuviera forma de quitármelo.

Para cuando *empecé* a moverme, olvidé lo de venir a la comisaría para verte, Andy. A decir verdad, casi olvidé vestirme. Al final saqué unos pantalones de mezclilla y un suéter, y eso que el vestido que quise ponerme estaba sobre la cama (y todavía está ahí, a menos que alguien haya entrado y se haya desquitado con el vestido como les hubiera gustado hacerlo con la persona que debía estar adentro). Me puse mis galochas viejas y con eso tuve para salir.

Di un rodeo en la roca blanca entre el cobertizo y el matorral de zarzamoras, y me detuve un momentito para mirar hacia adentro y para oír el viento sonar entre las ramas espinosas. Sólo pude ver lo blanco del concreto de la tapa del pozo. De sólo verlo me puse a temblar, como una persona con una gripa muy fuerte. Tomé el atajo a través del Prado Ruso y luego caminé hasta donde la avenida se junta con la Punta Este. Me quedé ahí un rato, para que la brisa del mar me hiciera volar el pelo y me limpiara, como lo hace siempre, y luego bajé.

Te ves muy preocupado, Frank... la soga y el letrero de advertencia del promontorio siguen ahí; lo que pasa es que no estaba muy preocupada por bajar de ahí después de todo lo que he pasado.

Bajé, yendo de aquí para allá, hasta que llegué a las rocas del fondo. El viejo muelle, lo que la gente de antes llamaba muelle Simmons, estaba ahí, pero ya no queda nada de él, más que unos cuantos postes y dos anillos de hierro clavados en el granito, muy oxidados. Me imagino que parecen las cuencas en un cráneo de dragón, si de veras existieran. Cuando era niña, Andy, pesqué mucho en ese muelle, y creo que pensé que siempre estaría ahí, pero al final el mar se lleva todo.

Me senté en el escalón de abajo, con mis galochas colgando, y ahí me quedé durante las siguientes siete horas. Vi cómo bajó la marea y vi cómo regresó hasta que me cansé de estar ahí.

Al principio traté de pensar en el dinero, pero no pude lograr que mi mente se quedara en eso. Tal vez la gente que ha tenido tanto dinero en su vida lo puede hacer, pero yo no. Cada vez que trataba, sólo veía a Sammy Marchant mirando hacia el rodillo... y luego hacia mí. Eso es todo lo que quiere decir el dinero para mí, Andy: Sammy Marchant mirándome con los ojos oscuros y diciendo: "Pensé que ella no podía caminar. Siempre me dijiste que no podía caminar, Dolores."

Luego pensé en Donald y Helga. "Si me engañas una vez, maldito seas", le dije a nadie en especial mientras estuve ahí sentada con los pies colgando tan cerca del agua que se mojaron con espuma. "Si me engañas dos veces, maldita sea yo." Sólo que ella nunca me engañó realmente... sus *ojos* nunca me engañaron.

Recuerdo que una vez me di cuenta de algo: esto fue a fines de los sesenta, y es que nunca los volví a ver, *ni siquiera una vez*, desde aquella ocasión cuando el inmigrante los llevó a tierra firme ese día de julio de 1961. Eso me inquietó tanto que rompí una regla que me impuse yo sola, y era la de no hablar de ellos a menos que Vera lo hiciera primero:

—¿Cómo están los niños, Vera? —le pregunté, y las palabras se me salieron de la boca mucho antes de que supiera que las tenía. Dios es testigo de que se me salieron así nomás—. ¿Cómo les está yendo?

Recuerdo que esa vez ella estaba sentada en la sala, tejiendo en el sillón junto a las ventanas, y cuando le pregunté eso ella dejó de tejer y se me quedó viendo. Ese día el sol estaba muy fuerte, y le daba en la cara en una franja muy brillante, y en la forma en que me miró había algo tan horrible, que por un segundo o dos estuve a punto de gritar. No fue sino hasta después de que se me pasó la necesidad de gritar cuando me di cuenta de que se trataba de sus ojos. Eran ojos muy hundidos, ruedas negras en esa franja de sol donde todo lo demás brillaba mucho. Eran como los ojos de *Joe* cuando me miró desde el fondo del pozo... como piedritas negras o carbones puestas en masa blanca. Durante uno o dos segundos fue como mirar a un fantasma. Luego ella movió un poco la cabeza y volvió a ser Vera, sentada ahí, y parecía como si la noche anterior se le hubiera pasado la mano con la bebida. No hubiera sido la primera vez.

—En verdad no lo sé, Dolores —me dijo—. Estamos desavenidos —eso fue todo lo que me dijo, y eso era todo lo que ella necesitaba decir. Todos los cuentos que me contó de sus vidas (ahora sé que eran cuentos) no decían tanto como esas dos palabras: "Estamos desavenidos". Mucho del tiempo que pasé en el muelle Simmons, pensé en lo fea que es esa palabra. Desavenido. De sólo oírla me dan escalofríos.

Me quedé sentada y rumié esos recuerdos por última vez. Luego los hice a un lado y me paré del lugar donde pasé casi todo el día. Decidí que no me importa mucho lo que piensen ustedes y los demás. Ya terminó todo: para Joe, para Vera, para Michael Donovan, para Donald y Helga... y también para Dolores Claiborne. De cualquier forma, ya se quemaron todos los puentes entre esa época y esta. El tiempo es como el mar, igual que el que está entre las islas y tierra firme, pero el único trasbordador que puede cruzarlo es la memoria, y ése es como un barco fantasma: si quieren que desaparezca, a fin de cuentas lo hace.

Pero dejando eso a un lado, es extraño cómo salieron las cosas, ¿o no? Recuerdo lo que me pasó por la cabeza cuando me paré y miré la bajada del promontorio: lo mismo que pensé cuando Joe sacó el brazo del pozo y casi me jala con él: *Cavé una fosa para mis enemigos, y yo mismo caí en ella*. Mientras volví a subir hacia el promontorio, agarrándome del pasamanos y subiendo por esas escaleras desvencijadas (claro que supuse que me sostendrían una segunda vez), me pareció que todo ocurrió finalmente, y que yo siempre supe que pasaría. La única diferencia es que me tomó más tiempo caer en la mía que a Joe caer en la suya.

Vera también cayó en su fosa, y si tengo algo que agradecer, es que no tuve que soñar con mis hijos para revivirlos, como ella... aunque a veces, cuando hablo por teléfono con Selena y la oigo sorber las palabras, me pregunto si hay alguna salida para el dolor y las penas de nuestras vidas. Yo no pude engañarla, Andy... soy maldita.

Pero voy a hacerle frente a las cosas y apretaré los dientes para que parezca una sonrisa, como siempre lo he hecho. Trato de tener en mente que dos de mis tres hijos están vivos, que tuvieron mucho más éxito del que cualquiera en Little Tall se esperaba cuando eran bebés, y mucho más éxito del que hubieran tenido si el inútil de su padre no hubiera tenido un accidente en la tarde del 20 de julio de 1963. La vida no es una cuestión de "es esto o es esto otro", y si olvido agradecer que mi niña y uno de mis niños viven mientras que la niña y el niño de Vera murieron, tendré que justificar el pecado de la ingratitud cuando esté frente al trono del Todopoderoso. No quiero hacer eso. Ya tengo suficiente sobre mi conciencia, y también sobre mi alma. Pero escúchenme, ustedes tres, y escuchen esto si no entienden lo demás: todo lo que hice, lo hice por amor... el amor natural que siente una madre por sus hijos. Ése es el amor más fuerte que hay en la tierra, y también el más mortal. No existe cabrona más grande en el mundo que una mujer asustada por sus hijos.

Mientras llegaba a la punta del promontorio otra vez, pensé en el sueño que tuve, y me quedé parada en el descanso justo dentro de la soga de seguridad, viendo hacia el mar... el sueño que tuve de Vera dándome los platos que se me caían. Pensé en el sonido que hizo la piedra cuando se la estrellé a Joe en la cara, y que ese sonido y el del sueño eran el mismo.

Pero más que nada pensé en Vera y en mí, dos cabronas que vivieron en un pedacito de roca frente a la costa de Maine, que vivieron juntas casi todo el tiempo en los últimos años. Pensé en cómo las dos cabronas durmieron juntas cuando la más vieja estaba asustada y en cómo pasaron los años en esa casa tan grande, dos cabronas que al final pasaban el tiempo fastidiándose la una a la otra. Pensé en las veces que fue más lista que yo, y que yo le respondía siendo más lista que ella, y lo felices que nos sentíamos cuando una ganaba una ronda. Pensé en cómo se sentía ella cuando lo de los conejitos de polvo, que gritaba y temblaba como un animal acorralado por una criatura más grande que quiere romperlo en pedazos. Recuerdo las veces que me metía a la cama con ella, la abrazaba y la sentía temblar, como un cristal delicado que alguien tocó con el mango de un cuchillo. Sentía sus lágrimas en el cuello, y le cepillaba su pelo fino y seco, y le decía: "Shh, mi amor... shh.

Ya se fueron esos conejitos de polvo. Yo te voy a cuidar."

Pero, Andy, si hay algo que descubrí, es que *nunca* se irían. Crees que te zafaste de ellos, que los limpiaste y que ya no queda ni un solo conejito de polvo en ninguna parte y que, cuando regresan, parecen caras, *siempre* parecen caras, y se parecen a las caras que nunca quieres volver a ver, despierto o en sueños.

Pensé en ella tirada en las escaleras, y que ella me decía que estaba cansada, que quería terminar con todo. Y mientras estuve en esas escaleras desvencijadas con mis galochas mojadas, supe muy bien por qué elegí subir a esas escaleras que están tan podridas que ni siquiera los mocosos juegan en ellas después de la escuela, o en los días en que se van de pinta. Yo también estaba cansada. Viví mi vida lo mejor que pude con mis propias fuerzas. Nunca me asustó el trabajo, ni me quejé de las cosas que tuve que hacer, ni siquiera de las cosas que eran terribles. Vera tenía razón cuando decía que a veces una mujer tiene que ser una cabrona para sobrevivir, pero yo le puedo decir al mundo entero que ser cabrona es difícil, y yo ya estaba cansada. Quería terminar con todo, y se me ocurrió que todavía no era demasiado tarde para bajar por las escaleras, y que esta vez no tendría por qué detenerme al llegar al suelo... no si yo no quería.

Entonces la volví a oír: a Vera. La oí como esa noche junto al pozo, no sólo en mi cabeza, sino también en mi *oído*. Pero les puedo decir que esta vez me asustó todavía más: en el año 63 ella estaba *viva*.

—¿En qué *puedes* estar pensando ahora, Dolores? —me preguntó con su voz altanera de bésame-las-nalgas—. *Yo* pagué un precio más grande que el tuyo; pagué un precio mucho más grande que el de cualquiera, pero viví con la ganga que obtuve de todos modos. Hice algo más que eso. Cuando los conejitos de polvo y los sueños de lo que pudieron ser las cosas fueron todo lo que me quedaba, tomé los sueños y los hice míos. ¿Los conejitos de polvo? Bien, tal vez ellos me atraparon al final, pero viví con ellos durante muchos años antes de que me atraparan. Ahora tú te las tienes que arreglar con tus sueños, pero si perdiste el valor que tuviste cuando me dijiste que era una cabronada eso de despedir a la muchacha Jolander, entonces haz lo que quieras. Salta, si quieres. Porque sin tu valor, Dolores Claiborne, no eres más que otra vieja estúpida.

Me eché para atrás y miré a mi alrededor, pero sólo estaba el promontorio, oscuro y húmedo con ese rocío que hay en el aire en los días con viento. No había nadie. Me quedé parada un rato más, viendo las nubes en el cielo (me gusta verlas; están tan alto, y son tan libres y calladas cuando corren ahí arriba), y luego me volteé y comencé a regresar a mi casa. En el camino tuve que parar a descansar dos o tres veces, porque estar tanto tiempo en el aire húmedo en el fondo de las escaleras hizo que me doliera la espalda. Pero llegué. Cuando regresé a la casa me tomé tres aspirinas, me metí en el coche y manejé hasta aquí.

Y eso es todo.

Nancy, veo que ya hiciste un montón de esas cintitas, y tu grabadora muy lista está a punto de agotarse. También yo, pero vine aquí a decir mis cosas y terminé... palabra por palabra, y cada una es la verdad. Haz lo que tengas que hacerme, Andy; yo ya hice lo mío, y estoy en paz conmigo misma. Creo que eso es todo lo que importa; eso, y saber exactamente quién eres. Yo sé quien *soy*: Dolores Claiborne, a dos meses de cumplir sesenta y seis años, miembro del Partido Demócrata, residente de toda la vida en isla Little Tall.

Creo que quiero decir dos cosas más, Nancy, antes de que apagues ese aparatito tuyo. Al final, son las cabronas del mundo las que se quedan... y en lo que se refiere a los conejitos de polvo: *¡Váyanse al carajo!*

Álbum de recortes

Del periódico *American* de Ellsworth, 6 de noviembre de 1992 (p. 1):

MUJER ISLEÑA ABSUELTA

Dolores Claiborne, de isla Little Tall, quien durante muchos años trabajó con la señora Vera Donovan, también de Little Tall, fue absuelta de toda culpa en lo relacionado a la muerte de la señora Donovan, tras una averiguación forense extraordinaria realizada ayer en Machias. El propósito de la averiguación fue el de determinar si la señora Donovan sufrió una "muerte ilícita", lo cual se refiere a una muerte como resultado de negligencia o de un acto criminal. Las especulaciones relacionadas con el papel jugado por la señora Claiborne en la muerte de su patrona surgieron a raíz de que la señora Donovan, que padecía senilidad en el momento de morir, legó todas sus propiedades a su dama de compañía y ama de llaves. Algunas fuentes estiman que el valor de las propiedades es superior a los diez millones de dólares.

Del periódico *Globe* de Boston, 20 de noviembre de 1992 (p. 1):

Una feliz Acción de Gracias en Somerville

BENEFACTOR ANÓNIMO DONA 30 MILLONES
A UN ORFANATO

Los sorprendidos directores del Albergue de Menores de Nueva Inglaterra anunciaron en una conferencia de prensa de último momento esta tarde que la Navidad se adelantó para el orfanato, que este año cumple ciento cincuenta años, gracias a un donativo de treinta millones de dólares procedente de un donador anónimo.

"Recibimos de Alan Greenbush, un respetado abogado y contador público de Nueva York, la noticia de esta sorprendente donación", declaró, visiblemente aturdido, el señor Brandon Jaegger, jefe del consejo directivo del orfanato. "El donativo parece ser totalmente honesto, pero la persona que hizo esta contribución, o más bien el ángel de la guarda que lo hizo, parece tener serias intenciones en lo que se refiere a su anonimato. Huelga decir que los que estamos relacionados con el albergue nos sentimos felices."

Si el multimillonario donativo resulta ser cierto, sería el más cuantioso con fines de caridad legado desde 1938 a una institución de Massachusetts, cuando...

Del semanario *The Weekly Tide*, 14 de diciembre de 1992 (p. 16):

Notas de Little Tall
por "Nettie la Entrometida"

La semana pasada, la señora Lottie McCandless ganó el premio mayor de la lotería de Jonesport del viernes. ¡El premio asciende a 240 dólares y eso significa muchos regalos de Navidad! ¡La *envidia* que le da a Nettie la Entrometida! ¡Pero, ya en serio, felicidades, Lottie!

Philo, el hermano de John Caron, llegó de Derry para ayudar a John a calafatear su barco, el *Deepstar*, mientras está en carena. No hay nada mejor que un poco de "amor fraternal" en esta época navideña, ¿verdad, muchachos?

Jolene Aubuchon, quien vive en compañía de su nieta Patricia, terminó el jueves pasado un rompecabezas de 2 000 piezas del monte Santa Helena. Jolene dice que el próximo año celebrará su 90º cumpleaños armando un rompecabezas de 5 000 piezas de la Capilla Sixtina. ¡Bravo, Jolene! ¡A Nettie la Entrometida y a todos en el *Tide* nos gusta tu estilo!

¡Dolores Claiborne comprará regalos extra esta semana! Ella supo que su hijo Joe, "Don Demócrata", vendría a casa con su familia para descansar de sus labores en Augusta, para una "navidad isleña", pero ahora dice que su hija, la famosa escritora Selena St. George, le hará una visita ¡por primera vez en *veinte años*! Dolores dice que se siente "muy bendecida". Cuando Nettie la Entrometida le preguntó si discutirían el último artículo de fondo de Selena publicado por el *Atlantic Monthly*, Dolores solamente sonrió y dijo: "Estoy segura de que tenemos mucho de qué hablar".

Del Departamento de Recuperaciones Tempranas se nos informa que Vincent Bragg, quien el pasado octubre se rompió un brazo jugando futbol...

Octubre de 1989 — Febrero de 1992

Esta obra se terminó de imprimir
en julio de 1994 en
Ingramex, S.A.
Centeno 162
México, D.F.

La edición consta de 3,000 ejemplares